SuperMiti

LA PITTURA ITALIANA

I MAESTRI DI OGNI TEMPO
E I LORO CAPOLAVORI

MONDADORI

Testi e ricerca iconografica a cura di Stefano Zuffi
con la collaborazione di Francesca Castria

In copertina:
Antonello da Messina, *Presunto autoritratto* (part.)
1470 c., Londra, National Gallery

Alle prime pagine:
Leonardo da Vinci, *Ritratto di Ginevra Benci* (part.)
1478 c., Washington, National Gallery
Piero della Francesca, *San Giuliano* (part.)
1450 c., Sansepolcro (Arezzo), Museo Civico
Andrea Mantegna, *La corte dei Gonzaga* (part.)
1465-1474, Mantova, palazzo Ducale, camera degli Sposi

Referenze fotografiche:
Archivio Electa, Milano
Archivio Mondadori, Milano

Inoltre si ringraziano gli archivi fotografici dei musei e
degli enti che hanno fornito il materiale iconografico.

Periodico bisettimanale:
N. 3 del 17/3/1998
Direttore responsabile: Massimo Turchetta
Registr. Trib. di Milano n. 759 del 29/11/1997

ISBN 88-04-45057-6

ISSN 1126-3903

Questo volume è stato stampato
presso Arnoldo Mondadori Editore S.p.A.
Stabilimento di Verona
Stampato in Italia - Printed in Italy

Il nostro indirizzo Internet è:
http://www.mondadori.com/libri

Scegliere cinquecento opere tra i capolavori di sette secoli di pittura è un compito insieme esaltante
e angoscioso. Scorrono nomi, luoghi, immagini che suscitano suggestioni, emozioni, ricordi.
Per questo non si vorrebbe mai "scartare" un quadro e privilegiarne un altro: ogni scelta implica,
simmetricamente, una rinuncia, spesso non facile da affrontare, tanto che alla selezione proposta
si potrebbero trovare valide alternative quasi pagina per pagina.
Qualunque antologia, pur di proporzioni vaste come questa, può dare un'idea solo parziale
della ricchezza della pittura italiana. Così, attingendo da un patrimonio inesauribile,
è stato necessario adottare alcuni criteri fondamentali come guida.
Prima di tutto, si è cercato di rendere esplicito, come filo conduttore, la "lingua comune" della pittura
italiana attraverso il tempo. Al contrario di altri stati europei, l'Italia ha raggiunto l'unità nazionale
solo nella seconda metà dell'Ottocento: in precedenza il territorio era frazionato in un mutevole
incastro di signorie locali o straniere. Tuttavia, l'arte italiana comunica un forte senso di compattezza,
anche grazie ai viaggi di grandi maestri e alla costante circolazione delle idee e dei modelli figurativi.
Un elemento costitutivo dell'identità che accomuna il linguaggio pittorico italiano è la pluralità
degli apporti e la varietà delle scuole: questa selezione degli autori e delle opere desidera
quindi far emergere la sostanziale coerenza dell'arte italiana attraverso l'incrociarsi dei confronti
e la creatività dei singoli artisti, con una eccezionale distribuzione nello spazio e nel tempo
di espressioni libere e importanti della pittura.
Un terzo criterio di scelta è stato dettato appunto da quest'ultima osservazione.
Tutti conoscono le "capitali" dell'arte italiana, come Roma, Firenze e Venezia, ma la qualità
distintiva dell'arte italiana è la presenza capillare di opere altissime di pittura sul territorio.
A ciò fa da contraltare, da oltre quattro secoli, un'esportazione internazionale di capolavori,
che ha portato alla nascita e all'incremento dei grandi musei. Alla caratteristica presenza
di un "museo diffuso" in centinaia di centri storici, grandi, piccoli o piccolissimi, si associa
dunque una concentrazione di capolavori in alcune città-simbolo e la diaspora antica
e recente di opere importanti verso l'estero. Si è cercato di rendere questa situazione attraverso
un bilanciamento geografico delle immagini riprodotte.
Naturalmente, poi, non si è potuto prescindere da alcuni punti fermi che da secoli costituiscono
pietre di paragone per l'arte europea e che sono entrate nell'immaginario collettivo anche come mete
privilegiate del turismo culturale; tuttavia, poiché l'esperienza estetica appartiene anche alla sfera
dell'irrazionale, non mancano alcune marginali concessioni al gusto individuale di chi ha dovuto
selezionare maestri e capolavori. Trattandosi appunto di scelte personali, sono opinabilissime:
chi sfoglierà questo libro avrà indubbiamente delle sorprese, sia per quello "che c'è" sia, anche,
per quello che "non c'è". Ma questa è la meraviglia dell'arte: ci offre il conforto di grandi certezze,
di punti di riferimento sereni e sicuri e, nello stesso tempo, lascia libero spazio alla fantasia
e alla sensibilità di ciascuno di noi.

Il Trecento

Giotto
*Incontro di Gioacchino e Anna
alla Porta Aurea*, particolare

1304-1306
Padova, cappella degli Scrovegni.

Una tradizione storica, inaugurata all'inizio del Trecento da Dante nella *Divina Commedia* ("credette Cimabue de la pintura/ tener lo campo; ed or ha Giotto il grido/ sì che la fama di colui è oscura"), raccolta da Giorgio Vasari nelle *Vite* del 1550 e ribadita per secoli dagli scrittori d'arte, fa di Cimabue il capostipite dei pittori italiani. Con lui prende avvio la scuola fiorentina, che all'inizio del Trecento – come avviene in letteratura – impone la propria "lingua" a tutta Italia. Questa interpretazione corrisponde solo in parte all'effettivo sviluppo storico della pittura italiana, anche perché getta i presupposti per una non sempre giustificata centralità dell'arte toscana rispetto alle altre regioni e lascia nell'ombra grandi personalità degli artisti duecenteschi: tuttavia, rimane anche oggi la fondamentale linea di lettura delle origini della grande pittura italiana. In modo particolare, la svolta radicale nella cultura figurativa riguarda il definitivo passaggio dall'influsso bizantino a un'arte che osserva e interpreta la realtà, ritrovando la remota ma ancora potente lezione della classicità. Le fisse, ieratiche, mistiche immagini bizantine lasciano il posto a una visione nuova, che trova negli affreschi di Giotto la più esplicita affermazione; come ha scritto il pittore trecentesco Cennino Cennini, Giotto traduce l'arte dal greco al latino. Le cadenze chiare e sonore del "volgare" di Dante e di Boccaccio corrispondono pienamente all'eloquenza umana e diretta dei personaggi dipinti da Giotto o dai Lorenzetti. Fa eccezione Venezia, la più "orientale" fra le città italiane: lo stile dei mosaici di San Marco si riflette sulla pittura, nonostante la presenza, nella vicina Padova, della cappella degli Scrovegni dipinta da Giotto nel 1304.

Qui diventano protagonisti uomini e donne veri, che occupano un ruolo sociale e uno spazio fisico tangibile nello scenario quotidiano della città o della campagna.

La piena consapevolezza della presenza attiva dell'individuo nella storia e nel mondo è la maggiore conquista della cultura italiana alle soglie del XIV secolo: comincia a prendere le mosse il movimento intellettuale che, un secolo dopo, si manifesterà nella matura stagione dell'umanesimo.

Durante la prima metà del Trecento si assiste inoltre al consolidarsi del fenomeno delle scuole locali. Nei secoli precedenti si avvertiva un prevalente riferirsi a modelli non locali, come l'arte bizantina o quella ottoniana, con risultati sovrapponibili nelle diverse regioni: dal XIV secolo in poi, invece, varie regioni – ma spesso anzi singole città – cominciano a esprimere forme d'arte caratteristiche, ben individuabili e differenziate pur mostrando riferimenti comuni. La varietà delle scuole locali è bilanciata dai viaggi degli artisti più famosi, tanto da stabilire un dialogo duraturo: il fiorentino Giotto tocca Assisi, Roma, Padova, Milano e Napoli; il senese Simone Martini viaggia da Napoli ad Avignone; il romano Pietro Cavallini si reca a sua volta a Napoli e ad Assisi; gli emiliani Vitale da Bologna e Tommaso da Modena raggiungono il Veneto fino a Treviso e Udine; e così via, a tutto vantaggio di un confronto artistico che si fa sempre più serrato. La pittura diventa in alcuni casi un orgoglioso mezzo di affermazione e di celebrazione. La vita sociale e politica di una città come Siena si specchia e si compiace nella pittura: una commovente processione di cittadini in festa accompagna la tavola della *Madonna in Maestà* dalla bottega di Duccio al Duomo; pochi anni dopo, in competizione con il capitolo della Cattedrale, il Comune commissiona all'emergente Simone Martini un affresco di simile soggetto per palazzo Pubblico; Ambrogio Lorenzetti dipinge nella sala dei Nove le affascinanti allegorie del Buono e del Cattivo Governo, un manifesto politico che diventa un capolavoro di vivacità e di freschezza;

Giotto
Adorazione dei Magi
Padova, cappella degli
Scrovegni.

8

perfino i registri delle cartelle delle tasse (chiamate "biccherne") vengono squisitamente decorati con frontespizi dipinti dai maggiori artisti della città.

Siena e Firenze sono le città in cui il dibattito sulla pittura è più vivace e ricco di personalità: luogo d'incrocio e di confronto per tutti i maggiori artisti della fine del Duecento e della prima metà del Trecento è tuttavia la basilica di San Francesco ad Assisi. Nelle aule gotiche delle due chiese sovrapposte la pittura copre ogni spazio disponibile, dalle pareti ai soffitti, dalle volte ai transetti, dalle cappelle laterali alle tribune: non tutte le mani dei pittori sono state identificate e il dibattito critico è tuttora aperto anche su affreschi celeberrimi, come le grandi scene con la vita di san Francesco nella basilica Superiore, generalmente ritenute la prima grande opera di Giotto. Generazioni di maestri si susseguono sui ponteggi di Assisi, con un paragone ad altissimo livello tra i maestri della scuola romana (Filippo Rusuti, Jacopo Torriti e forse lo stesso Pietro Cavallini), i fiorentini Cimabue e Giotto e tutti i grandi senesi (Duccio, i fratelli Lorenzetti, Simone Martini). Il cantiere di Assisi è anche il laboratorio per gli sviluppi dell'arte trecentesca: da un lato la solennità grave e umana di Giotto, dall'altro l'amore per la linea elegante di Simone Martini. Amico di Petrarca, poeticamente attratto da ideali purissimi e quasi immateriali di bellezza e di seduzione, Simone Martini può essere considerato il precursore e il modello per la pittura gotica delle corti internazionali.

L'evoluzione sociale e culturale del Trecento si interrompe bruscamente a metà del secolo. Tre anni di carestia e soprattutto il flagello terribile della Peste Nera (1348) prostrano tutta l'Europa e colpiscono duramente la realtà italiana. Nella seconda metà del secolo si arresta il processo di recupero e di rilancio della realtà, inaugurato da Giotto: solo in alcuni centri di cultura universitaria, come Padova, gli artisti proseguono nella ricerca del vero. La maggiore sicurezza e indipendenza dimostrata dall'arte italiana può essere messa in rapporto con la congiuntura politica ed economica. Durante la prima metà del Trecento, infatti, molte regioni e città italiane conoscono gli effetti positivi della stabilità amministrativa, che coincide con la salda affermazione di famiglie egemoni nelle corti (per esempio, i Visconti a Milano e gli Angiò a Napoli) o di forme consolidate di governo oligarchico nelle repubbliche di Firenze e di Venezia. Nelle principali città

Pietro Lorenzetti
Deposizione dalla Croce
Assisi, basilica Inferiore
di San Francesco.

prende corpo un forte ceto imprenditoriale, mercantile o finanziario. La pittura giottesca, rapidamente diffusa in molte regioni grazie ai viaggi del pittore, offre l'immagine della sicurezza morale e materiale, della nuova prospettiva esistenziale di un uomo soddisfatto nel conoscere e nell'interpretare il proprio tempo e il proprio ambiente. I personaggi dipinti da Giotto sono uomini e donne veri: con il loro carico di ansie e di speranze, di stupore e di sentimento, espresso attraverso il pieno volume del naturale e della tridimensionalità. Le strade della pittura si dividono in due direzioni particolari. In Toscana torna in auge un'immagine austera, ammonitrice: la potenza divina incombe sulla sfera umana, ne determina i limiti e ne giudica i destini. La frontalità severa delle figure dell'Orcagna torna a ispirarsi alla solenne ieraticità dell'arte bizantina. All'opposto, lo stile delle corti tardogotiche cerca immagini lussuose, preziosamente definite fin nei dettagli descrittivi: alla realtà si sostituisce l'evocazione, la fiaba, il poema cavalleresco. La celebrazione della casata, espressa anche attraverso il ricorso alla simbologia araldica, ispira le raffinate e fantasiose invenzioni della pittura e della miniatura della seconda metà del Trecento, in cui emerge la scuola lombarda.

Cimabue
Madonna col Bambino
in trono e due angeli

1300 c.
tavola
Bologna, Santa Maria
dei Servi.

Cimabue
Cenni di Pepo, notizie dal 1272 al 1302

Maestro decisivo per gli sviluppi
dell'arte italiana, è tradizionalmente
indicato come il vero fondatore
della scuola fiorentina grazie alle sue
composizioni monumentali in
cui vengono messi parzialmente
in discussione gli schemi e le norme
della pittura bizantina. Il rapporto con
Giotto è una delle più antiche e celebri
pagine della storia dell'arte. Dopo
un periodo trascorso a Roma (1272),
Cimabue affronta l'impegnativa serie
di affreschi nella basilica di Assisi:
nonostante il degrado, opere come
la *Crocifissione* della basilica Superiore
mostrano uno stile già definito, di
drammatica espressività. La potenza
della pittura di Cimabue si esprime
nelle tavole con la *Madonna in maestà*
(al Louvre, agli Uffizi e a Bologna,
con una progressiva ricerca di risalto
plastico), nei terribili crocifissi su
tavole sagomate (universalmente noto
è quello di Santa Croce a Firenze,
rovinato dall'alluvione del 1966) e
nei cartoni per i mosaici del Battistero
di Firenze e del Duomo di Pisa.

Pietro Cavallini
attivo a Roma e a Napoli fra il 1273
e il 1308

È recente ma sempre più rilevante la
consapevolezza critica dell'importanza
della scuola romana della seconda
metà del Duecento per gli sviluppi
di Giotto e in generale della pittura
italiana. Pietro Cavallini è la
personalità più rilevante, soprattutto
per l'innovativa scelta di colori e luci.
Autore in Roma di affreschi
(fondamentale è il *Giudizio Universale*
di Santa Cecilia in Trastevere)
e di mosaici (*Storie della Vergine* in Santa
Maria in Trastevere, del 1291),
il pittore è stato a lungo attivo presso
la corte angioina di Napoli, dove
rimangono affreschi in Duomo,
in Santa Maria Donnaregina e in San
Domenico. Tuttora in discussione è
la sua partecipazione ai cantieri della
basilica francescana di Assisi e al Sancta
Sanctorum di Roma.

Pietro Cavallini
Giudizio Finale

1293 c.
affresco
Roma, Santa Cecilia
in Trastevere.

Pur nella frammentarietà
della conservazione,
l'immagine di questo
Cristo Giudice attorniato
dalle schiere angeliche
esprime il senso della
potenza monumentale di
Pietro Cavallini: la perfetta
frontalità appartiene
alla tradizione bizantina,
mentre il caldo timbro
cromatico e il gioco delle
ombre sono decisamente
innovativi.

Pietro Cavallini
Crocifissione

1308 c.
affresco
Napoli, San Domenico
Maggiore.

Giotto di Bondone

Vespignano, 1267 c. - Firenze, 1337

Figura determinante per tutta l'arte occidentale, Giotto rivaleggia con il concittadino e coetaneo Dante per la ricchezza dei sentimenti, delle situazioni, delle avventure. I soggiorni a Padova, Rimini, Milano e Napoli (oltre che naturalmente a Firenze) hanno fatto nascere scuole locali con caratteri giotteschi, contribuendo in modo decisivo alla formazione di una "lingua" figurativa comune. Una antica tradizione presenta Giotto allievo di Cimabue, ma la formazione del pittore si completa con la conoscenza della scuola romana attraverso i maestri attivi ad Assisi.

La giovinezza di Giotto sulle impalcature degli affreschi della basilica Superiore è tuttora al centro di controverse interpretazioni critiche, che riguardano anche il celebre ciclo delle *Storie di san Francesco*. Nel 1304 il pittore si reca a Padova, dove affresca la cappella degli Scrovegni, testo fondamentale per secoli di pittura italiana. La ritrovata monumentalità della figura umana, inserita a tutto tondo entro sfondi naturali o spazi architettonici tridimensionali, trova conferma nelle opere successive. Tra le opere dipinte a Firenze rimangono le due cappelle (Bardi e Peruzzi) affrescate nella basilica di Santa Croce dopo il 1320. L'attività tarda di Giotto si svolge anche a Napoli, Roma e Milano.

Alla pagina precedente
Giotto
Omaggio di un semplice

1295-1300
affresco
Assisi, San Francesco, basilica Superiore.

È uno dei momenti della giovinezza

di san Francesco, ambientato in un contesto urbano tratto dalla realtà. Un uomo stende il proprio mantello al passaggio di Francesco nella piazza centrale di Assisi, con il tempio romano dedicato a Minerva e il palazzo Comunale.

Giotto
Predica davanti a Onorio III

1295-1300
affresco
Assisi, San Francesco, basilica Superiore.

La ricerca spaziale di Giotto si muove verso una progressiva

consapevolezza: la "scatola" tridimensionale dell'aula in cui si svolge il dibattito è sottolineata dall'accorta disposizione degli elementi architettonici e delle figure umane, che assumono così un valore volumetrico, definito nello spazio in profondità

secondo solidi geometrici regolari. Come tutte le scene del ciclo francescano, anche questa è stata restaurata un po' troppo pesantemente in passato: alcune parti appaiono ridipinte.

Alla pagina accanto
Giotto
Veduta dell'interno verso
l'abside

1304-1306, affresco
Padova, cappella
degli Scrovegni.

Voluta da Enrico Scrovegni
come espiazione dei

peccati d'usura del padre,
la cappella ha una struttura
semplicissima, forse
ispirata da Giotto stesso.
In basso, su uno zoccolo
a finti marmi, sono
le raffigurazioni
in monocromo dei Vizi
e delle Virtù; lungo
le pareti e sull'arco

trionfale, tre fasce
sovrapposte di *Scene della
vita di Gioacchino e Anna,
della Vergine e di Cristo*.
Sul soffitto, tondi con
gli *Evangelisti* e i *Dottori
della Chiesa*. Il programma
iconografico, ispirato
alla dottrina della salvezza
attraverso la redenzione

operata da Gesù,
si completa con il
Giudizio Universale.
La conservazione
degli affreschi rende
giustizia delle innovazioni
di Giotto nella visione
in profondità e nella
rappresentazione
dei sentimenti.

Giotto
Sogno di Gioacchino

1304-1306
affresco
Padova, cappella
degli Scrovegni.

L'identificazione della
figura umana con una
forma geometrica regolare

trova nella "cubatura" di
Gioacchino addormentato
una significativa conferma.
Il silenzio della scena
è rotto dalla vivacità
del gregge di pecore:
Giotto ritorna qui al tema
naturalistico legato
al leggendario incontro
con Cimabue.

15

Giotto
Gioacchino si ritira
tra i pastori;
Fuga in Egitto;
Compianto su Cristo
morto;
Incontro di Gioacchino
e Anna alla Porta Aurea;
Bacio di Giuda

1304-1306
affreschi
Padova, cappella
degli Scrovegni.

La sequenza cronologica
delle scene nella cappella
degli Scrovegni ha inizio
in fondo alla parete
sinistra, dal registro
superiore, con le storie
dei genitori della Vergine.
Giotto riporta sulla scena
dell'arte sentimenti e gesti
che erano scomparsi
da quasi un millennio.
La *Cattura di Cristo* è la
scena più affollata, pur se
costruita intorno al nucleo
immobile delle due teste
di Giuda e di Cristo:
il gesto del tradimento
si può confrontare
con l'abbraccio affettuoso
e trepido di Gioacchino
e Anna, sulla stessa parete.
Il *Compianto su Cristo morto*
compendia molti dei più
innovativi esperimenti
di Giotto a Padova: l'uso
del paesaggio come
elemento compositivo e
non come semplice sfondo
neutro, l'attenzione
accorata per i sentimenti
umani, la spregiudicatezza
del taglio narrativo,
che comprende figure viste
di schiena, la varietà dei
gesti disperati degli angeli.
Inoltre, la disposizione
degli elementi scenici
in profondità trova qui
un pieno sviluppo: dalle
due Marie di spalle,
al corpo di Cristo,
alla Madonna si assiste a
un susseguirsi di tre piani
scalati verso l'interno della
scena, e san Giovanni,
con le braccia aperte
in senso perpendicolare
rispetto al piano
d'immagine, sfonda
ulteriormente lo spazio.

Giotto
Gesù davanti a Caifa

1304-1306
affresco
Padova, cappella
degli Scrovegni.

Giotto
Madonna in trono
(Pala d'Ognissanti)

1306-1310
tavola
Firenze, Galleria degli Uffizi.

La composizione,
recentemente restaurata,
rientra nella tradizione
toscana delle Madonne
a fondo oro su tavola
pentagonale.
I volumi della Vergine
e del Bambino,
volutamente esemplati
su solidi geometrici
regolari, spiccano entro
un trono di architettura
gotica, esile ed elegante.
La struttura prospettica
del seggio traforato è
profondamente diversa
rispetto ai massicci troni
delle *Maestà* di Duccio
e di Cimabue. Insolito
è inoltre il gesto dei due
angeli inginocchiati,
che reggono vasi di fiori.

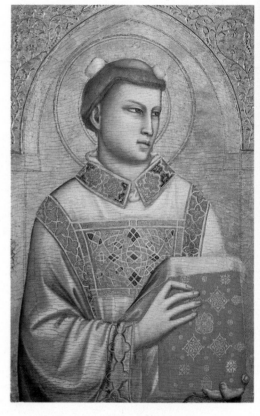

Giotto
Santo Stefano

1320-1325
tavola
Firenze, Museo Horne.

La tavola, in ottime
condizioni di
conservazione, era
originariamente un
elemento di un polittico,
oggi disperso in vari
musei, il cui pannello
centrale era la *Madonna*
attualmente alla
National Gallery of Art
di Washington.
Il *Santo Stefano* è una
delle opere di Giotto
più attente alla trasparenza
dei colori, stesi con rara
finezza.

Giotto
Crocifisso

1300 c.
tavola
Firenze, Santa Maria Novella,
sagrestia.

È il più grande e il più
precoce tra i Cristi
in croce su tavola sagomata
di Giotto: anche se la
conoscenza anatomica non
raggiunge i risultati
dei crocifissi più avanzati
(a Padova e a Rimini),
il distacco di Giotto dalla
tradizione bizantina è già
evidente nella posa non
sforzata, nei lineamenti
delicati, nella semplicità
del perizoma e nella
sovrapposizione dei due
piedi, fissati da un unico
chiodo.

Alla pagina seguente in alto
**Giotto e
collaboratori**
Polittico Baroncelli

1334
tavola
Firenze, Santa Croce, cappella
Baroncelli.

Nelle compatte schiere
di angeli che inneggiano
alla Vergine, e anche
nelle massicce figure
dello scomparto centrale
è ravvisabile l'esteso
intervento di aiuti.
Ai singoli collaboratori
di Assisi e di Padova si
è ormai sostituita una
ben organizzata bottega,
nella quale cominciano
a mettersi in luce alcuni
parenti di Giotto
e personalità di artisti
sempre meglio definite.

Alla pagina seguente in basso
Giotto
Polittico Stefaneschi
(recto)

1330 c.
tavola
Roma, Pinacoteca Vaticana.

Destinato all'altare
maggiore della basilica
di San Pietro, è il meglio
conservato fra i dipinti
romani di Giotto.
Il committente, il cardinale
Jacopo Caetani
Stefaneschi, è effigiato
in una delle due facce
del *Polittico*, che è dipinto
su entrambi i lati.

19

Duccio di Buoninsegna

Siena, 1260 c. - 1318

Con Duccio prende avvio l'epoca d'oro della scuola senese, che contende alla Firenze di Giotto la supremazia politica e artistica all'inizio del Trecento. Fedele interprete della pittura bizantina, Duccio ha saputo agire all'interno di norme e schemi figurativi consolidati, ravvivandoli con una nuova sensibilità verso il colore e la linea. Così, mentre a prima vista i suoi dipinti sono ben radicati nella tradizione orientale, è possibile ravvisare i primi segni della civiltà gotica, tanto da influenzare gli esordi di Simone Martini e dei Lorenzetti.

In questo senso sono molto importanti l'attenzione verso il dipanarsi della linea grafica e i colori limpidi adottati da Duccio fin dalle prime opere, come la *Madonna Rucellai* degli Uffizi (1285) e la vetrata circolare nel coro del Duomo di Siena (1288). Coinvolto da giovane nel cantiere di Assisi, Duccio ha trascorso quasi tutta la carriera a Siena, senza tuttavia perdere di vista le novità dell'arte fiorentina. Le delicate Madonne di Perugia, di Londra e della Pinacoteca Nazionale di Siena sono amabili esempi della poesia di affetti e di sentimenti di Duccio e precedono il suo grande capolavoro, opera riassuntiva del maestro e di un'epoca di transizione: la grandiosa *Maestà* per il Duomo di Siena, ora nel Museo dell'Opera.

Alla pagina precedente
**Duccio di
Buoninsegna**
Vetrata con Storie
di Maria

1287-1288 c.
vetro istoriato Siena, Duomo

È il più antico e il più
importante esempio
italiano di vetrata dipinta,
un genere artistico
molto diffuso in Francia
e in Germania, ma
decisamente raro in Italia.

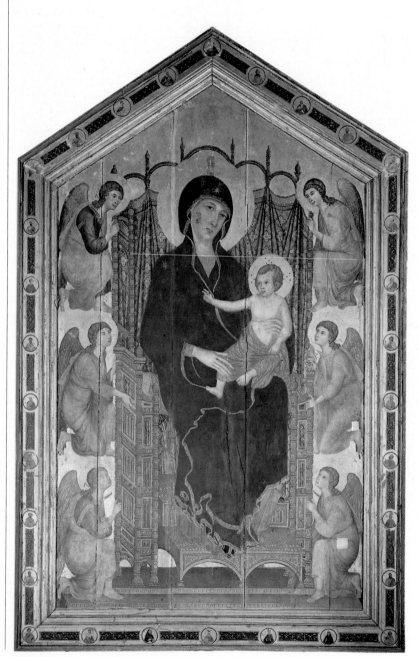

**Duccio di
Buoninsegna**
Madonna Rucellai

1285 c.
tavola
Firenze, Galleria degli Uffizi.

Un tempo attribuita
a Cimabue, questa pala
è invece tipica opera
giovanile di Duccio, che
dalla fedeltà alla tradizione
bizantina ricava il fascino
di immagini immateriali,
sospese in un purissimo
incanto. Il mantello della
Vergine disegna un profilo
sinuoso, anticipando
il linearismo della
pittura gotica.

Duccio di Buoninsegna
Maestà (recto)

1308-1311
tavola
*Siena, Museo dell'Opera
del Duomo.*

Acclamato capolavoro,
portato in processione
dagli abitanti di Siena
dalla bottega di Duccio

all'altar maggiore
del Duomo, la *Maestà*
è un grandioso complesso
di pittura. Le vicende
storiche l'hanno privato
della cornice originale
e hanno causato la
dispersione di alcune parti,
ma l'insieme delle parti
principali è sostanzialmente
integro.
La faccia anteriore

presenta al centro
la grande immagine
della Madonna in trono,
ancora modellata su
esempi bizantini, verso
la quale si rivolgono
i santi protettori di Siena
accompagnati da
meravigliosi, sognanti
angeli.
Al centro si squaderna
il massiccio blocco

marmoreo, con decorazioni
che ricordano i mosaici
cosmateschi romani.
L'iscrizione alla base
del trono è una duplice
preghiera: alla Vergine
s'invoca pace per Siena
e gloria per Duccio,
che così l'ha dipinta.

Duccio di Buoninsegna
Maestà (verso):
Cristo davanti ad Anna
e il Diniego di Pietro

1308-1311
tavola
Siena, Museo dell'Opera
del Duomo.

La faccia posteriore
della *Maestà* presenta scene
della Passione di Cristo:
è anch'essa integralmente
conservata nel Museo
dell'Opera del Duomo
di Siena, dove si trovano
alcune delle tavolette
della doppia predella con
*Storie della vita di Cristo e
della Vergine*, parzialmente
smembrata e dispersa
in altri musei.
Le scene della Passione
seguono fedelmente
il racconto evangelico,
illustrandone gli episodi
secondo una scansione
regolare e in modo sempre
elegantissimo. Questo
riquadro costituisce
una parziale eccezione,
occupando uno spazio
doppio. Con una raffinata
invenzione architettonica,
Duccio raccorda due
diversi episodi (il giudizio
di Cristo e il diniego
di San Pietro),
accentuando il ritmo
narrativo.

Duccio di Buoninsegna
Maestà (verso):
Deposizione dalla Croce

*1308-1311, tavola
Siena, Museo dell'Opera
del Duomo.*

Pur partendo dagli schemi
iconografici dell'arte
bizantina Duccio riesce
sempre a inserire nelle
scene della faccia
posteriore un particolare
soffio di poesia e di
dolcezza. Anche gli
episodi più tragici
vengono interpretati
dal pittore con una grazia
grecizzante.

Simone Martini
Siena, 1284 c. - Avignone, 1344

Artista di seducente raffinatezza e di
importanza internazionale, anticipa in
modo geniale gli sviluppi della cultura
figurativa delle corti gotiche.
Se il paragone Giotto-Dante appare
francamente forzato, il binomio
Simone Martini-Petrarca è invece
storicamente e stilisticamente
pertinente, viste le comuni vicende
biografiche del pittore e del poeta e,
soprattutto, vista la corrispondenza
tra le amorose immagini della poesia
petrarchesca e la lirica dolcezza
della pittura di Simone Martini.
La *Maestà* del palazzo Pubblico di Siena
(1317) mostra Simone Martini già
in possesso di una personalità
completamente formata.
Subito dopo questo primo capolavoro
Simone Martini si reca a Napoli, al
servizio di Roberto d'Angiò. Al 1320
risalgono i grandi polittici di Orvieto
e di Pisa, cui fanno seguito le *Storie
di san Martino* nella basilica Inferiore
di Assisi, la più notevole espressione
del pittore come autore di scene
narrative. Tuttora aperto è il dibattito
attributivo intorno al celebre
*Guidoriccio da Fogliano all'assedio di
Montemassi* (1328), in cui il condottiero
in arcione si trasforma in cifra araldica
di se stesso. In bilico tra la concretezza
realistica dei singoli dettagli e il
favoloso, irreale effetto dell'insieme,
l'*Annunciazione* (1333, Firenze,
Galleria degli Uffizi) è uno dei
massimi capolavori della pittura
trecentesca. Simone Martini trascorre
gli ultimi anni di attività nella corte
papale di Avignone, che diventa anche
grazie alla sua presenza uno dei più
importanti centri d'irraggiamento
della cultura gotica in Europa.

Simone Martini
Maestà

1317
affresco
Siena, palazzo Pubblico.

Questa monumentale
composizione segna
l'esordio di Simone
Martini sulla scena artistica
senese. Pochi anni dopo
la *Maestà* di Duccio, il
giovane maestro rielabora
in chiave gotica l'illustre
prototipo, immaginando
il trono della Madonna
sotto un tendone sorretto
dai santi, decorato con
lo stemma bianco e nero
della città di Siena.

Simone Martini
San Ludovico di Tolosa
incorona Roberto d'Angiò

1317
tavola
Napoli, Museo
di Capodimonte.

Simone Martini viene
considerato il capostipite
dell'arte gotico-cortese.
La grande tavola
napoletana è in tal senso
un prototipo illustre, per
la sontuosa combinazione
di elementi araldici (i gigli
di Francia dorati lungo la
cornice), gusto ritrattistico
(il pungente profilo di
Roberto d'Angiò), fulgore
ornamentale, ricchezza
intrinseca dei materiali
utilizzati, senso narrativo
e realistico nei piccoli
episodi della predella.
Su tutto, comunque,
domina il sofisticato,
elegantissimo controllo
della linea, che disegna
capricciose pieghe
nei mantelli e definisce
con nitida precisione
i contorni dei volti
e delle mani.

Simone Martini
Annunciazione

1333
tavola
Firenze, Galleria degli Uffizi.

Al contrario dei
concittadini Pietro
e Ambrogio Lorenzetti,
Simone Martini non
approfondisce la ricerca
di fondali architettonici
o sperimentali prospettive.

Il bagliore dell'oro accoglie
le sagome aristocratiche,
quasi irreali dei due
protagonisti, mentre il vaso
di gigli, al centro, inserisce
nella scena uno squarcio
di realtà. Il rapporto
dinamico di gesti e di
sentimenti tra l'impetuoso
Gabriele e la turbata Maria
si risolve in una cifra
grafica di assoluta, quasi
astratta perfezione.

Pietro Lorenzetti

Siena, 1280 c. - 1348

Fratello maggiore di Ambrogio e come
lui influenzato da Duccio, Pietro
Lorenzetti rappresenta il versante
monumentale e drammatico della
pittura senese, con cicli di affreschi
grandiosi e di ambiziosi polittici anche
al di fuori della sua città. Le opere
giovanili (come la *Madonna col Bambino*
del Museo Diocesano di Cortona)
mostrano una precoce e intelligente
attenzione verso l'arte di Giotto,
che ispira figure solenni e ben definite
nello spazio. Il ben conservato *Polittico*
della Pieve di Arezzo (1320) segna
l'affermazione del pittore, che nel
corso degli anni venti riceve alcune
delle committenze più prestigiose.
Spiccano per complessità le *Storie della
passione* e la *Madonna dei tramonti*
affrescate nel transetto sinistro della
basilica Inferiore di Assisi (1324-1325)
e, subito dopo, gli affreschi nella chiesa
senese di San Francesco. Queste opere
e le tavole del medesimo periodo sono
improntate a una nobile e severa
compostezza, con gruppi di personaggi
efficacemente inseriti in ambienti
tridimensionali, tendenza che
si accentua anche nel decennio
successivo (*Pala dell'Umiltà*, Firenze,
Uffizi; *Madonna in trono*, Siena,
Pinacoteca Nazionale). Pur nella
prevalente austerità e simmetria delle
scene (contrapposte alla piacevole vena
narrativa del fratello Ambrogio),
Pietro sa sempre cogliere dettagli
realistici negli abbigliamenti, negli
oggetti, nel gioco degli sguardi.
La descrizione e l'animazione sono
di solito espresse nelle predelle, come
gli incantevoli episodi della predella
dei Carmelitani nella Pinacoteca
Nazionale di Siena. Solo al termine
della carriera Pietro sviluppa questa
sua vena di gustosissimo narratore,
con un capolavoro di delicatezza
e di tenerezza come il trittico della
Natività di Maria (1342, Siena, Museo
dell'Opera del Duomo).

Pietro Lorenzetti
Ingresso di Cristo
in Gerusalemme,
particolare

1320 c.
affresco
*Assisi, San Francesco, basilica
Inferiore.*

Gli affreschi assisati di
Pietro Lorenzetti possono
essere considerati la
"risposta" senese all'arte
di Giotto. I ricordi di
Duccio, specie nei volti
e negli atteggiamenti
dei personaggi, sono
inseriti nel contesto
di complessi e ambiziosi
sfondi architettonici.

Pietro Lorenzetti
Polittico

1320
tavola
Arezzo, pieve di Santa Maria.

Fortunatamente
conservato integro
e nel luogo d'origine, è un
nobile esempio di polittico

trecentesco, incentrato
sull'immagine della
Madonna col Bambino
e caratterizzato dalla
progressiva diminuzione
dimensionale dei
personaggi nei diversi
registri.

Pietro Lorenzetti
Nascita della Vergine

1342
tavola
Siena, Museo dell'Opera
del Duomo.

In questa opera tarda
Pietro si apre decisamente
alla rappresentazione
della realtà quotidiana.
L'unità degli spazi
(si vedano per esempio
i soffitti e il letto
di sant'Anna) supera
l'apparente scansione
a trittico. I gesti e i
sentimenti dei personaggi
sono di una commossa,
toccante verità.

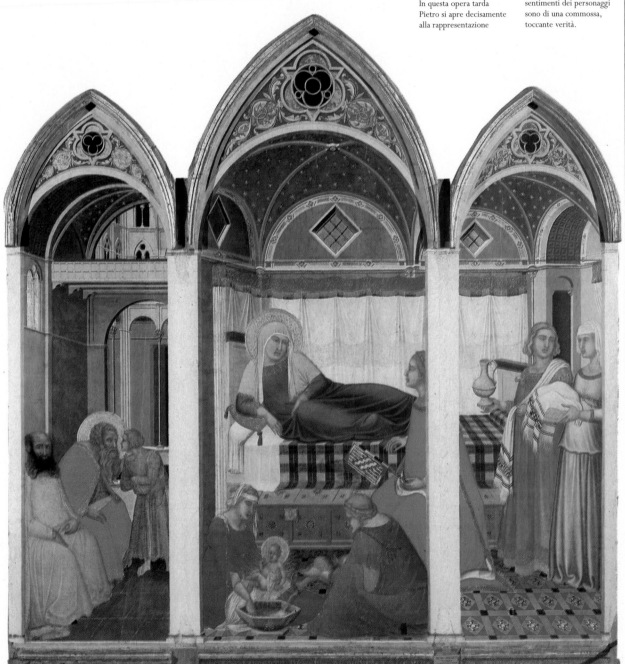

Ambrogio Lorenzetti

Siena, documentato dal 1319 al 1348

È abbastanza frequente il caso di due fratelli pittori che condividono parte della carriera ma che si differenziano per stile. I Lorenzetti ne sono un esempio molto evidente: alla robusta solennità di Pietro, Ambrogio risponde con un senso divertito dell'esistenza, capace di trasformare la realtà in una favola e, per converso, di rendere concreti e tangibili personaggi divini o astruse allegorie politiche.

Il percorso umano e artistico dei due fratelli, partiti insieme sull'esempio di Duccio, si ricongiunge solo negli anni quaranta, fino al drammatico epilogo comune, probabilmente nella Peste Nera del 1348. Pur rimanendo uno squisito rappresentante della pittura senese, Ambrogio Lorenzetti ha importanti contatti con Giotto e con l'ambiente di Firenze, dove soggiornò nel 1319 e nel 1327.

Dopo le opere giovanili, ancora piuttosto statiche nei gesti anche se già sorridenti e vivaci nelle espressioni, Ambrogio trova durante gli anni venti una progressiva sicurezza, fino alla creazione di gruppi monumentali (*Maestà*, Massa Marittima, palazzo Comunale), di ambienti particolarmente complessi (*Presentazione al tempio*, Firenze, Uffizi) e di scene dinamiche (affreschi nella chiesa di San Francesco a Siena e nella cappella di San Galgano a Montesiepi). Accanto a queste si collocano opere minori ma godevolissime, come la *Madonna del latte* dell'Arcivescovado di Siena, nelle quali Ambrogio dimostra la sua sensibilità di toccante interprete dei sentimenti. Il capolavoro riassuntivo restano tuttavia gli affreschi con le allegorie nel palazzo Pubblico di Siena (1337-1339), con godibilissime scene di vita quotidiana. Alla fine della carriera Ambrogio pare riavvicinarsi alla concentrazione di suo fratello Piero con l'*Annunciazione* (1344) della Pinacoteca Nazionale di Siena.

Ambrogio Lorenzetti
Effetti del Buon Governo in città e nel contado, particolare

1337-1340
affresco
Siena, palazzo Pubblico, sala dei Nove.

È forse la più celebre immagine di una città medievale: lo scenario urbano ospita la brulicante attività di tutti i cittadini, dai muratori sui tetti ai negozianti, dal maestro di scuola al gruppo di ragazze che intrecciano una danza.

Ambrogio Lorenzetti
Allegoria del Buon
Governo, particolare

1337-1340
affresco
Siena, palazzo Pubblico,
sala dei Nove.

La composizione allegorica
che occupa la parete

di fondo della sala presenta
simbolicamente il popolo
dei cittadini che, protetto
dai soldati in armi,
si stringe fiducioso intorno
all'immagine paterna
e rassicurante del Buon
Governo, attorniato
dalle figure delle Virtù.
Ambrogio Lorenzetti

riesce a trasformare
l'immagine politica
e celebrativa in una
palpitante assemblea
di persone, rendendo vive
e credibili anche le figure
simboliche. Affascinante,
in particolare, è la Pace,
comodamente reclinata
in atteggiamento di riposo.

Ambrogio Lorenzetti
Annunciazione

1344
tavola
Siena, Pinacoteca Nazionale.

In questa opera tarda e
concentratissima Ambrogio
rinuncia alla consueta,
gustosa evocazione

dei particolari realistici
e umani per esaltare
le potenti masse dei due
protagonisti, posate su
un pavimento in rigorosa
prospettiva.

Vitale da Bologna

*Vitale di Aimo de' Cavalli, documentato
dal 1330, morto prima del 1361*

Personalità di spicco nella scuola
emiliana trecentesca, Vitale raccoglie
e fa propri stimoli diversi: la felicità
narrativa dei maestri riminesi,
la raffinatezza dei senesi, la nobiltà
giottesca e, più in generale,
l'espressivo e dinamico realismo
della pittura e della miniatura
bolognese. Attivo soprattutto a
Bologna intorno alla metà del secolo
(*Madonna dei denti*, 1345; *Polittico* della
chiesa di San Salvatore, 1353; affreschi
in Santa Maria dei Servi, 1355), Vitale
compie anche alcuni importanti viaggi
a Pomposa e a Udine, dove, con l'aiuto
di un'attrezzata bottega, lascia
significativi cicli di affreschi.
Un piccolo capolavoro è la tavola
con *San Giorgio e il drago* della
Pinacoteca Nazionale di Bologna, dove
la ricerca di azione e di espressione
si spinge ad una contorsione forzata
del cavallo. È intenso il dibattito
critico intorno agli affreschi staccati
della chiesa di Mezzaratti, conservati
nella Pinacoteca Nazionale di Bologna,
monumento cruciale della scuola
emiliana, in cui la personalità di Vitale
si incontra con quelle di altri pittori.

Vitale da Bologna
Madonna col Bambino
(Madonna dei denti)

*1345
tavola
Bologna, Museo Davia-
Bargellini.*

La vivacità della pittura
bolognese del Trecento
è ben avvertibile nelle
scene narrative dei cicli
di affreschi (quasi tutti
però mal conservati)
e delle miniature. Vitale
ha saputo trasmetterla
anche nelle immagini
non in azione, attraverso
la mobilità degli sguardi
e degli atteggiamenti,
la moltiplicazione degli
elementi decorativi,
l'espressiva ricchezza
dei colori.

Giusto de' Menabuoi

attivo nella seconda metà del XIV secolo in Lombardia e a Padova - Padova, 1391

La ricostruzione della vita e dell'opera di questo importante artista è tuttora lacunosa. È possibile che sia partito dalla Toscana verso l'Italia settentrionale per sfuggire alla peste del 1348. Intorno alla metà del secolo è nella Milano viscontea, in cui era ancora avvertibile l'eco del soggiorno di Giotto: Giusto ravviva questa tradizione con gli affreschi dell'abbazia di Viboldone, prontamente presi ad esempio dalla scuola locale. Da questo momento Giusto assume il ruolo di anello di congiunzione tra la solennità della lezione giottesca e lo spirito narrativo dell'arte lombarda e veneta. Dal 1370, grazie agli affreschi compiuti nella chiesa degli Eremitani, assume la cittadinanza di Padova, e qui lascia le opere più importanti, come gli affreschi del Battistero (1376) e quelli della cappella Belludi al Santo (1382), proponendosi come un punto di riferimento per Altichiero.

Giusto de' Menabuoi
Paradiso

1375-1376
affresco
Padova, Battistero.

39

Altichiero

*Verona, 1330 c., documentato a Verona
e a Padova dal 1369 al 1384*

Artista di spicco nella pittura veneta
della seconda metà del Trecento,
può essere considerato il capostipite
della fiorente scuola gotica veronese.
Piuttosto scarne sono le notizie certe

sull'artista, attivo a Verona nel 1369
e dieci anni dopo a Padova, quando
riceve il pagamento per gli affreschi
nella cappella di San Felice della
basilica del Santo. Dotato di una
robusta vena espressiva, Altichiero
cerca sistematicamente agganci diretti
alla realtà. Nei due cicli di affreschi più
importanti (cappella di San Felice nella
basilica del Santo e oratorio di San

Giorgio, entrambi a Padova, 1379-
1384) Altichiero collabora con Avanzo,
ma la sua mano è ben riconoscibile
nell'impostazione grandiosa degli
sfondi naturali o architettonici,
che ospitano corposi gruppi di figure.
Opera del solo Altichiero sono gli
affreschi votivi della cappella Cavalli
in Sant'Anastasia a Verona e
nella chiesa degli Eremitani a Padova.

Altichiero
Presentazione
della famiglia Cavalli
alla Vergine e al Bambino

1370 c.
affresco
Verona, Sant'Anastasia,
cappella Cavalli.

Parzialmente rovinato
dall'inserimento di una
tomba a baldacchino
del 1390 circa, l'affresco
è l'*ex voto* collettivo della
famiglia veronese Cavalli,

i cui membri maschi
in armatura si presentano
davanti alla Vergine.
I santi protettori della
casata accompagnano
i fedeli, muovendosi
con una disinvoltura
gestuale che contrasta
felicemente con le rigide
pose votive dei cavalieri
in ginocchio. Splendida
è l'ambientazione,
nelle gallerie e nei
padiglioni di una favolosa
reggia trecentesca.

Alla pagina accanto
Altichiero
Decollazione
di san Giorgio

1380 c.
affresco
Padova, oratorio
di San Giorgio.

Gli affreschi con le vicende
di san Giorgio rivestono
le pareti della cappella
eretta dai conti Lupi
di Soragna sul sagrato
della basilica del Santo.

Altichiero collabora
di nuovo con Avanzo,
il pittore padovano con il
quale aveva eseguito alcuni
anni prima gli affreschi
nella cappella di San Felice
nel transetto destro
della basilica del Santo.
La capacità di far muovere
gruppi di figure in un largo
spazio naturale, una
delle più interessanti
caratteristiche di
Altichiero, raggiunge
qui gli esiti più brillanti.

Da parte del pittore
veronese, inoltre, è sempre
viva l'attenzione verso
i sentimenti quotidiani,
come nella figura del padre
che porta via il figlioletto
dalla scena del macabro
supplizio.

Il Quattrocento

Masolino da Panicale
*La guarigione dello zoppo e la
risurrezione di Tabita*, particolare

1424-1425
Firenze, Santa Maria del Carmine,
cappella Brancacci.

Gentile da Fabriano
Polittico di Valleromita:
Maddalena
1400-1410 c.
tavola
Milano, Pinacoteca
di Brera.

La nobiltà morale di Masaccio, la calcolata geometria di Piero della Francesca, la purezza incantevole del Beato Angelico, le allegorie profane di Botticelli, la classica monumentalità di Mantegna: le più celebri immagini del Quattrocento italiano parlano la lingua solenne dell'Umanesimo, del consapevole e appassionato recupero dell'arte e della cultura antica. Nella quiete degli studioli, nelle aule delle università, nei saloni delle corti più raffinate, artisti e letterati danno corpo a una delle più profonde e durature trasformazioni della civiltà. Senza perdere l'intensità del rapporto con il sacro, l'uomo del Quattrocento si libera dei vincoli medievali, aprendosi alla piena conoscenza dell'universo naturale e rivendicando un ruolo attivo, da protagonista responsabile, nei confronti del mondo e della storia. L'impresa di Cristoforo Colombo è il suggello simbolico di un secolo che non ha paura dell'ignoto e che fa della scoperta una straordinaria avventura.

Certo, è difficile resistere alla ormai logora ma sempre fascinosa tentazione di paragonare la Firenze di Lorenzo il Magnifico o la stupenda corte di Federico da Montefeltro a Urbino con la Atene di Pericle: si suggerisce insomma di vedere la primavera dell'Umanesimo come la chiave di una civiltà che pone l'uomo al centro e a misura di tutte le cose per giungere a una forma di organizzazione sociale che esalta la cultura e l'arte, grazie alla creatività di architetti, pittori e scultori che celebrano le risorse dell'intelligenza applicando la nitida perfezione della geometria alla corretta "imitazione" della natura.

Il panorama della civiltà italiana del Quattrocento è in effetti esaltante, ma non solo per la tensione ideale comune verso il recupero della classicità: al contrario, la grande suggestione del primo Rinascimento consiste nella varietà delle situazioni e nel continuo confronto tra forme espressive molto diverse fra loro. Ancora una volta, questa situazione artistica e culturale è favorita dalla complessa struttura geopolitica dell'Italia, frazionata in numerosi stati e signorie. Questa digressione assume particolare rilievo se si considera il ruolo importantissimo svolto dai committenti per la pittura del Quattrocento: la consapevolezza del ruolo "politico" dell'immagine indirizza e condiziona scelte espressive e iconografiche particolari. Mentre nelle repubbliche di Venezia e di Firenze viene esaltato il concorso di tutti i cittadini nel governo e nell'amministrazione (anche se, di fatto, nelle

due città prendono il potere oligarchie aristocratiche), in altri centri grandi e piccoli le corti signorili vivono il loro periodo più splendido. Poco dopo la metà del secolo, la Pace di Lodi (1454) sancisce la prevalenza di cinque stati principali (Milano, Venezia, Firenze, Roma e Napoli), con il corollario di signorie più piccole che garantiscono una situazione di equilibrio.

La pittura del XV secolo vede fiorire in Italia numerose scuole locali, capaci di proporre soluzioni innovative sempre nuove attraverso un calcolato bilanciamento di autonomia espressiva e di dialogo con altre città. Si realizza così quel rapporto tra "centro" e "periferia" che anima, storicamente, i momenti più importanti della pittura italiana e che si manifesta concretamente nella presenza diffusa, capillare, ricchissima di opere d'arte sul territorio. Nessun altro secolo permette di cogliere meglio le caratteristiche profonde di un codice espressivo su cui si fonda e si riconosce la pittura italiana. L'equilibrio e la dignità intrinseca nell'uomo portano a immaginare e a realizzare uno spazio armonico, basato su leggi matematiche, in cui le figure appaiono perfettamente inserite. La pittura italiana del Quattrocento vive soprattutto di ben calcolate proporzioni: nessun aspetto del dipinto prevarica nettamente su tutti gli altri, ogni parte è in rapporto con il tutto, perfino le espressioni e i sentimenti sembrano per lo più intonarsi a una controllata compostezza. L'"autunno del Medioevo" si trasforma così quasi insensibilmente nell'aurora dell'uomo moderno.

Cercando di sintetizzare le linee-guida di una geografia e di una storia della pittura bisogna premettere che tutto il primo quarto del secolo appare ammantato dall'oro, dalle gemme, dai fiori preziosi del tardogotico, che trova in Gentile da Fabriano il più raffinato interprete. L'artista ci offre anche l'occasione per ricordare i frequenti viaggi dei pittori quattrocenteschi, che, oltre all'arrivo di opere e artisti dall'estero, sollecitano continui confronti e aggiornamenti. Osservare le date è un importante strumento di conoscenza nell'incalzante susseguirsi di novità: Gentile da Fabriano esegue a Firenze il proprio capolavoro nel 1423 (l'*Adorazione dei magi* per Santa Trinita), mentre l'anno successivo prendono avvio i lavori di Masolino e Masaccio nella cappella Brancacci al Carmine, appena al di là dell'Arno. Pochi mesi e poche centinaia di metri separano il fiore più splendido della serra del gotico internazionale e la rivoluzionaria, asciutta

Francesco del Cossa
Trionfo di Venere,
particolare
1469-1470
affresco
Ferrara,
palazzo Schifanoia,
salone dei Mesi.

esaltazione della figura umana proposta da Masaccio.

A Firenze le conquiste di Masaccio (in parallelo con l'evoluzione delle sculture di Donatello e delle architetture di Brunelleschi) vengono rapidamente acquisite da una generazione di giovani artisti. A partire dagli anni trenta del secolo maestri come il Beato Angelico, Paolo Uccello e Filippo Lippi cercano una personale mediazione tra la sintetica, quasi neo-giottesca austerità di Masaccio e il gusto per un'immagine ricca ed elaborata. Fra le innovazioni più importanti e facilmente riconoscibili si segnalano l'abbandono del medievale fondo oro, sostituito da distesi paesaggi o da realistici fondali architettonici, e il passaggio dal polittico alla "tabula quadra", la pala d'altare unitaria in cui tutti i personaggi sono coinvolti in un'unica scena. Esemplare modello della nuova formula per le Sacre Conversazioni è la nobilissima *Pala di Santa Lucia de' Magnoli* di Domenico Veneziano.

Intanto, nelle corti del Nord e in quelle del Sud si sviluppava il confronto con le più avanzate espressioni dell'arte nordica, e in particolare con la pittura fiamminga e provenzale. Il confronto tra i maestri italiani e gli influssi d'Oltralpe caratterizza le stagioni dell'ultimo gotico a Napoli come a Milano, pur con risultati diversi. Un grandissimo pittore come Pisanello, continuamente in viaggio tra Verona, Mantova, Ferrara, Venezia, Milano, Roma e Napoli, favorisce la transizione del gusto delle splendide corti signorili dal gotico a un Umanesimo ornato, elaborato, romanzesco. Mentre a Firenze i maestri del primo Quattrocento si concentravano soprattutto sulla figura umana e sulla ricerca di una "città ideale", modellata in limpide, purissime forme architettoniche, gli artisti di corte mantenevano viva una attenzione curiosa per tutto il mondo della natura, ritraendo con appassionato effetto le erbe e gli animali, i costumi e i paesaggi, i sentimenti e gli affetti. Queste caratteristiche espressive vanno considerate complementari alla talvolta fin troppo cerebrale definizione delle regole della visione tridimensionale dell'arte toscana: spetterà a un genio davvero universale come Leonardo da Vinci il compito di sintetizzare, alla fine del secolo, le due correnti. D'altra parte, la stessa Firenze non era certo insensibile al fascino di un'arte ricca di particolari e di carattere narrativo: basti, come esempio, la *Cavalcata dei Magi* affrescata da Benozzo Gozzoli nella cappella privata del palazzo Medici.

La piena conoscenza delle regole della prospettiva anche

nell'Italia settentrionale coincide con la lunga permanenza a Padova di Donatello. La città veneta diventa verso il 1450 il più avanzato laboratorio di nuove idee espressive. Dalla presenza contemporanea a Padova di grandi maestri toscani e di giovani, geniali pittori settentrionali scaturiscono vivacissime espressioni locali, come la bizzarra e originalissima pittura ferrarese di Cosmè Tura e Francesco del Cossa (di cui gli affreschi del palazzo Schifanoia sono l'affascinante compendio), la decoratissima raffinatezza di Carlo Crivelli nelle Marche e, soprattutto, l'estro archeologico e drammatico di Andrea Mantegna. La camera degli Sposi di Mantova segna una svolta epocale nello stile delle corti italiane, che dalle fastose ornamentazioni tardogotiche passano a una più solenne immagine umanistica e intellettuale. Il più perfetto

esempio di corte umanistica rimane comunque il palazzo Ducale eretto da Federico da Montefeltro nella piccola Urbino. Con una lungimiranza veramente eccezionale, il duca ospita a Urbino letterati, umanisti, architetti e pittori di varie nazioni, ciascuno dei quali contribuisce a un dialogo internazionale sull'arte di altissimo livello: su tutti spicca Piero della Francesca, che esegue opere destinate a diventare esempi assoluti, come la *Pala Montefeltro*, oggi nella Pinacoteca di Brera a Milano, modello insuperabile di "sintesi prospettica di forma e colore".
Nel corso degli anni settanta si può ritenere acquisita, quasi in tutta Italia, la conoscenza della prospettiva e della resa tridimensionale dell'immagine. Si verifica in questi anni, in modi diversi da zona a zona, una vasta evoluzione. A Firenze è il momento di Botticelli, che grazie al-

Domenico Ghirlandaio
Nascita di Maria
1486-1490
affresco
Firenze, Santa Maria
Novella, coro.

Gentile Bellini
*Processione in piazza
San Marco*
1496
tela
Venezia, Gallerie
dell'Accademia.

l'appoggio dei Medici, nel sofisticato clima filosofico e poetico del neoplatonismo, realizza le grandiose allegorie profane come la *Primavera* e la *Nascita di Venere*, con un nitido linearismo grafico: a questi capolavori si affida la memoria dell'"età dell'oro" di Lorenzo il Magnifico. A Venezia arriva nel 1475 Antonello da Messina, forte delle conoscenze della pittura fiamminga e di Piero della Francesca. Grazie al soggiorno in laguna di Antonello, la scuola veneziana abbandona i ricordi dell'arte bizantina e il retaggio tardogotico, per aprirsi alla nuova, lunga, meravigliosa stagione del Rinascimento. Protagonista di questa fase è Giovanni Bellini, il pittore che sta all'origine della civiltà pittorica veneziana e che ne determina l'immagine. A Giovanni Bellini spetta infatti il merito di aver introdotto nell'arte la resa vibrante della luce atmosferica: il suo esempio, recepito dapprima solo parzialmente dai Vivarini e da Carpaccio, troverà pieno sviluppo all'inizio del secolo successivo, grazie a Giorgione e alle prime opere di Tiziano.

Anche la Milano degli Sforza, con Vincenzo Foppa e con l'arrivo dell'urbinate Bramante, inaugura una scuola ar-

tistica pienamente rinascimentale, mentre manifesta segni di ripresa la sede pontificia del Vaticano. Dopo una lunga crisi, Roma si avvia a riprendere il proprio ruolo di grande centro morale e culturale d'Europa. Papa Sisto IV fa costruire la cappella Sistina, alla cui decorazione pittorica collaborano intorno al 1480 Botticelli, Ghirlandaio, Perugino e altri maestri toscani e umbri. È il trionfo di una pittura sofisticata, priva di qualunque asprezza. Pietro Perugino, alla fine del secolo, è l'autentico *arbiter elegantiarum* della pittura, conteso dai signori di tutta Italia, capace di imporre uno stile che accomuna espressioni figurative da Milano a Napoli e costituisce il terreno su cui germoglierà Raffaello.

Vanno infine considerati altri due significativi aspetti. Il primo riguarda l'evoluzione delle tecniche e degli strumenti della pittura. All'inizio del Quattrocento la pittura monumentale era esclusivamente di due tipi: ad affresco oppure su tavola, con decisa preferenza per i polittici a fondo oro, con ricche cornici intagliate, che sono la forma più caratteristica del dipinto d'altare del periodo tardogotico. La progressiva acquisizione di una coscienza dell'arte come imitazione della realtà porta, come abbiamo visto, alla sostituzione dell'oro con fondali di paesaggio e all'abbandono della frammentaria "macchina" del polittico per l'adozione di grandi tavole unitarie. Il numero sempre più vasto di committenti di opere d'arte, anche al di fuori del campo ecclesiastico, sollecita poi ulteriori sviluppi. Dopo la metà del secolo, grazie soprattutto ad Antonello da Messina, si diffonde anche in Italia la pittura a olio, che sostituisce nel giro di un paio di generazioni la tradizionale tecnica dei colori a tempera, dapprima per opere di piccole dimensioni come i ritratti, poi anche nelle pale d'altare.

La seconda considerazione investe il ruolo dell'artista nella società. Se già nel secolo precedente alcuni maestri avevano goduto di una considerazione molto elevata (come Giotto), per buona parte del Quattrocento il rango sociale del pittore rimane alquanto basso, a livello degli artigiani specializzati. La pittura viene inserita nel novero delle "arti meccaniche", in cui prevale l'aspetto dell'abilità manuale, contrapposte alle "arti liberali", basate sul pensiero. Le botteghe dei pittori quattrocenteschi di tutta Europa apparivano simili a piccole manifatture, dalle quali uscivano oltre ai dipinti altri "prodotti" di vario genere, come mobili decorati, costumi, insegne araldiche, apparati per feste, bandiere e altro ancora. In Italia, tuttavia, la partecipazione degli artisti al dibattito culturale dell'Umanesimo (e bastino gli esempi di Leon Battista Alberti e di Piero della Francesca) sollecita un deciso sviluppo sociale, che trova solo parziali e rari paralleli in altre nazioni. Il pittore italiano diventa nel Rinascimento un interlocutore intellettuale, entra in dialogo con i committenti e con i letterati, non si limita alla mera "esecuzione" ma rivendica, a giusto titolo, la prevalenza dell'"idea". Anche in questo senso si può comprendere la grandezza e l'importanza di un secolo che, soprattutto attraverso l'arte, ha aperto all'uomo moderno un orizzonte nuovo, una prospettiva prima inimmaginabile. L'Umanesimo, visto a mezzo millennio di distanza, può forse apparire una parziale utopia, le cui premesse di armonia universale e di recupero di una civiltà governata dalla serenità del pensiero hanno trovato solo in parte realizzazione nel pieno Rinascimento: e tuttavia, con la meravigliosa testimonianza della pittura, resta nella storia del mondo una delle epoche più esaltanti dello spirito e della mente dell'uomo.

Andrea Verrocchio
e Leonardo da Vinci
Battesimo di Cristo
1472-1475 c.
tavola
Firenze, Galleria
degli Uffizi.

Gentile da Fabriano
Madonna col Bambino
e i santi Nicola e Caterina

1405 c.
tavola
Berlino, Staatliche Museen.

Importante testimonianza
della prima attività
di Gentile, consente
di ravvisare le componenti
senesi e lombarde nella
formazione del maestro.
Sono qui presenti tutte
le squisite caratteristiche
dell'arte tardogotica
internazionale: l'uso
di materiali preziosi sullo
splendente fondo oro,
l'attenzione ai dettagli
naturali (il prato fiorito),
linee sinuose, espressioni
e gesti aggraziati.
San Nicola è il patrono del
committente inginocchiato
in preghiera, verso
il quale il Bambino rivolge
un gesto di benedizione.
Un particolare inconsueto
sono gli angioletti
musicanti che si affacciano
come uccellini fra le foglie
degli alberi.

Gentile da Fabriano

Fabriano, 1370/80 - Roma, 1427

Protagonista della pittura tardogotica,
il maestro marchigiano è il più
richiesto e celebre artista del primo
quarto del Quattrocento in Italia,
come dimostrano i suoi spostamenti
nelle maggiori città della cultura di
transizione tra gli ultimi splendori
gotici e i primi esperimenti umanistici
(Venezia, Firenze, Roma) e i numerosi
allievi, fra cui Pisanello, Jacopo Bellini
e Domenico Veneziano.

Non si conosce con esattezza la data
di nascita, mentre nella sua formazione
artistica appaiono, accanto
al fondamentale sostrato umbro-
marchigiano, influssi riminesi
e lombardi. Opera emblematica
della prima attività è il *Polittico
dell'Incoronazione della Vergine*, che fu
eseguito durante il primo decennio
del Quattrocento per il convento
di Valleromita, vicino a Fabriano,
e che oggi è conservato nella
Pinacoteca di Brera a Milano.
Nel 1408 Gentile viene chiamato a
Venezia per eseguire alcuni affreschi

(purtroppo perduti)
in palazzo Ducale. Dopo un soggiorno
a Brescia, nel 1419 il pittore
si stabilisce a Firenze, dove si stava
affermando la generazione
di Donatello, Ghiberti e Brunelleschi.
Gentile da Fabriano propone
un'elegantissima soluzione stilistica,
in cui l'uso del fondo oro, la
moltiplicazione di dettagli preziosi
e la raffinata esecuzione tecnica
lasciano intuire un nuovo interesse
verso la scultura classica.
Al 1423 risale il capolavoro più noto,
la monumentale *Adorazione dei magi*

dipinta per la cappella Strozzi
in Santa Trinita e oggi agli Uffizi;
segue, nel 1425, il *Polittico
Quaratesi* (smembrato in vari musei).
Dopo un soggiorno a Siena
e a Orvieto (qui esegue l'affresco
della *Madonna col Bambino* in Duomo),
nel gennaio del 1427 Gentile
si trasferisce a Roma, dove
avvia la grandiosa decorazione
ad affresco della navata centrale
della basilica di San Giovanni
in Laterano, lasciandola interrotta
a causa della morte, avvenuta
nell'agosto dello stesso anno.

Gentile da Fabriano
Adorazione dei magi

1423
tavola
Firenze, Galleria degli Uffizi.

Capolavoro assoluto
della pittura tardogotica,
conservato entro
la meravigliosa cornice
originale: la ricchissima
scena illustra le tappe
del viaggio dei Magi.

Gentile da Fabriano
Santa Maria Maddalena;
San Nicola da Bari;
San Giovanni Battista;
San Giorgio

1425
tavole
Firenze, Galleria degli Uffizi.

I quattro santi costituivano
le tavole laterali del
Polittico Quaratesi, dipinto
per la chiesa fiorentina
di San Niccolò Soprarno:

la *Madonna col Bambino*,
un tempo al centro del
complesso, è conservata
nella National Gallery di
Londra, mentre la predella
con *Storie di san Nicola
da Bari* è divisa fra la
Pinacoteca Vaticana di
Roma e la National Gallery
di Washington. Pur in una
simile condizione di
frammentarietà (purtroppo
sorte comune a molti
polittici tre-

quattrocenteschi, tolti
dalle cornici, divisi a pezzi
e immessi sul mercato
dell'arte), le salde figure
di questi santi dimostrano
l'evoluzione della pittura
di Gentile da Fabriano
durante il soggiorno
fiorentino. Senza perdere
la grazia della linea
e la ricchezza dei materiali,
il pittore si dimostra
attento al parallelo
sviluppo dell'arte

di Masolino e Masaccio:
ai prati fioriti delle opere
giovanili si sostituisce
un pavimento di piastrelle,
mentre ogni personaggio
assume una solenne
caratterizzazione umana
e monumentale, grazie
a una più vigorosa
definizione della massa
delle figure nello spazio.

Masolino
da Panicale

Tommaso di Cristofano Fini,
Panicale in Valdelsa, 1383 - Firenze, 1440

Allievo di Ghiberti, maestro
di Masaccio, presente con opere
importanti da Firenze alla Lombardia,
dall'Umbria a Roma, Masolino
ha saputo mediare il gusto narrativo
e naturalistico del tardogotico
con la conquista della prospettiva,
immergendo le scene in una luce calda
e in colori delicati. Masolino compare

sulla scena della pittura toscana
all'inizio degli anni venti del
Quattrocento, con opere a Firenze e
ad Empoli. Nel 1424, con la *Madonna
col Bambino e sant'Anna* (Uffizi) prende
avvio il sodalizio con Masaccio,
il cui episodio culminante è la cappella
Brancacci in Santa Maria del Carmine.
Nel 1425, interrompendo i lavori
a Firenze, Masolino parte per
l'Ungheria, al seguito del cardinale
Branda Castiglione, che nel 1428 lo
invita a Roma per affrescare la cappella
privata nella basilica di San Clemente
con le *Storie di santa Caterina*

d'Alessandria. Agli anni romani
risalgono anche alcune opere su tavola,
mentre è del 1432 il delizioso affresco
della *Madonna col Bambino* nella chiesa
di San Fortunato a Todi. Nel 1435,
ancora una volta chiamato dal
cardinale Branda Castiglione, Masolino
si trasferisce in Lombardia,
a Castiglione Olona: insieme ad altri
importanti pittori toscani affresca il
coro della Collegiata, alcuni ambienti
del palazzo del cardinale e soprattutto
lo spettacolare vano del Battistero.
Masolino muore a Firenze il 18
ottobre 1440.

Masolino da Panicale
Banchetto di Erode

1435, affresco
Castiglione Olona (Varese),
Battistero.

Lunghe ali di portici, di
classica purezza, raccordano
tre diversi episodi.
I dettagli descrittivi
sembrano appartenere
ancora all'atmosfera
tardogotica, ma il respiro
monumentale è ormai
pienamente umanistico.

Masolino da Panicale
San Pietro risana uno
storpio

1424-1425
affresco
Firenze, Santa Maria del
Carmine, cappella Brancacci.

Nel ciclo di affreschi,
condotto insieme
a Masaccio, a Masolino
spettano le scene più
pacate, in cui il ritmo

narrativo procede senza
sobbalzi emotivi.
Le espressioni delicate,
i gesti cadenzati, i dettagli
di costume si dispongono
sullo sfondo della Firenze
del tempo, diventando
anche una credibile
testimonianza storica.
Un confronto canonico
tra le mani dei due artisti
è costituito dalle coppie
dei Progenitori,

simmetricamente dipinte
ai lati dell'ingresso della
cappella. Nel verde intenso
del giardino, i due nudi
di Masolino compaiono
con la innocente purezza
e insieme con il vigore
della grande statuaria
classica.
Se è possibile riconoscere
ancora qualche concessione
all'immaginario
tardogotico (il serpente

diabolico con testa
femminile), l'Adamo
e l'Eva prima del peccato
sembrano esprimere uno
stato di primaverile, casta,
compostezza umanistica.
Di fronte, il senso di una
tragedia umana e divina è
drammaticamente espresso
da Masaccio attraverso
una brutale caduta dallo
stato di grazia in cui si
trovavano l'Adamo e l'Eva

di Masolino. I grossi piedi,
la disperazione, i nudi
non più ammirevoli
ma vergognosi accentuano
il già terribile contrasto
tra il verdeggiante giardino
di Masolino e il duro
deserto dipinto da
Masaccio fuori dalla porta
dell'Eden.

Masolino da Panicale
Adamo ed Eva nell'Eden

1424-1425, affresco
Firenze, Santa Maria del
Carmine, cappella Brancacci.

Masaccio
Adamo ed Eva cacciati
dal Paradiso

1424-1425, affresco
Firenze, Santa Maria del
Carmine, cappella Brancacci.

Masaccio

Tommaso di Giovanni Cassai, San Giovanni Valdarno, 1401 - Roma, 1428

Una radicale rivoluzione nella storia della pittura è legata a questo maestro: e si tratta di un fatto sorprendente, se si pensa che Masaccio è morto a soli ventisette anni, lasciando poche opere

e molti dubbi sulla sua formazione. La prima opera nota (datata 1422) è il *Trittico* della chiesa di San Giovenale a Cascia di Reggello, embrionale ma già eloquente dimostrazione dell'indipendenza rispetto al tardogotico. Nel 1424, intervenendo al fianco di Masolino nella *Madonna col Bambino e sant'Anna* degli Uffizi, Masaccio rende esplicita la ricerca

di una nuova energia plastica, con figure che conquistano saldamente lo spazio in profondità. Sempre in coppia con Masolino, Masaccio affronta subito dopo il ciclo di affreschi della cappella Brancacci a Firenze. Nel corso di questo lavoro emerge con chiarezza la personalità di Masaccio, che nel 1426 dipinge un polittico per la chiesa dei Carmelitani a Pisa: di questo

complesso, purtroppo smembrato, restano pannelli in diversi musei del mondo. Al 1426-1427 risale l'affresco della *Trinità* nella basilica fiorentina di Santa Maria Novella. Verso la fine del 1427 Masaccio parte per Roma, forse per collaborare di nuovo con Masolino nella decorazione della cappella Branda Castiglione in San Clemente. La morte lo coglie pochi mesi dopo.

Masolino da Panicale, Masaccio e Filippino Lippi
Veduta d'insieme della parete sinistra della cappella Brancacci

1424-1425
affresco
Firenze, Santa Maria del Carmine, cappella Brancacci.

Alla cappella Brancacci, pietra miliare dell'arte italiana, viene qui dedicato uno spazio particolare. Le scene, dedicate alla vita e ai miracoli di san Pietro, segnano l'avvento della nuova civiltà pittorica dell'Umanesimo, attraverso lo sviluppo della scienza prospettica.

Un recente restauro ha consentito di recuperare i vivaci colori originali. Il rapporto tra Masolino e Masaccio, lungi dal poter essere sbrigativamente risolto come la transizione tra un "prima" e un "dopo" stilistico, appare molto graduale e sfumato. Certo non può sfuggire

la differenza tra la fluente narratività di Masolino (ben avvertibile nella *Predica di san Pietro* in alto sul fondo e nella grande scena superiore della parete destra) e la drammatica solennità statuaria di Masaccio, che tocca il culmine nel solenne "Colosseo

di uomini" intorno al Cristo del *Tributo* (qui sopra, in alto). Gli affreschi, lasciati incompiuti per alcuni decenni, furono completati da Filippino Lippi intorno al 1480.

Masolino da Panicale, Masaccio e Filippino Lippi
Veduta d'insieme della parete destra della cappella Brancacci

1424-1425
affresco
Firenze, Santa Maria del Carmine, cappella Brancacci.

La parte inferiore della parete, con la crocifissione a testa in giù di san Pietro, è opera di Filippino Lippi. La scena superiore è di Masolino, con l'intervento di Masaccio nel fondale urbano; Masaccio è l'autore dei due riquadri sovrapposti della parete di fondo.

Masaccio
Il pagamento del tributo, particolare

1425 c.
affresco
Firenze, Santa Maria del Carmine, cappella Brancacci.

Nella scena più famosa, Cristo indica a san Pietro come procurarsi la moneta per pagare le tasse. Masaccio ha concentrato tutta la tensione espressiva nel grandioso gruppo di personaggi, con gesti eloquenti ed espressioni ferme che esaltano la statuarietà solenne delle figure.

Masolino da Panicale e Masaccio
Madonna col Bambino e sant'Anna

1424-1425 c.
tavola
Firenze, Galleria degli Uffizi.

Questo dipinto segna l'avvio del sodalizio artistico tra Masolino e Masaccio, che è l'autore della Madonna col Bambino e dell'angelo reggicortina a destra. Mentre le parti di Masolino cercano soprattutto la finezza del disegno, le figure di Masaccio mostrano una rigorosa impostazione geometrica.

Masaccio
Crocifissione

1425-1426
tavola
Napoli, Museo di Capodimonte.

Costituiva in origine cimasa del *Polittico* di Pisa, disperso in vari musei: la drammatica Maddalena ai piedi della Croce è stata aggiunta da Masaccio quasi "di getto", sovrapposta a una precedente stesura. Sopra la testa di Cristo compare la simbolica immagine del pellicano che si sacrifica per i figli.

Masaccio
Trittico di san Giovenale

1422
tavole
Cascia di Reggello (Firenze).
pieve di San Pietro.

Masaccio
Madonna in trono

1426-1427
tavola
Londra, National Gallery.

Pannello centrale
del *Politico* di Pisa, è
espressione della ricerca di
potenti masse geometriche.

Masaccio
Trinità

1426-1428 c.
affresco
Firenze, Santa Maria Novella.

L'affresco simula una
profonda nicchia aperta
nel muro laterale della
basilica, con i due offerenti

inginocchiati in adorazione
della Trinità, cui si
rivolgono anche la
Madonna e san Giovanni.
In basso, sotto il finto
altare, uno scheletro
simboleggia il Trionfo della
Morte. Lo straordinario
sfondo architettonico è
ispirato a Brunelleschi.

Paolo Uccello
Paolo di Dono, Firenze, 1397 - 1475

Personalità centrale per lo sviluppo e l'affermazione della prospettiva, l'artista alterna affascinanti composizioni di carattere eroico e cavalleresco con insistite ricerche matematiche, singolarissimo accordo.

Formatosi presso Lorenzo Ghiberti, Paolo esordisce nell'ambiente artistico fiorentino poco dopo il 1420 con le *Storie della Genesi* nel chiostro Verde di Santa Maria Novella. Nel 1425 si trasferisce a Venezia, dove viene coinvolto nella decorazione della basilica di San Marco. Tornato a Firenze, nel 1436 affresca il *Monumento equestre di Giovanni Acuto* in Santa Maria

del Fiore; per la cattedrale eseguirà in seguito la decorazione dell'orologio sulla controfacciata e i disegni per alcune vetrate nel tamburo della cupola. Seguono i tre pannelli con la *Battaglia di San Romano*, eseguiti per i Medici. Negli anni quaranta il pittore compie gli affreschi nel chiostro di San Miniato al Monte, quelli nel Duomo di Prato (di controversa attribuzione) e

soprattutto le *Storie di Noè* nel chiostro Verde di Santa Maria Novella. Dopo una lunga pausa, ritroviamo Paolo Uccello intorno al 1465, quando lavora per Federico da Montefeltro ed esegue opere come la predella della *Profanazione dell'ostia*, tuttora conservata nel palazzo Ducale di Urbino. L'artista muore nel 1475 in grande povertà.

Paolo Uccello
Tre momenti della
Battaglia di San Romano

1456 c.
tavole
Firenze, Galleria degli Uffizi;
Parigi, Musée du Louvre;
Londra, National Gallery.

La datazione dei tre celebri
pannelli è tuttora
controversa, mentre
appare certa la loro
collocazione originaria
all'interno di palazzo
Medici, come prestigioso
arredo di una sala.
La vicenda della battaglia,
vinta dalle milizie
fiorentine, viene presentata
in tre momenti distinti,
anche se i tre episodi
formano in sostanza
un'unica e spettacolare
narrazione. L'analisi degli
effetti prospettici (come
nelle lunghe lance bianche
e rosse o negli eccezionali
cavalli riversi a terra) e la
drammaticità dello scontro
tra i cavalieri si combinano
con un senso quasi magico
del racconto, dove i colori
e le luci appaiono irreali
come in un favoloso
romanzo cavalleresco.
In tutte e tre le scene
compaiono i "mazzocchi"
i grandi copricapi
sfaccettati più volte studiati
da Paolo Uccello per
la peculiare difficoltà
della corretta resa
prospettica.

Alla pagina accanto
Paolo Uccello
Diluvio Universale,
particolare

1450 c.
affresco
Firenze, Santa Maria Novella,
chiostro Verde.

Vertiginoso capolavoro
di virtuosismo, raffigura
l'umanità terrorizzata
dal Diluvio: uomini
e donne, sbattuti dal vento,
cercano riparo nei modi
più stravaganti; a destra,
il tranquillo Noè si accosta
al ripido fianco dell'Arca.
Nello stretto corridoio
centrale si assiste
ai tentativi di scampare
alle inondazioni: un uomo
si cala in una botte, altri
si aggrappano agli alberi.
La donna al centro
e l'uomo in primo piano
sulla sinistra indossano
un copricapo e un collare
a scacchi, esibizione
caratteristica di maestria
nella resa della prospettiva.
La tipica colorazione
verdastra ha dato il nome
al chiostro del convento
domenicano in cui questa
ed altre scene bibliche
sono state dipinte da Paolo
Uccello e dalla sua
bottega.

Beato Angelico
Sacra Conversazione
(Madonna delle Ombre)

1450 c.
affresco
Firenze, convento
di San Marco.

Dipinto nel corridoio
lungo il quale si aprono

le celle dei frati, l'affresco
è uno degli ultimi
interventi del Beato
Angelico nel convento
domenicano di San Marco:
il senso quasi metafisico
dei gesti sospesi,
degli sguardi penetranti,
dei colori stesi a larghe
falde è accresciuto dalla

pungente definizione
della luce laterale,
sottolineata dai lunghi
profili d'ombra dei classici
capitelli, paragonabili alle
architetture
contemporanee di
Michelozzo. È il risultato
conclusivo della
meravigliosa sintesi

compiuta dal pittore
tra un'ispirazione
misticamente
contemplativa e una
efficace applicazione
delle recenti conquiste
della pittura umanistica.

Alla pagina accanto
Beato Angelico
Annunciazione

1430 c., tavola
San Giovanni Valdarno
(Arezzo), santuario di Santa
Maria delle Grazie.

Dopo un riuscitissimo
restauro, questa grande

composizione appare
oggi come uno dei primi
capolavori del pittore,
che ritornerà più volte
sul tema prediletto
del dialogo tra l'angelo
annunciante e la devota
Maria, che è colta in
atteggiamento
di umile preghiera.

Beato Angelico

fra Giovanni da Fiesole,
Vicchio di Mugello, 1395 c. - Roma, 1455

L'incanto della pittura, la vita ritirata
trascorsa fra le mura di conventi
domenicani, l'ispirazione mistica fanno
dell'Angelico un'espressione toccante
della primavera dell'Umanesimo.
Un'immagine, insomma, celestiale,
che però non rende ragione della
intrinseca grandezza dell'artista.
L'Angelico riesce a rendere meno

austera la scienza prospettica grazie
all'uso di limpidi colori e di sentimenti
di lirica poesia. La formazione del
pittore avviene a Firenze negli anni
venti del Quattrocento. Nelle prime
opere emerge l'influsso di Gentile
da Fabriano, mentre si manifesta
precocemente il rapporto di
collaborazione con Lorenzo Ghiberti.
Frutto del sodalizio fra i due artisti
è il *Tabernacolo dei Linaioli* (1433)
conservato nel Museo di San Marco a
Firenze, sistemato nel quattrocentesco
convento domenicano dove l'Angelico

visse a lungo. Qui tra il 1439 e il 1442
ha affrescato la sala capitolare,
le gallerie del chiostro, i corridoi
e le celle dei confratelli, creando
una vera e propria scuola. Nei dipinti
su tavola si assiste alla mediazione
fra l'acquisizione della prospettiva
lineare e la delicatezza delle scene
e dei colori, in costante sintonia
con le monumentali creazioni
di Domenico Veneziano e poi con
gli esordi di Piero della Francesca.
Nel 1446 il pittore, coadiuvato
da ottimi collaboratori come Benozzo

Gozzoli, si trasferisce in Vaticano
per affrescare la cappella di Niccolò V.
Nel 1447 avvia la decorazione
della cappella di San Brizio nel Duomo
di Orvieto (ripresa mezzo secolo dopo
da Luca Signorelli). Tornato a Firenze,
esegue dopo il 1450 gli ultimi affreschi
di San Marco.
Chiamato di nuovo a Roma nel 1453,
vi muore due anni dopo.

Beato Angelico
Pala di Annalena

1434
tavola
Firenze, convento
di San Marco.

Proveniente dal convento
di San Vincenzo
d'Annalena, è una delle

prime *Sacre Conversazioni*
del maestro: in effetti,
l'Angelico pare qui
parzialmente frenato:
il pavimento e soprattutto
il trono della Vergine
appartengono a pieno
titolo alla nuova cultura
prospettica, ma il portico
sullo sfondo è schermato

da una sontuosa cortina
di broccato dorato.
Le nobili figure dei santi,
così come il robusto blocco
geometrico della Madonna,
mostrano la convinta
adesione del pittore allo
stile di Masaccio, addolcito
però con sentimenti
di tenerezza e di dolce

preghiera. I due personaggi
vestiti di rosso, nel gruppo
di sinistra, sono i santi
medici Cosma e Damiano,
protettori anche della
famiglia Medici e pertanto
spesso rappresentati
nella pittura fiorentina.

Beato Angelico
Trasfigurazione

*1439-1442, affresco
Firenze, convento
di San Marco.*

Negli affreschi che ornano
le celle dei frati l'Angelico
ha lasciato prove toccanti
della sua spiritualità
e della leggerezza luminosa
della sua pittura.

Domenico Veneziano

*Domenico di Bartolomeo,
Venezia, 1410 c. - Firenze, 1461*

Dalla complessa e ricca formazione
artistica, avvenuta tra Roma e Firenze,
Domenico ricava uno stile composito
e insieme molto personale, diventando
uno dei pittori più impegnati
nell'affermazione dell'arte umanistica.
Le opere giunte fino a noi si
concentrano nei decenni centrali
della vita e fanno riferimento alla sua
attività a Firenze.
Fra le opere più precoci spicca il tondo
dell'*Adorazione dei Magi* (Berlino,
Staatliche Museen), di poco
precedente all'avvio degli affreschi
(quasi completamente scomparsi)
nella chiesa di Sant'Egidio a Firenze,
eseguiti con Andrea del Castagno
e Piero della Francesca. Al 1447 risale
il completamento del capolavoro
di Domenico Veneziano, la *Pala
di Santa Lucia de' Magnoli* (Firenze,
Uffizi), con la quale si sancisce
il superamento della forma
del polittico per i dipinti d'altare.

Domenico Veneziano
Pala di Santa Lucia
de' Magnoli

*1445-1447
tavola
Firenze, Galleria degli Uffizi.*

Piero della Francesca

Arezzo, 1416/17 - 1492

Artista fondamentale nel Rinascimento europeo, Piero stabilisce con limpida chiarezza le regole geometriche su cui si basa la prospettiva, applicandole con assoluto rigore e con toccante poesia. Formatosi a Firenze, presso Domenico Veneziano, Piero ha svolto tutta la sua carriera in "provincia" (Sansepolcro, Arezzo, Rimini, Urbino, Perugia), contribuendo in modo determinante alla nascita di interessanti scuole pittoriche locali. Dopo alcuni dipinti realizzati nella cittadina natale, intorno al 1450 Piero viaggia a Ferrara e a Rimini, dove arricchisce la propria cultura con la conoscenza dell'arte fiamminga e soprattutto di Leon Battista Alberti. Le classiche proporzioni e il respiro spaziale ben scandito suggeriti dall'architetto sostengono lo splendido ciclo di affreschi con le *Storie della Croce*, iniziato nel 1452 nel coro della chiesa di San Francesco ad Arezzo. Alla monumentale bellezza degli affreschi aretini si collegano opere di poco successive, come il *Polittico* della Galleria Nazionale dell'Umbria a Perugia e lo smembrato *Polittico degli Agostiniani* (tavole a Londra, New York, Lisbona e Milano). Durante gli anni sessanta si consolida il rapporto tra Piero e la corte di Federico da Montefeltro. Per il duca di Urbino il maestro esegue alcuni dei massimi capolavori, come la *Flagellazione di Cristo* e la *Madonna di Senigallia* (tuttora conservate a Urbino), il duplice ritratto di Federico da Montefeltro e della moglie Battista Sforza (Firenze, Uffizi), la *Natività* (Londra, National Gallery) e soprattutto l'incomparabile *Pala Montefeltro* (Milano, Brera), divenuta a giusta ragione il dipinto-simbolo della pittura italiana del Quattrocento. Gli ultimi anni di vita del pittore sono resi amari dalla perdita della vista, che lo costringe a dedicarsi esclusivamente alla stesura di importanti trattati di pittura e di matematica.

Piero della Francesca
Pala Montefeltro

1472-1474
tavola
Milano, Pinacoteca di Brera.

Espressione suprema della cultura artistica dell'Umanesimo, si trovava in origine nella chiesa di San Bernardino a Urbino.

Piero della Francesca
Storie della Vera Croce:
L'adorazione del sacro
legno e l'incontro
di Salomone con la regina
di Saba;
Battaglia di Eraclio
e Cosroe

1455-1460 c.
affresco
Arezzo, San Francesco.

Gli affreschi dipinti da
Piero nel coro della chiesa
aretina sono un
monumento esemplare
della concezione
equilibrata di rapporti
proporzionali, di misura,
di ordine, di compostezza.
La vicenda, ispirata
alla duecentesca, *Leggenda
Aurea*, narra la complicata
storia del legno della

Croce, dalla morte di
Adamo fino all'imperatore
Costantino: il pittore non
segue scrupolosamente
la successione delle scene,
preferendo una struttura
ritmata, con evidenti
simmetrie tra le pareti.
Così, momenti di alta
solennità rituale
si alternano a confuse
battaglie, passaggi di lirica

contemplazione con scene
vivacemente narrative.
Su tutto domina
la superiore mente
del maestro, che cadenza
i gesti e le pause in una
costante logica matematica.
La grandezza di Piero
della Francesca consiste
poi nell'aver saputo
far vibrare, all'interno di
questo rigore intellettuale,

la scintilla e il brivido
dell'emozione, della
tenerezza, del terrore.
Il mondo dei sentimenti
non incrina la purezza
geometrica dell'invenzione,
ma anzi la riscalda,
le conferisce un'anima
di memorabile intensità.
La scena dell'abbraccio
tra la regina di Saba
e Salomone riprende

il gruppo degli apostoli
nel *Pagamento del tributo*
di Masaccio, sviluppato
in scala ancor più
monumentale e inserito
in un'architettura di
assoluta misura classica.
Da diversi anni è in corso
il restauro del ciclo, reso
necessario dai ripetuti
danni subiti dalle pareti
nel corso dei secoli.

Piero della Francesca
Storie della Vera Croce:
Sogno di Costantino

1457-1458 c.
affresco
Arezzo, San Francesco.

Piero della Francesca
Santa Maria Maddalena

1460 c.
affresco
Arezzo, Duomo.

Alla pagina accanto
Piero della Francesca
Resurrezione

1463
affresco
Sansepolcro, Pinacoteca
Comunale.

Il museo ha sede
in un palazzo storico
di Sansepolcro, su una
parete del quale si trova
questa maestosa scena,
carica di significati
simbolici mistici e civici:
la figura di Cristo Risorto
campeggia sullo stemma
di Sansepolcro, la cittadina
natale del pittore.
Nel momento solenne
dell'uscita di Cristo
dalla tomba, fissato con
perentoria grandiosità,
la Storia e la Natura
sembrano dividersi in due
parti, una remota, arida,
addormentata, l'altra
fiorente, vigile, viva.

Piero della Francesca
Annunciazione
(cimasa del Polittico
di Sant'Antonio)

1470 c.
tavola
Perugia, Galleria Nazionale
dell'Umbria.

Inserito nella parte
sommitale del grande
Polittico dipinto per
il convento perugino
di Sant'Antonio
alle Monache, il dipinto è
un'ennesima dimostrazione
della perfetta gestione
della prospettiva da parte
di Piero: un controllo
che non si limita alla resa
architettonica, ma che
si estende anche alla
descrizione raffinata
delle luci e delle ombre.

Piero della Francesca
Dittico di Urbino (recto):
Ritratti di Battista Sforza
e Federico da Montefeltro

1465-1470
tavole
Firenze, Galleria degli Uffizi.

I profili dei duchi si
stagliano sullo sfondo delle
colline del Montefeltro:
un paesaggio che ritorna
anche sul retro delle due
tavole, in cui sono dipinti
i trionfi allegorici
dei signori urbinati.
Alla semplificazione
dei volumi (Battista Sforza
allude al cerchio, Federico
è iscritto in un quadrato)
si contrappone la
minuziosa finezza della
stesura, accostabile all'arte
fiamminga.

Alla pagina accanto
Piero della Francesca
Sant'Agostino;
San Giovanni Evangelista

1465 c.
tavole
Lisbona, Museu Nacional
de Arte Antiga,
New York, Frick Collection.

Il *Polittico* dell'altar maggiore della chiesa di Sant'Agostino a Sansepolcro, una delle opere magistrali della maturità artistica di Piero, è stato purtroppo smembrato e disperso nel secolo scorso. Oltre a tavolette minori della predella rimangono le corpulente figure dei quattro santi laterali (a quelli qui riprodotti si aggiungono il *San Michele Arcangelo* della National Gallery di Londra e il *San Nicola da Tolentino* del Museo Poldi Pezzoli di Milano); perduta è invece la tavola centrale, con la *Madonna in trono*. La concentrazione espressiva, racchiusa in forme semplici, tornite nello spazio dalla luce limpida, tocca un vertice forse insuperabile.

Piero della Francesca
Madonna col Bambino
benedicente e due angeli
(Madonna di Senigallia)

1470 c.
tavola
Urbino, Galleria Nazionale delle Marche.

Frutto raffinatissimo del lungo rapporto di Piero con la corte di Urbino, la tavola costituisce una suprema sintesi tra le qualità peculiari dell'arte fiamminga (accurata resa dei dettagli, minuziosa indagine della luce, senso descrittivo della realtà) e dell'Umanesimo italiano, espresso soprattutto nella serena simmetria e nel dominio logico sull'immagine.
Piero ribadisce la ricerca di volumi semplici (una piramide per la Madonna, due cilindri iscritti nelle linee rette degli stipiti per gli angeli), soffermandosi però con infinita pazienza e delicatezza su particolari minimi, come le trasparenze della luce attraverso i vetri della finestra e persino i riflessi sulle unghie, sui gioielli, sui veli e sui colletti delle figure.

Pisanello

*Antonio Pisano, Verona (?),
1395 c. - Mantova (?),1455*

Gli ultimi fasti delle corti del gotico
sono affidati all'arte ora ironica ora
romantica di Pisanello: la scomparsa
di molte opere importanti consente
oggi una conoscenza solo parziale di
un maestro fondamentale nella prima
metà del Quattrocento, ma le non
numerose pitture si completano con
gli eccezionali disegni e le celebri
medaglie. Figlio di un mercante pisano
(da qui il soprannome), il pittore si
forma in Veneto, prima a Verona e poi
a Venezia, accanto al grande Gentile
da Fabriano (1418-1420). Seguendo
il maestro marchigiano Pisanello si
trasferisce intorno al 1423 a Firenze,
integrando la formazione tardogotica
con una cultura visiva aggiornatissima.
Nel corso degli anni venti Pisanello
avvia la carriera a Verona,
con la *Madonna della quaglia* (Museo
di Castelvecchio) e l'*Annunciazione*
che contorna il Monumento Brenzoni
in San Fermo (1426 c.). Dopo la
morte di Gentile da Fabriano (1427)
Pisanello viene chiamato a Roma
per completare gli affreschi
in San Giovanni in Laterano, distrutti
in epoca barocca. Dagli anni trenta
Pisanello divide la propria attività
in varie corti signorili: nel palazzo
Ducale di Mantova affresca scene
cavalleresche; a Ferrara ritrae i
personaggi della corte estense (*Lionello
d'Este*, Bergamo, Accademia Carrara;
una non identificata *Principessa*, Parigi,
Louvre); a Rimini esegue medaglie
per Novello Malatesta. L'opera
più importante è l'affresco con
San Giorgio e il drago nella basilica di
Sant'Anastasia a Verona (1436-1438).
Dopo questo capolavoro Pisanello
si dedica soprattutto all'esecuzione
di medaglie celebrative per signori
delle corti settentrionali e per il re
Alfonso d'Aragona, nella cui reggia
napoletana Pisanello si trasferisce
intorno al 1450. Dopo la metà
del secolo, la diffusione della cultura
umanistica e classica anche nelle corti
del nord provoca il rapido declino
della celebrità di Pisanello che, dopo
la morte, viene quasi dimenticato.

Pisanello
Madonna della quaglia

*1420-1422
tavola
Verona, Museo
di Castelvecchio.*

Pisanello
Partenza di san Giorgio,
particolare

1436-1438
affresco
Verona, Sant'Anastasia.

La scena è divisa in due
parti: da un lato il drago
mostruoso, in un paesaggio
desolato e squallido;
dall'altro, sullo sfondo
di una città gotica, la scena
principale. Pisanello sceglie
il momento in cui san
Giorgio, sotto lo sguardo
della principessa, sale a
cavallo per dirigersi contro
il mostro: attimo di forte
tensione, in cui il tempo
per un istante si blocca.
L'affresco è frutto
di un'elaborazione
meticolosa: senza perdere
di vista la struttura
complessiva della
composizione, Pisanello
studia ogni singolo
dettaglio con una
precisissima cura nella
riproduzione della realtà.
Gli animali, gli aristocratici
ritratti, persino il macabro
particolare degli impiccati
che penzolano dalla forca
sottolineano una capacità
di narrare in gara con i
poeti dell'epoca. Pisanello
traduce in pittura
un'antologia del sapere
del tempo: nel dipingere
i cavalieri al seguito di san
Giorgio non gli sfuggono
notazioni etnografiche e
di costume, nell'illustrare
la città incantata produce
un campionario
di soluzioni architettoniche
tardogotiche, accanto
al fantasioso drago colloca
rettili autentici e non
meno spaventosi. Ma la
vera magia della pittura
di Pisanello consiste
nella capacità di far vivere
i personaggi non solo nelle
loro robustissime armature
d'argento, ma soprattutto
nella fragilità del loro
animo.

Cosmè Tura

Ferrara, 1430 c. - 1495

Principale esponente della scuola
ferrarese, promuove nella città estense
una stagione artistica eclettica,
bizzarra, assolutamente originale.
Un soggiorno a Padova durante
gli anni cinquanta pone il giovane Tura
in contatto con l'ambiente dello
Squarcione e dell'esordiente Mantegna
e dà forma monumentale al suo estro
allucinato. Tornato a Ferrara, diventa
il pittore di corte di Ercole e Borso
d'Este e non lascia più la città. A Tura
spetta inoltre la direzione dei lavori
decorativi nelle residenze estensi,
fra cui gli affreschi del salone dei Mesi
nel palazzo di Schifanoia.

Cosmè Tura
Madonna in trono

1474
tavola
Londra, National Gallery.

Elemento centrale del
Polittico Roverella (disperso
in vari musei),
è un'opera di stravagante
bellezza. Costretto a
impostare la scena in ripida
verticalità, Tura ha
inventato un insolito trono
a gradini, decorato
con iscrizioni in ebraico
e coronato da un ricco
fastigio scolpito.

Cosmè Tura
Primavera

1460 c.
tavola
Londra, National Gallery.

Il titolo tradizionale non
corrisponde all'identità
della misteriosa e
affascinante figura seduta
su un trono decorato
da taglienti delfini di rame:
si tratta in realtà di una
delle Muse dipinte
per lo studiolo estense
di Belfiore.

Alla pagina accanto
Cosmè Tura
San Giorgio e il drago

1469
tavola
Ferrara, Museo
della Cattedrale.

I gesti drammaticamente
bloccati, l'atmosfera irreale
proiettata dal cielo dorato,
le smorfie esasperate
di tutti i protagonisti
contribuiscono a rendere
quest'opera uno dei più
originali passaggi della
pittura del Rinascimento
italiano.

Francesco del Cossa

Ferrara, 1436 c. - 1477/78

Collaboratore e sodale di Cosmè Tura nel vivo della scuola ferrarese, il Cossa ne mitiga le asprezze con una pittura di ampio respiro narrativo. Un capolavoro in tal senso è l'esecuzione dei mesi di marzo e aprile nel salone del palazzo di Schifanoia a Ferrara (1470 c.), con la combinazione di scene mitologiche, richiami astrologici e fatti della vita contemporanea del duca, della corte, della città e della campagna. Insoddisfatto del trattamento economico, il Cossa lascia Ferrara e si trasferisce poco dopo il 1470 a Bologna. Qui dipinge importanti pale d'altare (*Pala dei Mercanti*, Bologna, Pinacoteca Nazionale; *Annunciazione*, Dresda, Gemäldegalerie) e, per la basilica di San Petronio, l'ambizioso *Polittico Grifoni*, diviso in vari musei. L'energia plastica dei personaggi del Cossa si proietta su paesaggi e sfondi architettonici ricchi di dettagli, tutti da leggere nella visione implacabile.

Francesco del Cossa
San Pietro;
San Giovanni Battista

1473 c., tavole
Milano, Pinacoteca di Brera.

Le tavole laterali
del *Polittico* della cappella
Griffoni in San Petronio,
a Bologna.

Carlo Crivelli
Madonna
della candeletta

1490 c.
tavola
Milano, Pinacoteca di Brera.

Parte centrale
di un polittico smembrato,
prende il nome dalla
minuscola candela in basso
a sinistra.

Alla pagina seguente
Carlo Crivelli
Santa Caterina
d'Alessandria, san Pietro
e la Maddalena

1475 c.
tavole
Montefiore dell'Aso
(Ascoli Piceno), Santa Lucia.

Carlo Crivelli
Venezia, 1430/35 c. - Marche, 1494/95

Nato a Venezia e formatosi dapprima
presso la bottega dei Vivarini e poi
nell'effervescente ambiente umanistico
padovano di metà secolo, Crivelli
conosce una serie di disavventure
giovanili che lo porta prima in Istria
(1459) e poi nelle Marche, dal 1468
fino alla morte.

In provincia Crivelli trova
la dimensione più congeniale, fino
a diventare uno dei più singolari
artisti italiani della seconda metà
del Quattrocento.
L'evidente conoscenza delle più
avanzate regole della visione
prospettica e della monumentalità
classica viene avvolta da una fastosa,
esuberante veste ornamentale,
che si spinge fino al recupero
dell'antiquato fondo oro.

Carlo Crivelli
Annunciazione

1486, tavola
Londra, National Gallery.

Forse il massimo
capolavoro del maestro,
la tavola è stata dipinta
per Ascoli Piceno, come
dimostra la presenza
di sant'Emidio accanto
all'arcangelo Gabriele.

Andrea Mantegna

Isola di Carturo, Padova, 1431 - Mantova, 1506

Protagonista della diffusione della cultura figurativa umanistica nell'Italia settentrionale, Mantegna rinnova profondamente lo stile della pittura sacra e profana con una grandiosa e sofferta rilettura dell'arte classica. Allievo di Francesco Squarcione a Padova ma attento a quanto stavano realizzando negli stessi anni Donatello e gli altri grandi artisti toscani attivi nella città euganea, Mantegna esordisce giovanissimo con gli affreschi nella chiesa degli Eremitani a Padova poco dopo la metà del secolo.

Il *Trittico* sull'altar maggiore della basilica veronese di San Zeno (1458) definisce con chiarezza i caratteri della sua arte, con figure di solenne monumentalità plastica inserite in un contesto architettonico e prospettico di aggiornata concezione. Risale a questi anni il rapporto con il cognato Giovanni Bellini, tappa fondamentale per il diffondersi dell'arte rinascimentale in Veneto. Nel 1460 Mantegna diventa pittore di corte dei Gonzaga: da allora si sposterà da Mantova solo per alcuni viaggi in Toscana e a Roma. Capolavoro emblematico della lunga attività mantovana è la celebre camera degli Sposi in palazzo Ducale (1474 c.), rivoluzionaria per progetto e per esecuzione virtuosistica. Appassionato collezionista e studioso di archeologia, Mantegna insiste nella ricerca di una forma espressiva paragonabile all'arte antica, scegliendo anche soggetti classici come le grandi tempere dei *Trionfi di Cesare* (1480; Hampton Court, Collezioni Reali). Il tono aulico di queste composizioni ritorna anche nelle pale d'altare, come la *Madonna della vittoria* (1495; Parigi, Louvre). Dal 1497 Mantegna avvia la raffinatissima decorazione dello studiolo privato di Isabella Gonzaga, seguendo un complesso programma umanistico: spettano a Mantegna due composizioni mitologiche, entrambe conservate al Louvre. Nella fase finale della carriera il maestro si è anche sperimentalmente dedicato all'incisione.

Andrea Mantegna

A sinistra
San Sebastiano

1459 c., tavola
Vienna, Kunsthistorisches Museum.

A destra
San Sebastiano

1480, tela
Parigi, Musée du Louvre.

Il confronto tra due dipinti di identico soggetto, uno giovanile e l'altro della maturità del pittore, mostra le costanti e gli sviluppi dello stile di Mantegna. Il gusto classico del maestro padovano è già tutto racchiuso nella piccola tavola di Vienna, firmata umanisticamente in lingua e caratteri greci. Contemplando con rispettosa ammirazione la classicità, Mantegna si sofferma sul nitore delle superfici, sulla precisione nella riproduzione "archeologica" dei dettagli architettonici, sull'eleganza ricercata della posa del martire. Il grande *San Sebastiano* del Louvre propone un'acquisita consapevolezza, una tensione espressiva che pervade ogni dettaglio, pienamente dominata dall'artista anche nella resa muscolosa dell'anatomia. Nei ruderi sbrecciati in primo piano e nelle costruzioni incompiute sullo sfondo l'antico diventa frammento, pezzo da collezione, nostalgia di una civiltà infranta e non più ricostruita.

81

Andrea Mantegna
Martirio e trasporto del
corpo di san Cristoforo
(Storie di san Giacomo
e di san Cristoforo)

1457
affresco
Padova, chiesa degli
Eremitani, cappella Ovetari.

La cappella Ovetari è stata
quasi del tutto distrutta dai
bombardamenti del 1944.
Dalle scene ancora leggibili
qui illustrate emerge
l'interesse del giovanissimo
Mantegna verso la
rappresentazione dello
spazio in prospettiva
e verso il mondo figurativo
antico. Nel *Martirio
di san Cristoforo* l'edificio
al centro è circondato
da un pergolato in
prospettiva, e reca, murate
nel basamento, alcune
lapidi romane.

Andrea Mantegna
Orazione nell'orto

1455
tavola
Londra, National Gallery.

È il primo importante
paesaggio di Mantegna:
un'ambientazione aspra,
rocciosa, scoscesa segnata
da incisivi tratti grafici, che
caratterizzano anche la resa
delle figure. Tutti gli
elementi della scena,
comprese le nuvole,
assumono una consistenza
dura, quasi minerale. La
tavola è in diretto rapporto
con una simile
composizione del cognato
di Mantegna, Giovanni
Bellini.

Andrea Mantegna

Polittico di San Zeno
1457-1459
tavole
Verona, San Zeno.

In basso
Predella con la
Crocifissione
Parigi, Musée du Louvre.

La struttura della grande
scena principale
rivoluziona la concezione
della pala d'altare in Italia
settentrionale.
La cornice sembra alludere

alla divisione di un trittico,
ma in realtà le tre tavole
formano un insieme
unitario, creando uno
spazio architettonico
a pilastri in cui si
dispongono
simmetricamente i gruppi
di figure.

Andrea Mantegna
San Giorgio

1467
tavola
Venezia, Gallerie
dell'Accademia.

Andrea Mantegna
Veduta della parete
occidentale e della parete
settentrionale

1465-1474
pittura murale a secco
Mantova, palazzo Ducale,
camera degli Sposi.

La decorazione della
cosiddetta "camera degli
Sposi" è il più celebre

esempio di pittura profana
nelle corti italiane del
Rinascimento: le preziose
minuzie del tardogotico
lasciano il posto a scene
di ampio respiro sostenute
da un robusto senso
prospettico e, insieme,
da un'accurata ripresa
dell'osservazione naturale.
Mantegna, che qui
raggiunge la più piena

espressione della sua
maturità di artista, ha
concepito in modo unitario
la sala, chiamata "camera
picta" negli antichi
documenti: due lati sono
ricoperti da un finto
tendaggio, che si scosta
sulle pareti in cui
compaiono i membri
della famiglia Gonzaga.
All'ingresso, su un muro

scandito da pilastri dipinti
a motivi classici,
un paesaggio ricco di
riferimenti a monumenti
romani ospita l'*Incontro tra
il marchese Ludovico
e il figlio cardinale*,
accompagnati da un
sontuoso corteo di paggi
con cavalli agghindati e
cani di razza; segue, sulla
parete accanto, la *Corte dei*

Gonzaga, in cui Mantegna
dimostra notevoli capacità
di ritrattista, variando
la propria tecnica
per riprodurre le fresche
guance delle ragazze,
i volti severi delle persone
mature, il sorriso
della nana.

Alla pagina accanto
Andrea Mantegna
Oculo con putti e dame
affacciati, particolare
della volta

1465-1474
affresco
Mantova, palazzo Ducale,
camera degli Sposi.

Nella volta, fra lacunari
dipinti in chiaroscuro con
motivi classici, si apre un
famoso oculo circolare,
con una balconata da cui si
affacciano figure e animali,
aperta con una vertiginosa
prospettiva verso il cielo.
Questo "sfondato"
illusionistico servirà

da esempio per gli artisti
delle generazioni
successive, e in particolare
per il Correggio.

Andrea Mantegna
Il Parnaso

1497
tela
Parigi, Musée du Louvre.

È il primo dei dipinti
voluti da Isabella d'Este,
marchesa di Mantova, per
decorare il suo studiolo.

Il programma iconografico,
dettato dal letterato
di corte Paride Ceresara, è
particolarmente congeniale
a Mantegna, che ha modo
di dispiegare con finezza di
particolari il suo gusto per
l'antichità e la mitologia,
espresso in termini di colto
Umanesimo. Al centro,

le nove Muse ballano al
suono della cetra suonata
da Apollo; sulla destra
il dio Mercurio conduce
il cavallo alato Pegaso;
sulle alture, alle spalle
delle Muse, Venere e Marte
si abbracciano, mentre
Amore sbeffeggia Vulcano,
il marito di Venere.

Andrea Mantegna
Cristo Morto

1500 c.
tela
Milano, Pinacoteca di Brera.

Di difficilissima datazione, la tela viene solitamente ritenuta opera tarda del maestro, ed è citata nell'inventario degli oggetti di casa, steso dal figlio di Mantegna alla morte del padre. Era destinata a essere collocata ai piedi del monumento sepolcrale del pittore, nella cappella appositamente allestita in Sant'Andrea a Mantova. Nella luce smorzata di una cella da obitorio, con un colore grigiastro, ridotto all'essenziale, Mantegna dispone in ripida prospettiva il corpo di Cristo, vegliato dalla Madonna e altri dolenti, maschere tragiche che affiorano nella penombra.

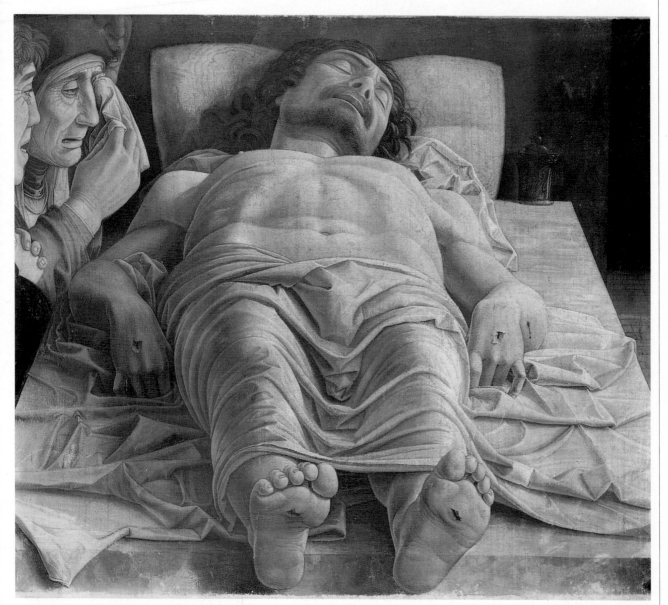

IO·MATHEVS·BVTIGELA
MILES·DVCALIS OSILIARI?

·BLANCA·VICECOES·
VXOR·EIVS·

·BEAT·DOMINIC°·DE·CATELOIA·

·BEATA·SCIBELINA·DE·PAPIA·

Vincenzo Foppa

*Orzinuovi (Brescia), 1427/30 -
Brescia, 1515/16*

Compagno di studi di Mantegna
a Padova, Foppa è il più significativo
pittore del primo Rinascimento
in Lombardia. In una Milano dominata
dal gusto della corte, Foppa dipinge
gli affreschi della cappella Portinari
in Sant'Eustorgio (1468).

I dipinti su tavola e le pale d'altare
mostrano una cultura prospettica,
velata di una sorta di meditata
malinconia, espressa attraverso
i delicati chiaroscuri dei volti.
Oltre che a Milano, Foppa
fu attivo a Pavia e in Liguria,
dettando lo stile figurativo
dell'area lombarda nord-
occidentale nei termini di una
pacata grazia e di una concreta
adesione alla realtà.

Vincenzo Foppa
Pala Bottigella

*Pavia, Musei Civici,
Pinacoteca Malaspina.
1480-1484 c.
tavola*

Vincenzo Foppa
Sant'Agostino

*1465-1470 c.
tavola
Milano, castello Sforzesco,
Civiche Raccolte d'Arte.*

Insieme all'analogo
scomparto con san Teodoro
faceva in origine parte

di un polittico nella chiesa
del Carmine a Pavia.
La raffinata esecuzione
dei paramenti episcopali
del santo è da mettere
in rapporto con la pittura
provenzale e fiamminga.

Vincenzo Foppa
Madonna del libro

1460-1468
tavola
Milano, castello Sforzesco,
Civiche Raccolte d'Arte.

Delicatissima opera
giovanile, questa piccola
tavola assume il valore
di una toccante prova,
un esercizio sperimentale
per un pittore quasi
esordiente. Definita con
precisione l'incorniciatura
geometrica, illegiadrita
da un festone a perline
di tipo mantegnesco,
Foppa inserisce con timida
e affettuosa poesia
le figure della Madonna
e del Bambino, che
insolitamente indossa
un camicino. Gli affetti
controllati, i gesti appena
accennati, i toni spenti,
grigio-argentei degli
incarnati rispondono
alla costante attenzione di
Foppa verso la quieta realtà
quotidiana, di cui diventa
un attento interprete.
Il realismo umano del
pittore bresciano diventa
fondamento insostituibile
per gli sviluppi della
cultura figurativa lombarda
attraverso i secoli, dal
Rinascimento a Caravaggio
e poi ancora nel Seicento
e nel Settecento, fino alla
pittura d'impegno sociale
del tardo Ottocento.

Antonello da Messina

Messina, 1430 c. - 1479

Artista importantissimo per comprendere gli intrecci nella pittura internazionale a metà del Quattrocento, Antonello ha compiuto un percorso pittorico ed esistenziale esemplare, che lo conduce dal dialogo con i grandi maestri fiamminghi e provenzali al contatto con Piero della Francesca, fino a esercitare un influsso determinante nello sviluppo della scuola veneziana. La sua formazione si svolge nel cosmopolita ambiente napoletano intorno al 1450: fin dalle prime opere Antonello combina l'attenzione ai minimi dettagli naturalistici con un ampio respiro spaziale. Alternando ripetuti viaggi con soggiorni e opere in Sicilia, Antonello conosce una rapida evoluzione che si esprime attraverso nuove versioni del tema della Crocifissione (Anversa e Londra) e una serie di penetranti ritratti virili, tutti di personaggi rimasti senza nome e anche per questo avvolti in un affascinante mistero.

Tappa culminante della sua carriera è il soggiorno a Venezia nel 1474-1476, durante il quale dipinge opere di grande impegno, come la *Pala di San Cassiano* (frammenti nel Kunsthistorisches Museum di Vienna) e lo straordinario *San Sebastiano* (Dresda, Gemäldegalerie).

Antonello da Messina
Ritratto d'uomo (Ritratto Trivulzio)

1476
tavola
Torino, Museo Civico.

Antonello è uno dei più grandi ritrattisti del Quattrocento. Abbandonando la canonica posa di profilo per far ruotare il busto e la testa di tre quarti, dall'ombra verso la luce, il pittore conferisce un'impressionante vivacità ai personaggi, di nessuno dei quali conosciamo l'identità.

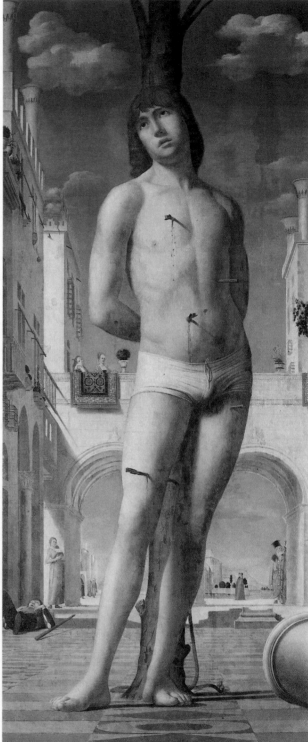

*Alla pagina precedente
a destra*
**Antonello
da Messina**
San Sebastiano

*1475-1476 c.
tavola
Dresda, Gemäldegalerie.*

La stupenda figura
del santo martire faceva
in origine parte di

un complesso pittorico
eseguito durante
il soggiorno veneziano.
Il giovane san Sebastiano,
modellato sulla base
geometrica del cilindro,
è al centro di un
meraviglioso spazio
urbano, con edifici e figure
disposti in profondità
per sottolineare
la profonda prospettiva.

La veduta di un paesaggio
urbano "ideale" si riscalda
grazie all'avvolgente senso
della luce atmosferica,
identificata dalle ombre
proiettate dalle frecce
conficcate nelle carni
del martire. Grazie a opere
come questa, Antonello
dà un contributo decisivo
agli sviluppi della pittura
veneziana.

**Antonello
da Messina**
Annunciata

*1477 c.
tavola
Palermo, Galleria Nazionale.*

Forse in assoluto la più
nota immagine della
pittura siciliana, esprime
in modo suggestivo
sentimenti di candore,

di pudicizia, di
partecipazione emotiva
pur nel controllo dei gesti
e dell'espressione.
Antonello presenta
qui la personalissima
interpretazione del rigore
geometrico di Piero della
Francesca, semplificando
al massimo i colori
e i volumi.

**Antonello
da Messina**
Crocifissione

*1475-1476 c.
tavola
Anversa, Musée des Beaux-
Arts.*

È la più complessa e
drammatica tra le insistite
variazioni di Antonello sul
tema della Crocifissione.
Alla minuta descrizione

del paesaggio, ispezionato
nei minimi dettagli,
si contrappone
efficacemente il grande
"vuoto" del cielo, su cui
si stagliano i tre crocifissi.
La compostezza dolente
di Cristo sul levigato legno
della croce viene esaltata
dalle pose contorte
e slogate dei due ladroni,
legati ai tronchi di alberi
nodosi.

**Antonello
da Messina**
San Gerolamo
nello studio

*1474-1475 c.
tavola
Londra, National Gallery.*

Prova memorabile
di perfetto dominio della
prospettiva e di capacità
d'indagine spinta a vertici
forse insuperabili,
il dipinto rappresenta un
caso particolare nella storia
della pittura italiana del
Quattrocento; non a caso,
è stato in passato attribuito
a grandi maestri
fiamminghi. Antonello
costruisce intorno
al concentratissimo santo-
umanista un microcosmo
di oggetti, animali, piante,
architetture, particolari
d'ogni genere.
La diffusione della luce
attraverso numerosi varchi,
il mondo della natura che
si affaccia dalle finestre
sul fondo, l'universo
del sapere che riverbera
dalle pagine dei libri,
l'emozione tutta interiore
della conoscenza
accrescono il fascino
di questo capolavoro.
Come è caratteristico
di Antonello (e più in
generale dell'arte italiana,
ma non di quella
fiamminga), pur nelle
piccole dimensioni
il dipinto esprime un senso
di monumentale
grandezza.

Gentile Bellini

Venezia, 1430 c. - 1507

Esempio tipico di pittore specializzato, Gentile Bellini è un "ritrattista" di persone e di città: a lui si devono forse le prime vere vedute di Venezia, osservata e riprodotta nel momento del suo massimo splendore. A lungo allievo e collaboratore del padre Jacopo (insieme al fratello Giovanni), avvia una carriera autonoma nel corso degli anni sessanta, ottenendo un successo pubblico con il *Ritratto di san Lorenzo Giustiniani* (1465, Venezia, Gallerie dell'Accademia), dipinto di profilo e contornato da un incisivo segno grafico. In seguito a quest'opera ottiene fin dal 1466 incarichi ufficiali dalla Repubblica (ritratti di dogi) e nel 1479 viene inviato a Costantinopoli per una missione tra il diplomatico e l'artistico (*Ritratto del sultano Maometto II*, Londra, National Gallery). Sempre al vertice della scuola artistica veneziana anche se il ruolo di artista ufficiale passa al più versatile e aggiornato fratello Giovanni, Gentile si occupa a più riprese di decorazioni per luoghi istituzionali. Nel 1496 avvia l'esecuzione di un gruppo di vasti teleri con scene narrative per la Scuola di San Giovanni Evangelista, oggi conservati nelle Gallerie dell'Accademia, ricche, fedeli e vivaci descrizioni della città. Alla Scuola di San Marco era invece destinata la vastissima *Predica di san Marco in Alessandria* (Milano, Brera).

Gentile Bellini
Miracolo della croce

1496-1500
tela
Venezia, Gallerie dell'Accademia.

Il telero, commissionato dalla ricca e potente Scuola di San Giovanni Evangelista nell'ambito di una serie di scene dedicate al culto di un prezioso frammento reliquia della croce, raffigura il ritrovamento della reliquia, caduta in un canale. Per Gentile Bellini è l'occasione per liberare un divertito senso narrativo, nella realistica ambientazione dello scenario urbano della Venezia dell'epoca. La vivacità degli episodi descrittivi (valga per tutti la figura del negro che sta per tuffarsi da un piccolo pontile sulla destra) e l'incanto della veduta architettonica riscattano una certa staticità dei gesti e la ripetitività delle pose dei singoli personaggi.

Giovanni Bellini
Venezia, 1433 (?) - 1516 (?)

Fratello di Gentile, come lui allievo e collaboratore del padre Jacopo, Giovanni Bellini è il grande riformatore della pittura veneziana. Una spinta importante ad abbandonare gli iniziali retaggi gotici viene dal confronto con i risultati del cognato Andrea Mantegna. Alcune opere precoci di Giovanni Bellini sono anzi direttamente ispirate a simili composizioni di Mantegna, ma Giovanni manifesta ben presto una diversa attenzione verso la luce e l'atmosfera naturale. L'arrivo a Venezia di Antonello da Messina sollecita un'ulteriore evoluzione nel senso della ricerca degli effetti sfumati e morbidi della luce, pur in composizioni di grande formato e solennità. Dal 1483 è pittore ufficiale della Serenissima, con una efficientissima bottega nella quale si formano Lotto e Tiziano. L'attività di Giovanni Bellini è ricchissima, con molte versioni del prediletto tema della Madonna col Bambino, ritratti, pale d'altare.

Nei primi anni del Cinquecento il pittore rende ancora più delicata e intensa la propria ricerca di effetti di luce. In dialogo con le conquiste di Giorgione, il vecchio Bellini si apre alla fine della sua vita anche a temi profani, come il *Festino degli dei* (1514) della National Gallery di Washington e la toccante *Ragazza che si pettina* (Vienna, Kunsthistorisches Museum).

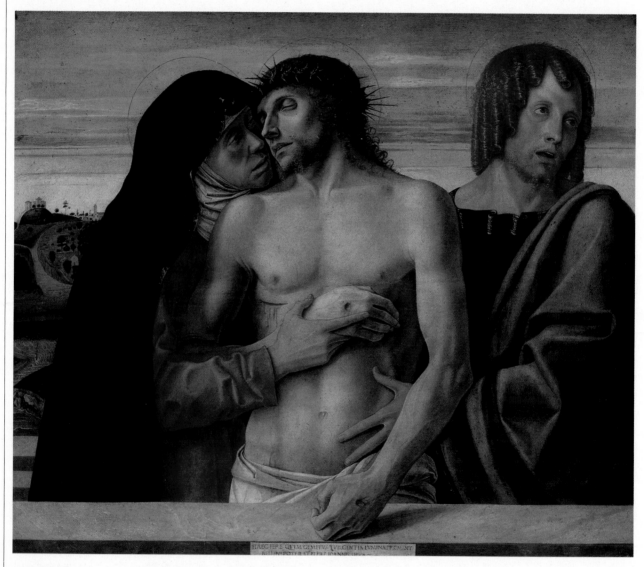

Giovanni Bellini
Pietà

1465 c.
tavola
Milano, Pinacoteca di Brera.

Passo decisivo verso l'acquisizione di uno stile proprio e inconfondibile, in cui il riferimento a Mantegna (le tre grandi figure portate verso lo spettatore, separato da una soglia marmorea) è ormai assimilato all'interno di una definizione della luce.

Giovanni Bellini
Polittico di san Vincenzo Ferreri

1464-1468 c., tavole
Venezia, Santi Giovanni e Paolo.

Il grande *Polittico*, conservato tuttora nella cornice antica, celebra la recente canonizzazione del santo domenicano Vincenzo Ferreri. Si tratta di un'opera di grande complessità, probabilmente eseguita nel corso di diversi anni durante il settimo decennio del Quattrocento.

Giovanni Bellini
Pala di san Giobbe
(Madonna col Bambino
in trono con angeli
musicanti fra i santi
Francesco, Giovanni
Battista, Giobbe,
Domenico, Sebastiano
e Ludovico da Tolosa)

1487, tavola
Venezia, Gallerie
dell'Accademia.

Opera della maturità
del maestro, è la versione

veneziana delle pale
d'altare di Piero della
Francesca e Antonello
da Messina: la perfetta
conoscenza delle regole
prospettiche si addolcisce
qui in una nuova
interpretazione luministica.
L'abside a finto mosaico
dorato, che si trova alle
spalle delle figure,
favorisce infatti il passaggio
lento e caldo della
luce in diversi punti
dell'opera.

Giovanni Bellini
I santi Cristoforo,
Gerolamo e Ludovico

1513
tavola
Venezia, San Giovanni
Crisostomo.

È l'ultima grande
composizione religiosa di
Giovanni Bellini: di libertà
compositiva, è ormai libera
da qualunque omaggio alla
tradizionale impostazione
quattrocentesca.

Alla pagina accanto
Giovanni Bellini
Incoronazione della
Vergine (Pala Pesaro)

1471-1474 c.
tavole
Pesaro, Museo Civico.

In splendide condizioni
di conservazione
(compresa la cornice

originale), la grandiosa
composizione risale agli
inizi degli anni settanta.
Nella scena principale
Giovanni Bellini segna la
conquista di una solenne
grandiosità, grazie a una
impeccabile scansione
geometrica (riconoscibile
nel pavimento e negli
elementi architettonici del

trono su cui Cristo sta
ponendo una corona
sul capo della Madonna),
sempre però inserita
nel paesaggio.
Nell'incorniciatura
alle spalle dei personaggi
appare un panorama reale,
le colline costiere tra la
Romagna e le Marche,
con la rocca di Gradara.

Giovanni Bellini
Trittico dei Frari

1488
. tavole
*Venezia, Santa Maria Gloriosa
dei Frari, sagrestia.*

Splendidamente
conservato, il *Trittico*
ribadisce l'interpretazione
belliniana dell'arte di Piero
della Francesca, "corretta"
da una poetica definizione
della luce.

Giovanni Bellini
Pietà

1505 c.
tavola
Venezia, Gallerie
dell'Accademia.

Giovanni Bellini ha
superato i settant'anni,
ma ha sempre il desiderio
di nuove conquiste
stilistiche. Qui verifica
gli effetti del "tonalismo"
(la stesura dei dipinti con
il puro colore, quasi senza
il supporto di un disegno
preliminare) in un'opera
drammatica.
Sullo sfondo si riconosce
il profilo dei principali
monumenti di Vicenza.

Giovanni Bellini
Madonna col Bambino
tra le sante Caterina
e Maddalena

1500 c.
tavola
Venezia, Gallerie
dell'Accademia.

Alla pagina accanto
Giovanni Bellini
Sacra Conversazione

1505
tavola
Venezia, San Zaccaria.

Il dipinto è inserito
nell'altare originale ed è
una nuova interpretazione
della pala d'altare
rinascimentale, con
l'architettura "aperta"
sui fianchi alla libera
circolazione della luce
del paesaggio. Con
quest'invenzione spaziale,
Giovanni Bellini aggiorna
il modello umanistico
della Sacra Conversazione
davanti all'abside di una
chiesa, ottenendo densi
contrasti chiaroscurali.

Giovanni Bellini
Madonna del prato

1505 c.
tavola
Londra, National Gallery.

Le figure non sono più
solo inserite "davanti"
a un paesaggio, ma
al suo interno.

Giovanni Bellini
Giovane allo specchio

1515
tela
Vienna, Kunsthistorisches
Museum.

Dipinto un anno prima
di morire, ha forse un
significato allegorico:
al di là di possibili letture
morali, l'opera è l'estrema
prova dell'inesauribile
freschezza inventiva
di Giovanni Bellini,
che compie il suo primo
e unico grande nudo
femminile, appena sfiorato
dalla luce, con una casta,
dolce purezza.

Antonio Vivarini

Venezia, 1418 c. - 1476/84

Capofamiglia di una stirpe di artisti
fondamentale nel trapasso dal
tardogotico al Rinascimento, Antonio
Vivarini va soprattutto ricordato
per i grandiosi, ornatissimi polittici in
fiorite cornici dorate, spesso condotti
in coppia con il cognato pittore
Giovanni d'Alemagna (una simbiosi
perfetta, tanto che è quasi impossibile
distinguere le due mani) e con la
collaborazione di abilissimi maestri
dell'ebanisteria. Partito da
un'ispirazione ancora legata a modelli
bizantini e pronta a recepire il senso di
fiabesco ornamento dell'ultimo gotico,
Antonio apre sulla laguna veneta una
bottega autonoma negli anni quaranta
del XV secolo, ottenendo subito
commissioni importanti, come
i tre trittici tuttora conservati in San
Zaccaria e il *Trittico della Carità*, oggi
nelle Gallerie dell'Accademia. La fama
della scuola "muranese" dei Vivarini,
in competizione ma anche in dialogo
con quella dei Bellini, esce dai confini
veneti e si apre a nuovi confronti;
dal 1447 Antonio si iscrive alla
congregazione dei pittori padovani:
con Giovanni d'Alemagna inizia
la decorazione della cappella Ovetari
negli Eremitani, lasciata interrotta
alla morte del cognato (1450) e poi
portata a termine dall'esordiente
Mantegna. A questi anni risale il
polittico di Bologna, mentre negli anni
sessanta si collocano il *Polittico di
Praglia* (oggi nella Pinacoteca di Brera
a Milano) e soprattutto il *Polittico
di sant'Antonio Abate*, conservato nella
Pinacoteca Vaticana di Roma (1464).
Dopo quest'opera Antonio pare
ritirarsi dalla scena artistica, lasciando
spazio al fratello Bartolomeo e,
più tardi, al figlio Alvise.

**Antonio e
Bartolomeo Vivarini**
Polittico della Certosa

*1450-1460 (?)
tavole
Bologna, Pinacoteca
Nazionale.*

L'abbagliante doratura
delle cornici e dei fondi
delle tavole rispecchia la
cultura gotica della bottega
di Antonio Vivarini, mentre
nell'energica, quasi
risentita individualità
di alcune figure comincia
a farsi luce la personalità
del fratello minore,
Bartolomeo.

Alla pagina accanto
Antonio Vivarini
Polittico di sant'Antonio
Abate

*1464
tavole
Roma, Pinacoteca Vaticana.*

Anche nell'attività più
avanzata Antonio Vivarini
si mantiene fedele
allo schema devozionale
del polittico a fondo oro,
con una ricca cornice
gotica, organizzato
intorno a una scultura
dipinta. L'opera si può
confrontare con il
Polittico di Cima da
Conegliano a pagina 108.

Bartolomeo Vivarini

Venezia, 1430 c. - dopo il 1491

Fratello minore di Antonio, più anziano di una dozzina d'anni, Bartolomeo è a lungo collaboratore della bottega di famiglia. Il suo temperamento, rivolto verso il più aggiornato e classicheggiante stile di Mantegna, è precocemente ravvisabile nelle parti eseguite nel *Polittico di Bologna* (1450) e in quelli successivi di Arbe e di Osimo. Durante gli anni sessanta, in parallelo con la progressiva uscita di scena di Antonio, Bartolomeo ha modo di manifestare pienamente il proprio stile, fatto di pose bloccate e statuarie, di luci nitide, di contorni grafici di implacabile purezza: esemplare è la *Sacra Conversazione* delle Gallerie di Capodimonte a Napoli (1465). Segue una lunga serie di pale e di polittici per chiese veneziane, in parte rimasti in sito (San Zanipolo, San Giovanni in Bragora, Sant'Eufemia), in parte conservate nelle Gallerie dell'Accademia o in altri musei. Con l'affermazione di Giovanni Bellini al vertice della pittura veneziana (1483) lo stile dell'artista appare come di colpo invecchiato. Il pittore trova tuttavia un nuovo successo dipingendo opere per Bergamo e per la Terraferma veneta.

Bartolomeo Vivarini
Trittico di san Martino
(San Giovanni Battista, san Martino e il povero e san Sebastiano)

1491
tavole
Bergamo, Accademia Carrara.

Alvise Vivarini

Venezia, 1442/53 - 1503/05

Figlio di Antonio e a lungo collaboratore dello zio Bartolomeo, Alvise ha compreso la necessità di rinnovare la tradizione familiare con una più attenta considerazione delle novità proposte da Giovanni Bellini e da Antonello da Messina, come ben dimostra la *Sacra Conversazione* delle Gallerie dell'Accademia di Venezia (1480). Il nitore grafico e le luci ferme della bottega viviariniana si coniugano con una visione monumentale e prospettica in una concezione unitaria dello spazio. Il successo dell'operazione culturale di Alvise è testimoniato dalle numerose Madonne di stampo belliniano e dalle pale d'altare lasciate a Venezia (due di esse, particolarmente notevoli, sono conservate negli Staatliche Museen di Berlino), oltre che dagli interessanti ritratti virili, in cui traspare la grande ammirazione per Antonello. Alla fase finale della carriera risale un'opera di notevole impegno, la *Pala di sant'Ambrogio* della basilica dei Frari.

Alvise Vivarini
Sacra Conversazione

*1480
tavola
Venezia, Gallerie
dell'Accademia.*

Cima da Conegliano

*Giovanni Battista Cima,
Conegliano (Treviso) 1459/60 - 1517/18*

Caratteristico esponente della pittura della Terraferma veneta, Cima mostra fin dalle prime opere (come il *Polittico di Olera*) uno stile autonomo, frutto di accorte meditazioni su una ampia rete di riferimenti culturali. Trasferitosi a Venezia intorno al 1490 (vi rimarrà quasi senza interruzione fino al 1516), Cima si interessa soprattutto ad Antonello da Messina, visto anche attraverso gli sviluppi di Alvise Vivarini. Le sue opere migliori sono di carattere religioso, come alcune Madonne e le grandi, smaglianti pale d'altare, dipinte con una perfetta nitidezza di visione e una luce quasi "nordica", che investiga i particolari e la natura con curatissima precisione, con una pacata immagine della campagna e delle colline venete (*Madonna dell'arancio*, Venezia, Gallerie dell'Accademia; *San Giovanni Battista e santi*, Venezia, Santa Maria dell'Orto; *Battesimo di Cristo*, Venezia, San Giovanni in Bragora; *Sacra Conversazione*, Conegliano, Duomo). Anche dopo l'avvento di Giorgione e del primo Tiziano, Cima non si converte alla pittura tonale, rimanendo fedele alla lettura ben definita dei dettagli descrittivi e aprendosi semmai a soggetti pagani (*Endimione addormentato*, Parma, Galleria Nazionale) e a un ritmo ancor più pausato nella composizione e nell'affettuoso sfondo naturale.

Alla pagina accanto
Cima da Conegliano
Risanamento di Aniano

*1497-1499
tavola
Berlino, Staatliche Museen
Preussischer Kulturbesitz.*

Proveniente dalla chiesa dei Crociferi di Venezia, è il più importante esempio di pittura "di storia" da parte di Cima, paragonabile ai teleri narrativi dipinti negli stessi anni da Carpaccio e da Gentile Bellini. Rispetto a questi specialisti, il pittore mostra la sua consueta compostezza, una sequenza di gesti attraverso i quali l'azione fluisce con un ritmo lento e pausato. La luce tersa rende limpidissimi i dettagli delle architetture.

Cima da Conegliano
Madonna dell'arancio

*1495-1497 c.
tavola
Venezia, Gallerie
dell'Accademia.*

Venuto dalla provincia, Cima conquista un posto da protagonista nella scuola veneziana soprattutto grazie alle sue grandi e pacate pale d'altare, caratterizzate da una luminosa resa dei paesaggi, dalla compostezza dei gesti, dal nitore dei contorni.

Questa impostazione, che può essere messa in rapporto con la pittura nordica, sarà nel giro di pochi anni messa in discussione dal diffondersi del tonalismo di Giovanni Bellini e di Giorgione.

Cima da Conegliano
Polittico di Olera

1486-1488 c.
tavole
Olera (Bergamo),
pieve di San Bartolomeo.

Perfettamente conservato
nella cornice originaria,
è un esempio del rigoroso
e insieme delicato stile

giovanile del maestro,
prima del trasferimento
a Venezia.
L'adozione dell'arcaica
forma del polittico dorato
intorno alla statua lignea
del santo titolare
è giustificata dalla
destinazione provinciale,
un piccolo paese delle valli
orobiche.

Vittore Carpaccio

Venezia, 1460/65 c. - 1525/26

Ai grandi cicli di teleri di San Giorgio
e di Sant'Orsola Venezia ha affidato
la propria immagine storica più nota
e affascinante: merito della peculiare
abilità di Carpaccio nella composizione
di vaste scene narrative, con una folla
di personaggi e di comparse in contesti
urbani che anche quando non la
ritraggono direttamente rimandano
costantemente al magico fascino
della Serenissima. Dopo un percorso
giovanile di non facile ricostruzione,
Carpaccio avvia nel 1490 il ciclo delle
Storie di sant'Orsola (Venezia, Gallerie
dell'Accademia), condotto nel corso
di alcuni anni con una notevole
evoluzione stilistica fino alla conquista
di un perfetto equilibrio tra ritmo
dell'azione, morbide luci, colori
brillanti e moltiplicazione dei dettagli
descrittivi. Allo stesso livello appaiono
le tele dipinte tra il 1502 e il 1507
per la Scuola di San Giorgio degli
Schiavoni (rimaste in sito), mentre
i successivi cicli degli Albanesi e
di Santo Stefano, entrambi dispersi in
vari musei italiani e stranieri, appaiono
meno efficaci e concentrati. Di grande
tensione espressiva sono i limpidi
dipinti d'altare eseguiti nel primo
decennio del Cinquecento quasi in
polemica con il tonalismo di Giovanni
Bellini e di Giorgione (*Presentazione
al tempio*, Venezia, Gallerie
dell'Accademia; *Meditazione su Cristo
morto*, Berlino, Staatliche Museen).
Carpaccio ottiene anche alcuni
incarichi ufficiali (*Leone di san Marco*
in palazzo Ducale), ma con la pala
d'altare della chiesa di San Vitale
(1514) la sua carriera veneziana pare
esaurirsi anche per il definitivo
avvento di Tiziano. Carpaccio conclude
l'attività in provincia (Bergamo,
il Cadore, l'Istria), dove il suo stile
ormai attardato trova ancora
ammiratori.

Alla pagina precedente
Vittore Carpaccio
Giovane Cavaliere

1510
tela
Madrid, Fundación Colección
Thyssen-Bornemisza.

Carpaccio è stato un
ritrattista di discreta fama:
questo dipinto, però,
si eleva molto al di sopra
degli altri esemplari
del genere, e diventa quasi
il simbolo di un'epoca
cavalleresca ormai
al tramonto. Le insegne
araldiche e altri particolari
hanno portato
all'attendibilissima ipotesi
che l'effigiato sia il
ventenne Francesco Maria
della Rovere, futuro duca
di Urbino. È innegabile
che il dipinto sia ancora
caratterizzato da un senso
quattrocentesco
dell'immagine: così, i fiori,
gli animali, i dettagli
dell'armatura
e dell'architettura sono
riprodotti con amorevole
passione. Tuttavia,
Carpaccio mostra qui
parecchi sintomi di
profondo rinnovamento,
a cominciare dalla quasi
inedita scelta di presentare
il personaggio a figura
intera.

Vittore Carpaccio
Partenza
degli Ambasciatori

Ritorno
degli Ambasciatori

1495
tele
Venezia, Gallerie
dell'Accademia.

Il ciclo della Scuola di
Sant'Orsola è il complesso
di dipinti più famoso
di Carpaccio, conservato
nella sua integrità anche
se non più nella sede
originaria (che pure esiste,
a fianco della basilica dei
Santi Giovanni e Paolo).
Le probabili influenze
ricevute durante
la formazione (il senso
narrativo di Gentile
Bellini, la lezione spaziale
di Antonello da Messina,
le luci precise di Alvise
Vivarini, la tagliente
grafica dei ferraresi)
appaiono superate
da uno stile via via sempre
più sicuro e personale.
Con sottile ambiguità,
Carpaccio tiene in
equilibrio realtà e fantasia,
comunicando l'impressione
di un mondo fiabesco,
una Venezia da favola,
in cui si svolge la
romantica e triste vicenda
della bellissima principessa
Orsola. Anche le cadenze
compositive si accordano
al ritmo di questo
affascinante racconto
cortese.

Vittore Carpaccio
Storie di sant'Orsola:
Sogno di sant'Orsola

1495
tela
Venezia, Gallerie
dell'Accademia.

Affascinante dimostrazione
di versatilità da parte
di Carpaccio, che passa da
scene intonate a un metro
di aulica austerità a questo
episodio di toccante
intimismo. Un angelo,
con la palma del martirio,
entra di primo mattino
nella stanza in cui dorme
Orsola, portandole
in sogno l'annuncio
della prossima morte.
Gli oggetti e gli arredi
che circondano la santa
dolcemente addormentata
sono riprodotti con
amorevole e commovente
cura, e compongono
la più fedele riproduzione
dell'interno di una ricca
casa veneziana di fine
Quattrocento.

Vittore Carpaccio
Storie di sant'Orsola:
Il re di Bretagna accoglie
gli ambasciatori inglesi

1495
tela
Venezia, Gallerie
dell'Accademia.

Applicando il rigore
geometrico della
prospettiva rinascimentale
alle grandi risorse
della propria fantasia
di scenografo, Carpaccio
costruisce una scena dai
ricchissimi effetti spaziali,
con una continua varietà di
soluzioni. Gli ambasciatori
consegnano una lettera in
cui si chiede la mano della
principessa Orsola come
sposa per il principe
ereditario inglese. Nella
parte destra del dipinto,
Orsola, nella propria
stanza, enumera al padre
le condizioni per
il matrimonio, mentre
la vecchia nutrice, ai piedi
della scala, sembra già
presagire il martirio
futuro. Preziose sono
le notazioni di carattere
documentario.

Vittore Carpaccio
Storie della Vergine:
Annunciazione

1504, tela
Venezia, Ca' d'Oro,
Galleria Giorgio Franchetti.

Rivali dei dalmati, gli
albanesi commissionano
a Carpaccio un ciclo di tele

proprio mentre il pittore
è impegnato nella Scuola
degli Schiavoni. Il maestro
affida quindi agli allievi
e ai collaboratori
di bottega buona parte
del lavoro, con un evidente
scadimento di qualità.
Si tratta di una serie di sei
tele all'incirca quadrate

con momenti della vita
della Vergine, dipinte
tra il 1502 e il 1508: il
ciclo è stato smembrato
ed è diviso in vari musei
italiani.

Alla pagina accanto
Vittore Carpaccio
Storie di san Gerolamo:
Visione di sant'Agostino

1502-1504, tela
Venezia, Scuola di San
Giorgio degli Schiavoni.

Il ciclo di teleri eseguito
per la Scuola di San

Giorgio degli Schiavoni
è l'unico gruppo di teleri
di Carpaccio rimasto nella
sede originaria. Punto
di riferimento per i
dalmati residenti a Venezia,
la Scuola aveva una triplice
dedicazione ai santi
Gerolamo, Giorgio
e Trifone: pertanto i teleri,

dipinti tra il 1502
e il 1507, ripercorrono
episodi della vita
dei diversi patroni.
La scena fa parte del ciclo
dedicato a san Gerolamo:
ricorda infatti l'apparizione
del santo, sotto forma
di raggio luminoso, nello
studio di sant'Agostino.

Stimolato da questa visione luminosa, Carpaccio ha impostato tutto il dipinto in funzione dell'impalpabile pulviscolo che filtra dalle finestre collocate sulla destra, e investe dolcemente tutta la stanza. Non solo sant'Agostino, ma anche il peloso cagnolino e tutti gli oggetti dello studio sembrano rapiti dal miracolo della luce, e come sospesi in un attimo di intensissimo misticismo. Eppure, e qui sta il fascino del dipinto, si tratta in fondo della luce naturale di ogni giorno, docile e penetrante, che scalda e scandaglia tutti gli strumenti della scienza e della cultura che sant'Agostino ha intorno a sé, fino a comporre l'immagine estremamente vivida e realistica dello studiolo di un umanista.

Vittore Carpaccio
Storie di santo Stefano:
Disputa di santo Stefano

1514
tela
Milano, Pinacoteca di Brera.

Fa parte di un ciclo dipinto per la Scuola di Santo Stefano, oggi smembrato in vari musei. Le tele sono state eseguite da Carpaccio nel corso del secondo decennio del Cinquecento, e mostrano solo in parti marginali l'intervento di aiuti: le storie di santo Stefano sono dunque il testo migliore per osservare l'evoluzione della pittura di Carpaccio nell'ultimo periodo. L'episodio conservato a Brera, per la penetrante limpidezza della luce e la brillante fantasia architettonica, è sicuramente il migliore del ciclo. Mescolati agli eruditi orientali, presenziano alla predica di santo Stefano i confratelli della Scuola.

113

Bramante

Donato D'Angelo,
Fermignano (Pesaro), 1444 - Roma, 1514

Grandissimo architetto, splendido
e originale interprete della classicità
in forme via via più monumentali
e coraggiose dalla Milano sforzesca
alla Roma di papa Giulio II, Bramante
ha in effetti esordito in Lombardia
come pittore. Venuto a Milano intorno
al 1480, oltre a importanti opere
di architettura (Santa Maria presso
San Satiro, Santa Maria delle Grazie,
chiostri di Sant'Ambrogio) ha eseguito
dipinti capaci di influenzare la scuola
lombarda per la rigorosa
monumentalità delle figure in solenni
involucri spaziali. Nella Pinacoteca
di Brera si conservano gli affreschi
staccati con *Uomini d'arme* e il *Cristo
alla colonna*, unica tavola di sicura
attribuzione, mentre nel castello
Sforzesco rimane l'affresco simbolico
di *Argo*, eseguito con la collaborazione
del Bramantino. Lasciata Milano
in seguito alla caduta di Ludovico il
Moro, Bramante si trasferisce a Roma
dal 1499, dove avvia una straordinaria
rilettura dell'antico (il tempietto
accanto a San Pietro in Montorio lascia
un'impressione profonda sugli artisti
dell'epoca, fra cui Raffaello) e diventa
nel giro di pochi anni il più importante
architetto della corte dei papi.
Per Giulio II progetta una globale
risistemazione dei palazzi Vaticani
intorno al cortile del Belvedere e,
a partire dal 1506, getta le basi
per la ricostruzione della basilica
di San Pietro, proseguita poi
da Michelangelo.

Bramante
Cristo alla colonna

1490 c.
tavola
Milano, Pinacoteca di Brera.

Dipinto per l'abbazia
di Chiaravalle. Il tronco
di Cristo, tornito come
una colonna, è un esempio
della monumentalità
geometrica che ispira
Bramante non solo come
architetto ma anche come
pittore. Il paesaggio ricco
d'acque che si affaccia dalla
finestrella e le accurate
lumeggiature sui capelli
ricciuti possono essere
messi in relazione con
le analoghe realizzazioni
di Leonardo a Milano.

Bramantino

Bartolomeo Suardi,
Milano, 1465 c. - 1530

Nella Milano dominata dall'influsso
di Leonardo, Bramantino sembra
polemicamente rifiutare lo stile
del maestro toscano. Partendo da
una formazione lombarda e ferrarese,

Bramantino elabora uno stile aspro,
incisivo, a volte perfino violentemente
deformato pur nel pieno controllo del
contesto architettonico e prospettico:
le sue composizioni, cariche di intensi
significati simbolici, raggiungono
grazie all'esempio di Bramante
una proporzione monumentale e una
dolente espressività. Durante il primo
decennio del Cinquecento Bramantino

emerge come il più importante artista
milanese: per il governatore Gian
Giacomo Trivulzio esegue i cartoni dei
dodici *Arazzi dei mesi* (Milano, Castello
Sforzesco), capolavoro dell'arte tessile
italiana e progetta la cappella funeraria
annessa alla basilica di San Nazaro
a Milano. Un viaggio a Roma (1508)
aggiorna la sua cultura, che si esprime
in forme congelate e austere.

Bramantino
Adorazione dei Magi

1490 c.
tavola
Londra, National Gallery.

I personaggi sono fissati
in pose rituali, sospesi
in un'atmosfera
di arcano simbolismo.

Benozzo Gozzoli

*Benozzo di Lese (Firenze), 1421 c. -
Pistoia, 1497*

Felice autore di numerosissimi cicli
di affreschi, Benozzo Gozzoli risulta
amabilmente decorativo, in qualsiasi
condizione di committenza.
Collaboratore del Beato Angelico,

Benozzo entra nel vivo della scuola
artistica fiorentina durante gli anni
quaranta. Nel 1450 è a Montefalco,
in Umbria, dove lascia affreschi
nelle chiese di San Fortunato
e di San Francesco. Dopo un viaggio
a Roma nel 1458 riceve l'incarico
più importante di tutta la carriera:
la decorazione della cappella privata
nel palazzo Medici a Firenze con

la sontuosa *Cavalcata dei Magi*,
in cui sono ritratti vari membri
della famiglia egemone. Tra il 1464
e il 1466 risiede a San Gimignano,
dove esegue affreschi nella Collegiata
e in Sant'Agostino. Altra commissione
sono le *Storie dell'Antico Testamento*
nel Camposanto di Pisa (1468-1484).

Benozzo Gozzoli
Veduta d'insieme
della cappella dei Magi

1458-1459
affresco
*Firenze, palazzo Medici
Riccardi, cappella dei Magi.*

Melozzo da Forlì

*Melozzo di Giuliano degli Ambrogi,
Forlì, 1438 - 1494*

Esaltato dai contemporanei come
grande esperto di prospettiva,
il pittore forlivese ha una significativa
importanza per il consolidarsi della
cultura figurativa umanistica nell'Italia
centro-orientale, dalle Marche
a Roma. La sua attività si sviluppa
dapprima a Forlì, sotto l'esempio
di Piero della Francesca. Nel 1469
è a Roma, ed esegue uno ieratico
stendardo tuttora conservato nella
basilica di San Marco; negli anni
settanta è attivamente impegnato
nella cosmopolita corte di Urbino,
dove progetta lo studiolo e la
biblioteca di Federico da Montefeltro.
Nel 1475 torna a Roma, questa volta
per incarichi di altissimo prestigio.
Insignito da Sisto IV della carica
di *pictor papalis*, dipinge tra il 1475
e il 1477 la decorazione ad affresco
della Biblioteca Apostolica: ne rimane
la nobile scena celebrativa, oggi nella
Pinacoteca Vaticana. Coinvolto da
Giuliano Della Rovere (futuro papa
Giulio II) nei lavori di rifacimento
della basilica dei Santi Apostoli, ne
affresca l'abside con il Redentore in un
concerto di angeli: di questa grandiosa
composizione restano vari frammenti
al Quirinale e nella Pinacoteca
Vaticana. Intorno al 1484, ormai
coadiuvato da un'efficiente bottega,
Melozzo affresca la cappella del Tesoro
nel santuario di Loreto; della
successiva attività tra Forlì, Roma
e Ancona non rimangono più tracce,
essendo andati distrutti nel 1944 gli
affreschi eseguiti nella chiesa forlivese
di San Biagio.

Melozzo da Forlì
Sisto IV nomina il Platina
prefetto della Biblioteca
Vaticana

*1477
affresco (staccato)
Roma, Pinacoteca Vaticana.*

La nobilissima, aulica scena
è un'immagine
quintessenziale della
cultura quattrocentesca,
anche per il rapporto
tra il mondo letterario
e quello artistico, sotto
l'egida di grandi
committenti. Nel perfetto
involucro spaziale
in prospettiva, ritmato
sull'esempio dei ritratti
di Leon Battista Alberti,
si svolge un episodio non
privo di solennità, come
conferma la lunga epigrafe
in perfetti caratteri latini.
Papa Sisto IV (promotore
della cappella Sistina)
dà impulso alla Biblioteca
Vaticana assumendo un
celebre umanista alla sua
direzione. La composta
gravità delle pose ricorda
da vicino la lezione di
Piero della Francesca.

BENOZZO GOZZOLI - MELOZZO DA FORLÌ

Filippo Lippi

Firenze, 1406 c. - Spoleto, 1469

Artista importantissimo per lo sviluppo
della pittura fiorentina, anello di
congiunzione tra Masaccio e Botticelli,
Filippo Lippi esordisce sulla scena
artistica all'inizio degli anni trenta.
Fra le sue prime opere sono gli
affreschi nel convento del Carmine,
presso il quale il pittore aveva preso
i voti alcuni anni prima. Nel 1434
Filippo allarga la propria cultura
artistica con un soggiorno a Padova e
forse un viaggio nelle Fiandre, al quale
possono essere collegate opere come
la *Madonna di Tarquinia* (Roma, Museo
di Palazzo Venezia) e la pala per
la chiesa fiorentina di Santo Spirito,
oggi al Louvre. Divenuto stabile punto
di riferimento della cultura fiorentina,
Filippo inizia nel 1441 la monumentale
Incoronazione della Vergine (Uffizi), cui
fanno corona numerose pale d'altare,
intonate ai canoni prospettici
di Domenico Veneziano ma sempre
caratterizzate dal delicato realismo
di particolari ed espressioni, cui non
resterà indifferente lo stesso Leonardo.
Nel 1452 si trasferisce a Prato,
dove esegue gli affreschi nel coro
della Cattedrale e altre opere.
Il lungo soggiorno a Prato è da
mettere in relazione con lo scandalo
della relazione con la monaca Lucrezia
Buti, da cui nasce Filippino. Rientrato
a Firenze, Filippo ottiene commissioni
di altissimo prestigio, come la *Natività*
per la cappella dei Magi in palazzo
Medici, oggi a Berlino. E sempre
su committenza medicea Filippo avvia
l'ultima opera, gli affreschi nel coro
del Duomo di Spoleto.

Filippo Lippi
Incoronazione
della Vergine, particolare

1466-1469
affresco
Spoleto (Perugia), Duomo.

Gli affreschi con *Storie della
Vergine* nella conca absidale
del Duomo di Spoleto
sono l'ultima, grandiosa
opera di Filippo Lippi:
rimasti parzialmente
incompiuti, vennero
portati a termine dal
giovanissimo figlio
Filippino nel dicembre
del 1469, un paio di mesi
dopo la morte del padre.
La ieratica grandiosità delle
immagini, contornate
da un fermo segno grafico,
è caratteristica del clima
in cui esordisce Botticelli.

Filippo Lippi
Annunciazione

1442 c.
tavola
Firenze, San Lorenzo.

Dipinta per la cappella Martelli, nel transetto della basilica brunelleschiana, la pala s'inserisce con perfetta coerenza nel clima artistico della Firenze medicea. Il limpido senso dello spazio in prospettiva, scandito dalle ombre e dalle luci che scoprono il gioco alterno e ben calibrato tra edifici, figure, elementi naturali, i rapporti di volume, la rigorosa assialità sottolineata dal pilastro centrale sono tutti caratteri distintivi dell'Umanesimo centritaliano. L'ampolla di vetro in primo piano, con la sua evidenza quasi da *trompe-l'œil*, non è solo una prova di virtuosismo mimetico: è il formidabile aggancio con lo spettatore, diventando il tramite tra chi guarda e la scena dipinta. Così, se le figure di Gabriele dell'Annunciata appaiono assorte nell'immobilità rituale, i due angeli a sinistra trasmettono una vivace partecipazione.

119

Sandro Botticelli

Alessandro Filipepi, Firenze, 1445 - 1510

Le smaglianti opere conservate
agli Uffizi, e soprattutto le
celeberrime allegorie profane, sono
diventate la canonica immagine
della Firenze di Lorenzo il Magnifico,
facendo di Botticelli l'interprete
privilegiato di un momento altissimo
dell'arte e della cultura.
È però riduttivo limitare la conoscenza
di Botticelli ai capolavori medicei
della maturità: il suo lungo itinerario

artistico segue infatti una strada che
dal cuore dell'Umanesimo giunge fino
alle porte del Manierismo. Allievo
dal 1464 di Filippo Lippi e poi
collaboratore di Verrocchio, il giovane
Botticelli si esercita sul tema della
Madonna col Bambino, di cui offre
numerose varianti. Nel 1470 completa
con la *Fortezza* un gruppo di figure
allegoriche di Piero Pollaiolo (Firenze,
Uffizi) e due anni dopo si iscrive
insieme all'allievo Filippino Lippi nella
congregazione dei pittori fiorentini.
Entrato nell'ambiente mediceo, esegue
ritratti per vari membri della famiglia

e dipinti di crescente importanza,
come l'*Adorazione dei Magi* (1475,
Uffizi) e la *Primavera* (1477-1480),
con la quale prende avvio l'eccezionale
ciclo di allegorie profane oggi
conservate agli Uffizi, comprendente
anche la *Nascita di Venere* e *Pallade
ammansisce il centauro*. Ai vertici della
fama e della carriera, viene chiamato
nel 1482 a Roma, per dipingere
tre affreschi nella cappella Sistina.
Tornato a Firenze, realizza una serie
di pale d'altare, in parte oggi
agli Uffizi, e si specializza nel non
facile formato del tondo. La morte

di Lorenzo il Magnifico segna la fine
di un'epoca, e le predicazioni
del Savonarola spingono Botticelli
a un radicale ripensamento sulla
sua arte. All'ultima, intensa stagione
creativa del maestro risalgono opere
di sofferta spiritualità, come le due
versioni della *Deposizione* nei Musei
di Berlino e nel Poldi Pezzoli di Milano
e la *Natività mistica* (1501)
della National Gallery di Londra.

Sandro Botticelli
Madonna del Magnificat

1487 c.
tavola
Firenze, Galleria degli Uffizi.

Il formato del tondo,
tipicamente fiorentino,
esalta il carattere
intellettuale, raffinato
della pittura di Botticelli.
I due dipinti degli Uffizi
presentano una
deformazione
dell'immagine, simulando
rispettivamente l'effetto
di uno specchio convesso
e di uno concavo.

Sandro Botticelli
Madonna
della melagrana

1487
tavola
Firenze, Galleria degli Uffizi.

Alla pagina accanto
Sandro Botticelli
Adorazione dei Magi

1475
tavola
Firenze, Galleria degli Uffizi.

Botticelli ha ritratto
numerosi esponenti della
corte medicea. Cosimo, in
veste scura, è inginocchiato
di fronte alla Vergine;
Piero, con il manto rosso,
e Giovanni, alla sua destra,
occupano il centro
della tavola. Nel seguito
dei Magi si trovano, da
sinistra, Poliziano (l'uomo
che invita il giovane
ad accostarsi), Pico della
Mirandola (l'uomo che
si inchina), forse Lorenzo
il Magnifico con il manto
bianco e Giuliano (in veste
nera, accanto a Giovanni),
l'anziano committente, in
veste azzurra. All'estremità
destra, il pittore ha ritratto
se stesso avvolto in un
manto giallo.

121

Sandro Botticelli

La Nascita di Venere
1484-1486
tavola
Firenze, Galleria degli Uffizi.

La primavera
1475-1482
tavola
Firenze, Galleria degli Uffizi

Le grandi allegorie profane dipinte da Botticelli per i Medici sotto i consigli del poeta Poliziano e del filosofo neoplatonico Marsilio Ficino sono capolavori emblematici della cultura umanistica del secondo Quattrocento, tanto da essere diventati il simbolo stesso della stagione aurea di Lorenzo il Magnifico. Date ormai per acquisite le conquiste della prospettiva, Botticelli affronta il nuovo tema della trasposizione in pittura di raffinate idee letterarie e filosofiche, attraverso un limpido colore, l'uso di preziose velature e l'impeccabile nitore del disegno.

Sandro Botticelli
Madonna del libro

1480
tavola
Firenze, Galleria degli Uffizi.

Sandro Botticelli
Incoronazione
della Vergine con i santi
Giovanni Evangelista,
Agostino, Gerolamo
ed Eligio.

1490-1493
tavola
Firenze, Galleria degli Uffizi.

Sandro Botticelli
Compianto sul Cristo
morto

1489-1492
tavola
Monaco, Alte Pinakothek.

Sandro Botticelli
Calunnia

1495
tavola
Firenze, Galleria degli Uffizi.

Dopo la morte di Lorenzo
il Magnifico e le
predicazioni morali del
Savonarola, Botticelli
entra in una fase di severa
introspezione. La sua
pittura si fa più arrovellata
e amara, anche quando,
come in questo caso,
reinterpeta in modo
intellettuale suggestioni
classiche: il dipinto
è infatti un'ipotesi di
traduzione in pittura
della descrizione
letteraria di un
perduto quadro del
pittore greco Apelle.

Sandro Botticelli
Punizione di Core,
Datan e Abiron

1482
affresco
Roma, palazzi Vaticani,
cappella Sistina.

A Botticelli spetta un ruolo
di primo piano nella
decorazione delle pareti
laterali della cappella
Sistina. Nei riquadri con
le storie di Mosè il pittore
dimostra l'aggiornamento
dei riferimenti all'antico,
anche grazie
all'osservazione dei
monumenti archeologici
romani: le figure sono
di grande eleganza, i colori
sono particolarmente
chiari, ma forse manca
a Botticelli il senso
della sintesi narrativa.

Domenico Ghirlandaio
Esequie di santa Fina

1475
affresco
San Gimignano (Siena),
Collegiata.

Domenico Ghirlandaio

Domenico di Tommaso Bigordi,
Firenze, 1449 - 1494

Principale esponente di una numerosa
famiglia di artisti, Domenico trova
la vena migliore nell'esecuzione di cicli
di affreschi di ampio respiro, che ben
gli meritano la definizione di "pronto,

presto e facile" data da Vasari.
Con Ghirlandaio la pittura fiorentina
scopre un versante narrativo, come
lascia intendere il soprannome legato
ai festoni ornamentali. Compagno
di studi di Perugino e Botticelli nella
bottega del Verrocchio, il Ghirlandaio
avvia un'attività autonoma all'inizio
degli anni settanta grazie all'appoggio
della famiglia Vespucci, per la quale
esegue varie opere nella chiesa

fiorentina di Ognissanti, nel cui
convento affrescherà l'*Ultima Cena*.
Nel 1475 è a San Gimignano per
affrescare le *Storie di santa Fina* nella
Collegiata. Nel 1481 si reca a Roma
per realizzare due affreschi nella
cappella Sistina: il prestigio di questo
incarico si riflette sulle committenze
ricevute al ritorno in Firenze:
la decorazione della sala dei Gigli
in palazzo Vecchio (1483), gli affreschi

e la pala della cappella Sassetti in Santa
Trinita (1485) e gli affreschi nella
cappella Tornabuoni di Santa Maria
Novella. Quest'ultimo lavoro, portato
a termine nel 1490, vede all'opera
la grande bottega del Ghirlandaio,
in cui si forma anche Michelangelo.
L'autografia del maestro si ravvisa
in notevoli pale d'altare, come la
Sacra Conversazione dello Spedale
degli Innocenti di Firenze (1488).

125

Perugino

Pietro Vannucci,
Città della Pieve (Perugia),
1450 c. - Fontignano, Perugia, 1524

Richiesto da signori ed ecclesiastici di tutta Italia, coordinatore di una produzione imponente, Pietro Perugino impone come un'autentica moda lo stile elegante e un po' svagato, volutamente poco incline alla ricerca espressiva, con pose trasognate in una avvolgente "dolcezza di colore unito." Compagno di studi di Botticelli presso la bottega del Verrocchio, raggiunge presto una larga fama: nel 1481 viene chiamato da papa Sisto IV a Roma per dirigere la decorazione della pareti della cappella Sistina e per circa due decenni è il più richiesto e influente pittore italiano, in grado di gestire una vasta bottega, alla quale parteciperà anche Raffaello. Intorno al 1490 si collocano delle opere più significative, come la *Visione di san Bernardo* (Monaco, Alte Pinakothek) e la *Deposizione di Cristo* (Firenze, Galleria Palatina). Fra i prestigiosi contatti con il ducato di Milano, la Serenissima e i Gonzaga, il pittore indirizza la propria attività sempre più verso Perugia, dove inizia l'esecuzione di una grandiosa pala d'altare per la chiesa di San Pietro e soprattutto realizza tra il 1496 e il 1502 la decorazione del Collegio del Cambio, l'impresa ornamentale più completa e affascinante, monumento riassuntivo dell'Umanesimo umbro.

Perugino
Madonna in trono
col Bambino e due sante

1480 c.
tavola
Parigi, Musée du Louvre.

126

Perugino
Consegna delle chiavi

1480-1481
affresco
Roma, palazzi Vaticani,
cappella Sistina.

Questo celebre capolavoro
segna l'avvio della fase
centrale dell'attività
del Perugino. Chiamato
nel 1481 da papa Sisto IV
insieme al Ghirlandaio
e a Botticelli, il Perugino
dipinse tre grandi scene
lungo le pareti laterali
della cappella, la
composizione sulla parete
di fondo (poi distrutta da
Michelangelo per far posto
al *Giudizio Universale*)
e alcune effigi di papi
dell'antichità nella parte
alta. Tra i vari interventi
spicca questa solenne
composizione, di
fortissimo significato
simbolico: l'investitura
del primo papa (san Pietro)
da parte di Cristo sancisce
il ruolo del pontefice
e ne ribadisce l'autorità
di Vicario di Cristo,
nel luogo stesso dove
si svolgono i conclavi.
Dal punto di vista
compositivo la scena
presenta una sostanziale
novità: una veduta
architettonica e naturale
di ampio respiro al limitare
di un sagrato lastricato
e segnato da un reticolo
prospettico, in cui ricordi
classici (i due archi
trionfali) si combinano
con un "modellino"
di chiesa a pianta centrale
di assoluta modernità.

Alla pagina seguente
Perugino
Ritratto di Francesco
delle Opere

1494
tavola
Firenze, Galleria degli Uffizi.

È il capolavoro della
non frequente ma sempre
notevolissima produzione
ritrattistica del maestro.
In forte accordo con il
disteso panorama (forse
una veduta del lago
Trasimeno), il busto,
le mani, il volto del
personaggio emergono
con insolito vigore.
Ritorna l'antica lezione
volumetrica acquisita
dal Perugino nel giovanile
alunnato presso Piero della
Francesca, associata però
a una nuova, fresca
sensibilità per la luce.

Perugino
Visione di san Bernardo

1488-1489
tavola
Monaco, Alte Pinakothek.

Proveniente dalla chiesa
fiorentina di Santo Spirito
(per la quale il Perugino ha
anche disegnato la vetrata
della facciata), è una delle
opere più intensamente
commosse del pittore.
Il carattere stesso
di apparizione mistica
giustifica il senso sospeso
e contemplativo
della scena, sostenuta
da un'insuperabile scelta
di luci e colori. Alla severa
e scura architettura di nudi
pilastri si contrappone
la lontana, serena veduta
del paesaggio; al bianco
saio del santo, i colori
dei mantelli degli angeli
e della Vergine. La figura
della Madonna fu utilizzata
da Raffaello come modello
per lo *Sposalizio della*
Vergine, oggi a Brera.

127

Pinturicchio

Bernardino di Betto,
Perugia, 1454 c. - Siena, 1513

Affascinante maestro della grande
decorazione, Pinturicchio è l'autore
di alcune delle più felici soluzioni
ornamentali del Rinascimento umbro
e romano. Formatosi nel vivo della
scuola artistica di Perugia di metà
Quattrocento, entra presto nella
bottega del Perugino, del quale diventa
il principale collaboratore, prima
per le *Storie di san Bernardino* (1473,
Perugia, Galleria Nazionale
dell'Umbria) e poi nella prestigiosa
impresa della cappella Sistina (1481).
Da questo momento prende avvio la
carriera autonoma del Pinturicchio,

che si divide tra Perugia e Roma, dove
lascia le opere più importanti, come
gli affreschi in Santa Maria d'Aracoeli,
in Santa Maria del Popolo e,
soprattutto, nell'appartamento di papa
Alessandro VI Borgia in Vaticano
(1492-1495). Queste imprese rivelano
l'aggiornatissima interpretazione
delle decorazioni parietali romane
il repertorio "all'antica" viene
genialmente utilizzato per un ritmo
ornamentale di grande effetto. Tornato
in Umbria, il pittore dipinge pale
d'altare e affreschi, tra i quali si
segnalano quelli della cappella Baglioni
a Spello (1501). Il capolavoro
del Pinturicchio è tuttavia lo splendido
rivestimento d'affreschi della Libreria
Piccolomini, annessa al Duomo
di Siena (1505).

Pinturicchio
Annunciazione

1501
affresco
Spello (Perugia), Santa Maria
Maggiore, cappella Baglioni.

Il delizioso ambiente
è diventato giustamente
un simbolo della grazia
e dell'eleganza della
cultura artistica umbra
del Quattrocento.
Com'è sua caratteristica,
Pinturicchio non si
concentra tanto sulle figure
principali della scena,
certo gradevoli ma non
particolarmente cariche
di intensità; alla sintesi
espressiva il pittore
predilige invece una
profusione esuberante
e fantasiosa di dettagli
descrittivi.
L'aggiornamento
dell'artista, reduce da
lunghe esperienze romane,
si esprime naturalmente
nella ben condotta
e profonda prospettiva,
ma anche nella varietà e
nei riferimenti classici che
compaiono nel repertorio
ornamentale. Nella parte
destra della scena
Pinturicchio ha lasciato il
proprio autoritratto sotto
forma di un quadretto
appeso alla parete.

Francesco di Giorgio Martini e "Fiduciario di Francesco"
Annunciazione

1470
tavola
Siena, Pinacoteca Nazionale.

Con questo singolarissimo dipinto si conclude la fase giovanile del pittore.

I gesti guizzanti dei due personaggi sono sottolineati da panneggi insistiti, mentre l'articolazione prospettica dell'ambiente è sottoposta a una sorta di deformazione espressiva che conferisce alla scena un tono drammatico.

Francesco di Giorgio Martini

Siena, 1439 - 1501

La poliedrica e spesso geniale attività di Francesco di Giorgio è espressione caratteristica dell'eclettismo degli artisti nell'età dell'Umanesimo. Architetto, scultore, ingegnere militare, inventore e tecnologo, il maestro si è dedicato solo saltuariamente alla pittura, rivestendo comunque un ruolo di centrale importanza negli sviluppi dell'arte senese del tardo Quattrocento. Alla pittura si legano la formazione e gli esordi di Francesco di Giorgio, allievo del Vecchietta e collega di Neroccio. Dopo alcune miniature e dipinti per mobili, Francesco di Giorgio affronta impegni di maggiore proporzione a partire dal 1470: il suo stile grafico, espressivo, ricco di soluzioni inconsuete è ben espresso dalle due pale dell'*Incoronazione della Vergine* e della *Natività*, entrambe databili intorno al 1475 e conservate nella Pinacoteca Nazionale di Siena. Nel 1477 viene chiamato a Urbino come principale architetto nella corte di Federico da Montefeltro. Oltre a interventi nel palazzo Ducale urbinate, Francesco di Giorgio progetta e realizza alcune memorabili rocche e fortificazioni. Altri capolavori d'architettura, databili negli anni ottanta, sono la chiesa di Santa Maria del Calcinaio presso Cortona e il palazzo Ducale di Gubbio. Nel 1489 torna a Siena, per scolpire gli angeli in bronzo dell'abside del Duomo e ricominciare a dipingere, ma riparte subito per Milano e poi per Napoli, per fissarsi infine nella sua città. A questa seconda fase senese della sua attività pittorica appartengono gli affreschi in Sant'Agostino e la notevole pala della *Natività*, in origine nella chiesa di San Domenico e oggi nella Pinacoteca Nazionale.

Alla pagina accanto
Francesco di Giorgio Martini
Incoronazione della Vergine

1472, tavola
Siena, Pinacoteca Nazionale.

Destinata all'abbazia di Monteoliveto Maggiore,
la grande e affollata pala costituisce il più ambizioso e complesso impegno di Francesco di Giorgio nel campo della pittura. Una quarantina di personaggi, tutti icasticamente individuati da un'acuta ricerca grafica, circonda l'episodio
principale, con Cristo che incorona la Vergine su uno strano podio sorretto dagli angeli. Al di sopra, in ripida prospettiva, appare la vorticante immagine di Dio Padre.

Francesco di Giorgio Martini
Natività

1485-1490
tavola
Siena, San Domenico.

La bella pala è completata da una lunetta attribuita a Matteo di Giovanni e dalla predella di Bernardino Fungai, configurandosi così come un'opera riassuntiva
della scuola senese del tardo Quattrocento. Dopo gli anni trascorsi a Urbino, impegnato come architetto, Francesco di Giorgio ritorna alla pittura. L'evoluzione stilistica rispetto ai dipinti precedenti appare evidente: il maestro è ora padrone della rappresentazione dello spazio, in cui le figure
si dispongono in maniera regolare, con coppie di movimenti contrapposti e giustapposizione dei colori. Nel grandioso arco diroccato che incombe sulla scena emerge l'amore di Francesco di Giorgio per il mondo classico, interpretato con nitido tratto architettonico.

Filippino Lippi

Prato, 1457 c. - Firenze, 1504

Figlio imbarazzante di fra Filippo Lippi
e di suor Lucrezia Buti, Filippino
è un autentico *enfant prodige*, fin
da giovanissimo aiuto del padre,
e poco più che dodicenne, alla morte
del genitore, è già in grado di portarne
a termine gli affreschi del Duomo
di Spoleto, e subito dopo di affiancare
Botticelli in un lungo e fruttuoso
periodo di giovanile collaborazione.
Tra i due pittori si realizza anzi
una sorta di osmosi, che rende talvolta
difficile distinguere le rispettive mani.
Un'inquieta dolcezza, sviluppata lungo
i ritmi sinuosi di un disegno sempre
controllatissimo, caratterizza le prime
opere certe di Filippino, la cui carriera
autonoma compie uno sviluppo
decisivo all'inizio degli anni ottanta,
durante i quali si collocano a Firenze
opere rilevantissime, come
il completamento degli affreschi
di Masaccio e Masolino nella cappella
Brancacci (1485 c.), la *Pala degli Otto*
per palazzo Vecchio (oggi agli Uffizi),
la *Visione di san Bernardo* (1486, Badia
Fiorentina), la *Pala Nerli* in Santo
Spirito (1488 c.), l'inizio degli
affreschi nella cappella Strozzi di Santa
Maria Novella, portati a termine solo
nel 1502. Per interessamento
di Lorenzo il Magnifico, nel 1488
Filippino viene chiamato a Roma,
per affrescare la cappella Carafa
in Santa Maria sopra Minerva. Colpito
dalle recenti scoperte archeologiche,
Filippino elabora elementi ornamentali
"all'antica". Rientrato a Firenze, il
pittore interpreta con precoce lucidità
la crisi dell'Umanesimo causata dalla
morte di Lorenzo il Magnifico (1492)
e dalle predicazioni del Savonarola.
La sua pittura si fa bizzarra, fantasiosa,
via via sempre più tesa e allucinata.
Fra le ultime opere si colloca
la *Deposizione di Cristo* (Firenze,
Accademia), portata a termine
dal Perugino.

Filippino Lippi
Apparizione della
Madonna a san Bernardo

1486, tavola
Firenze, Badia.

Realizzata nel periodo in
cui Filippino Lippi era
impegnato nel
completamento degli
affreschi di Masaccio e
Masolino nella cappella
Brancacci, la smagliante
pala è in assoluto uno dei
capolavori della pittura
toscana nell'ultimo scorcio
del Quattrocento.
Gareggiando con i maestri
fiamminghi per la
perfezione nella resa dei
dettagli e la vivacità dei
colori, Filippino comincia
già in quest'opera a
insinuare quel senso di
inquietudine, di malinconia
che sembra corrodere
l'animo dei personaggi.

Filippino Lippi
Storie di san Filippo:
San Filippo esorcizza
nel tempio di Hieropoli

1487-1502, affresco
Firenze, Santa Maria Novella,
cappella Strozzi.

I drammatici affreschi della
cappella Strozzi segnano -
anche cronologicamente -
la fine di un'epoca.
L'equilibrio e l'armonia su
cui si era imperniato tutto
l'Umanesimo fiorentino
sono ormai spezzati. I gesti
retorici, le espressioni
caricate, i colori irreali ma
soprattutto l'ambiguità fra
architetture e figure
appartengono ormai a un
tempo nuovo. Le pacate
certezze quattrocentesche
si stanno spegnendo,
per lasciar spazio
alle inquietudini che
pervaderanno l'Europa
durante tutto il XVI
secolo. Un capitolo a parte
merita l'eccentrico altare,
sotto i gradini del quale
si annida il drago
esorcizzato dal santo.
Alle composte e misurate
prospettive adottate dai
pittori toscani fin quasi
alla fine del Quattrocento,
dalle classiche superfici
ben scandite, si sostituisce
un assemblaggio eclettico
e volutamente confuso
di motivi architettonici,
bizzarramente sovrapposti,
fuori da ogni regola.
Il tutto comunica
un'instabilità che
si propaga e si riverbera
sui gruppi dei personaggi,
anche sotto forma
di un *continuum* stordente
tra sculture, rilievi, doni
votivi, panoplie, statue
colorate e dettagli
realistici. Si può ritrovare
il clima di tensione
successivo alla morte
di Lorenzo il Magnifico.

Luca Signorelli
Crocifissione

1500 c.
affresco
Morra, chiesa di San
Crescentino.

La solida struttura pierfrancescana di questo gruppo di personaggi e di cavalieri è un significativo saggio dell'attività di Luca Signorelli, trascorsa nelle grandi capitali dell'arte, come Firenze e Roma, ma anche nei centri minori della provincia umbra e toscana. Oltre alle pale d'altare più celebri e a cicli di affreschi particolarmente grandiosi e complessi, è possibile trovare opere del Signorelli anche in località minori, come peraltro accadeva negli stessi anni e in zone contigue anche a Perugino.

Luca Signorelli
Cortona, 1445 c. - 1523

Raccogliendo e interpretando gli stimoli più aggiornati ed espressivi della pittura toscana, Luca Signorelli svolge un'intensissima e preziosa attività di raccordo tra "centro" e "periferia", alternando periodi trascorsi nel vivo della produzione culturale (gli ambienti di Lorenzo il Magnifico a Firenze e di Federico da Montefeltro a Urbino) con lunghi soggiorni in centri minori. Allievo di Piero della Francesca ad Arezzo e poi seguace dei Pollaiolo a Firenze, Luca Signorelli completa la propria cultura con un soggiorno a Urbino, dove dipinge tra l'altro la *Flagellazione*, oggi nella Pinacoteca di Brera a Milano. Nel 1482 è a Roma, come collaboratore del Perugino negli affreschi della cappella Sistina, e il contatto con l'artista umbro lo porta a ingentilire lo stile, come si può notare negli affreschi della sagrestia del santuario di Loreto e nella *Pala di sant'Onofrio* nel Duomo di Perugia (1484). Trasferitosi a Firenze, Luca Signorelli diventa un protagonista dell'ambiente culturale raccolto intorno a Lorenzo de' Medici: a questa fase appartengono alcune tavole conservate agli Uffizi, fra cui il robusto tondo con la *Madonna col Bambino*. Dopo la morte del Magnifico, il pittore preferisce lasciare Firenze per affrontare due grandi, memorabili cicli di affreschi: le *Storie di san Benedetto* nel chiostro dell'abbazia di Monteoliveto Maggiore (1496-1498) e la terribile *Apocalissi* nella cappella di San Brizio del Duomo di Orvieto (1499-1504). Gli ultimi due decenni di attività di Luca Signorelli si svolgono quasi interamente in provincia, tra Cortona e Città di Castello.

Luca Signorelli
Giudizio finale: i dannati

1499-1502
affresco
Orvieto, Duomo, cappella
di San Brizio.

Il Cinquecento

Raffaello
La Scuola di Atene, particolare

1509
Roma, palazzi Vaticani, stanze Vaticane,
stanza della Segnatura.

Giorgione
*Ritratto di gentiluomo
in armatura*
1510 c.
tela
Firenze, Galleria
degli Uffizi.

Se l'umanesimo quattrocentesco può essere considerato il riflesso di un'epoca di calma, di stabilità, di ricerca di armonia, la grandiosa e drammatica vicenda dell'arte cinquecentesca rappresenta con pienezza sonora e potente un secolo di turbamenti e di guerre, di dubbi profondi e di slanci nuovi. Il consolidarsi di grandi Stati nazionali, le nuove rotte commerciali suggerite dalle scoperte geografiche, la lacerante Riforma di Martin Lutero, l'avanzata minacciosa dell'impero ottomano, lo scoppio sconvolgente di epidemie gravissime: eventi che scuotono dalle fondamenta gli assetti politici, economici e culturali, con decisivi effetti sulla cultura europea. Non a caso, secondo le categorie degli storici il Quattrocento appartiene ancora al medioevo, mentre il XVI secolo segna l'aprirsi dell'età moderna. In Italia si consolida in modo definitivo la prevalenza straniera su ampi territori (tutto il Meridione, l'ex ducato di Milano), mentre la crisi dei traffici mercantili nel Mediterraneo provoca il drastico ridimensionamento dell'importanza di città portuali come Genova e Venezia. La generica definizione di "Rinascimento" è del tutto inadeguata per sintetizzare sotto un'unica etichetta le passioni e i capolavori degli artisti più grandi della storia: Leonardo, Raffaello, Michelangelo, Tiziano si confrontano in un dialogo serrato, con esiti altissimi e imprevedibili. L'arte italiana si conferma nel suo complesso e nei suoi inarrivabili vertici come la scuola di gran lunga più ricca, varia e influente del continente, ma la fragile situazione economica e politica interna porta sempre più spesso artisti e opere all'estero, verso città e stati più ricchi, con una diffusione di modelli figurativi tardo-rinascimentali in varie nazioni: il trasferimento e la morte di Leonardo in Francia segnano l'avvio dei rapporti internazionali dei pittori italiani con i grandi sovrani europei, che in alcuni casi (come l'imperatore Carlo V nei confronti di Tiziano) ne diventano anzi i principali committenti, sostituendosi alle antiche casate delle piccole corti italiane, avviate verso un irreversibile declino. Il Cinquecento conferma insomma il primato italiano sull'arte europea, ma al tempo stesso lascia intravedere i sintomi degli sviluppi storici che faranno del Seicento il "secolo d'oro" di altre nazioni e che vedranno progressivamente uscire l'Italia dall'avanguardia della cultura continentale. Il Cinquecento è anche un secolo di autoritratti: i maestri italiani, raggiunto il ruolo di interlocutori culturali di

Tiziano
Gli Andrii
1518-1519
tela
Madrid, Museo del Prado.

Tiziano
Pietà
1576
tela
Venezia, Gallerie
dell'Accademia.

alto livello degli umanisti, compiono un ulteriore passo in avanti, proponendosi come gli interpreti privilegiati della loro età, tanto che sarebbe possibile tracciare una storia del XVI secolo attraverso le immagini che i pittori ci hanno lasciato di sé. L'aggrottata meditazione di Leonardo ha, come alter ego, l'"autoritratto psicologico" dell'irriverente e ambiguo *San Giovanni Battista* del Louvre; Raffaello, al culmine dell'Alto Rinascimento, si autoritrae fra i dotti e i filosofi della *Scuola di Atene*; Michelangelo, nel drammatico disincanto della storia e della biografia, non esita a raffigurarsi come uno straccio vecchio nella pelle scorticata di san Bartolomeo nel *Giudizio* della Sistina; il manierista Parmigianino fa dell'*Autoritratto nello specchio convesso* un prodigioso esercizio di virtuosismo; la serie degli autoritratti di Tiziano ci presenta un pittore sempre più vecchio ma sempre vigorosamente consapevole, pronto ad affrontare l'eternità stringendo in pugno il pennello.

Senza forzare i termini della storia e dell'arte, si può affermare che ogni ventennio del Cinquecento ha prodotto rivolgimenti profondi e – per così dire – "senza ritorno", in un processo di costante rinnovamento, con qualche ansia per il futuro ma nessun rimpianto per il passato. Ciascuno di questi periodi ha una ricchezza e una varietà di situazioni che non trova confronto in nessun altro secolo della storia dell'arte, escluso forse il nostro. Fino al 1520 scintilla lo splendore degli "uomini d'oro" dell'Alto Rinascimento; dal 1520 al 1540 la riflessione sulla religione e il destino dell'uomo spalanca le porte a una nuova concezione della pittura, culminata con il *Giudizio Universale* di Michelangelo; dal 1540 al 1560 si apre la forbice tra il sofisticato Manierismo tosco-romano e l'immagine della realtà in Veneto e in Lombardia; dal 1560 al 1580 giunge a un culmine trionfante e insieme drammatico la pittura veneziana di Tiziano, Tintoretto e Veronese; dal 1580 alle soglie del 1600 si assiste alla riscoperta del "naturale", della verità oggettiva, fino agli esordi dei Carracci alla rivoluzione di Caravaggio. Michelangelo e Tiziano, particolarmente longevi, hanno contrassegnato a lungo il dipanarsi dei decenni e delle novità figurative: il confronto fra le opere giovanili e quelle della vecchiaia dei due grandi maestri fa comprendere con immediata efficacia l'abissale differenza fra l'arte del primo Cinquecento e quella della seconda metà del secolo.

Raffaello
*Liberazione di san Pietro
dal carcere*
1513
affresco
Roma, palazzi Vaticani,
stanza di Eliodoro.

La data-simbolo con cui ha inizio il percorso culturale del Cinquecento precede di qualche anno lo scoccare del secolo: è il 1492. Mentre Cristoforo Colombo scopre un continente nuovo, dando il via a una concezione radicalmente nuova del mappamondo e delle rotte dell'espansione coloniale, Firenze, la capitale dell'umanesimo, viene sconvolta dalla morte di Lorenzo il Magnifico e dalle terribili predicazioni di fra Gerolamo Savonarola. Il domenicano subirà il supplizio quattro anni dopo, ma la sua condanna delle "vanità", dell'edonismo, delle spensieratezze scuote le coscienze degli artisti. La tradizionale maniera di alcuni maestri di lunga carriera (Botticelli, Perugino) entra in crisi: il primo decennio del Cinquecento vede l'esplodere delle passioni umane nei dipinti di Leonardo, l'incanto di un supremo equilibrio da parte di Raffaello, la potenza sicura e grandiosa di Michelangelo, la morbida sensibilità verso la natura di Giorgione. Inizia fin da questo periodo la riflessione sugli schemi geometrici dell'arte umanistica, impostata su regole matematiche di simmetria e di prospettiva: il principale laboratorio del nuovo è Roma, sia per le continue scoperte archeologiche, sia per le imprese sollecitate da papa Giulio II: dal 1508 si alzano le impalcature per gli affreschi nel-

le Stanze di Raffaello e per la volta della cappella Sistina, massacrante e altissimo capolavoro di Michelangelo.
Il cambiamento stilistico e generazionale non riguarda però solo l'Italia centrale. Nella Milano contesa tra francesi e spagnoli ritorna Leonardo, imponendo il proprio sigillo sulla scuola locale; a Venezia tramonta la tradizione narrativa e analitica di Carpaccio e di Gentile Bellini, sostituita dalle inquiete dolcezze di Giorgione e dalle prime esplosioni dei colori di Tiziano, fino alla deflagrazione dell'*Assunta* sull'altar maggiore della basilica veneziana dei Frari. Intorno ai nuovi capisaldi dell'arte si coagulano rapidamente scuole, collaboratori ed epigoni, sostenuti da una vivace attività di scritti e trattati sull'arte. Comincia a manifestarsi anche nei saggi teorici (culminati con le celebri *Vite* dei più grandi artisti da Cimabue a Michelangelo, pubblicate da Giorgio Vasari nel 1550) una sempre più netta contrapposizione tra il "primato del disegno" dell'ambiente fiorentino e romano e il gusto ricco e pastoso del colore dei veneti, mentre alcuni pittori dalla biografia travagliata, come Lorenzo Lotto, insinuano il dubbio di una terza, più personalizzata via.
La morte di Raffaello (1520) coincide con l'aprirsi dello scisma luterano, che il colto e pacifico papa Leone X (figlio di Lorenzo il Magnifico) non può arginare: la sede pontificia riceverà anzi, pochi anni dopo, il grave schiaffo morale del Sacco di Roma (1527). Davanti a un mondo che cambia rapidamente, gli artisti avvertono l'urgente necessità di un profondo ripensamento delle forme e delle norme espressive. Le proposte più eversive vengono da Firenze, dove Pontormo e Rosso Fiorentino, partendo dallo studio delle opere di Michelangelo e di Raffaello, giungono a una violenta deformazione della tradizionale impostazione, con figure bloccate in pose contorte ed espressioni di ambigua drammaticità. Nasce un movimento nuovo, il Manierismo, che diventerà nel corso del secolo la corrente artistica predominante. Diversa è la soluzione adottata al nord: quasi contemporaneamente, intorno al 1520, artisti "provinciali" avviano imprese decorative grandiose, di forte coinvolgimento popolare, in cui l'intellettualismo tormentato dei manieristi toscani si trasforma in commossa coralità: gli affreschi di Gaudenzio Ferrari a Varallo, del Pordenone a Cremona e soprattutto del Correggio a Parma anticipano coraggiosamente le più emozionanti composizioni del barocco.
Non c'è dubbio, comunque, che siano sempre più Mi-

Correggio
Danae
1531-1532
tela
Roma, Galleria Borghese.

Giovan Gerolamo Savoldo
Pala dei due eremiti,
particolare
1520
tavola
Venezia, Gallerie
dell'Accademia.

chelangelo e Tiziano a determinare, nelle rispettive città, lo sviluppo dell'arte. Michelangelo, dopo quasi trent'anni, ritorna nella cappella Sistina per dipingere, nel *Giudizio Universale*, l'epopea conclusiva e terribile della storia umana; Tiziano, artista internazionale per eccellenza, fissa in una galleria di memorabili ritratti i volti e i trasalimenti dei potenti della terra. Nel 1545 i due grandi artisti, ormai avviati verso la vecchiaia, si incontrano a Roma: committente di entrambi è papa Paolo III Farnese, promotore del Concilio di Trento.

I lavori di questa grande assise religiosa si intrecciano con quelli più schiettamente politici, sollecitati dall'imperatore Carlo V, della Dieta di Augusta, cui assiste anche Tiziano. Dopo la metà del secolo, la soluzione del più che trentennale conflitto tra cattolici e protestanti sollecita un'ulteriore riflessione sull'uso delle immagini. E come era avvenuto due secoli prima, dopo la Peste Nera del 1348, si assiste a una netta divisione tra due correnti. Da un lato, specie a Firenze e a Roma, l'arte manierista si fa sempre più sofisticata e intellettuale, rivolta alla artificiosa creazione di una "nuova natura" e alla celebrazione dinastica di stilizzati signori: i ritratti del Bronzino ne sono una evidente testimonianza, superata comunque dalle bizzarrie dei più ricchi e capricciosi collezionisti stranieri (come l'imperatore Rodolfo II d'Asburgo, committente dell'Arcimboldo). D'altro canto, in centri minori (Brescia, Bergamo, le Marche) si assiste al recupero di un senso umano e diretto della realtà: sono i "precedenti" per il realismo di Caravaggio e per la ripresa di un semplice fluire delle immagini sacre.

L'espansione dell'impero ottomano nel Mediterraneo orientale è una minaccia concreta per Venezia, che subisce la continua erosione di porzioni del suo territorio: nemmeno la vittoriosa battaglia di Lepanto (1571) riesce ad allontanare l'incombente pericolo turco. Nonostante ciò, il pieno Cinquecento vede Venezia ricoprirsi di uno sfolgorante mantello di edifici classicheggianti, eretti da Sansovino e da Palladio, e di una iridescente veste di pitture. Tiziano si chiude in una solitaria e altissima avventura, lasciandoci nell'estrema vecchiaia alcune delle più impressionanti immagini della pittura di tutti i tempi, ma la scuola veneziana vede fiorire maestri di grande disinvoltura, pronti ad affrontare cicli di enormi dimensioni: il dialogo tra i maestri veneti raggiunge negli anni sessanta e settanta toni di altissima creatività, con l'alterna-

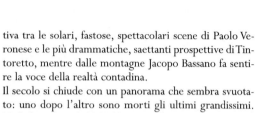

Michelangelo
Caduta di san Paolo
Crocifissione di san Pietro
1545 c.
affreschi
Roma, palazzi Vaticani,
cappella Paolina.

tiva tra le solari, fastose, spettacolari scene di Paolo Veronese e le più drammatiche, saettanti prospettive di Tintoretto, mentre dalle montagne Jacopo Bassano fa sentire la voce della realtà contadina.

Il secolo si chiude con un panorama che sembra svuotato: uno dopo l'altro sono morti gli ultimi grandissimi. Michelangelo nel 1564, Tiziano nel 1576, Veronese nel 1588, Tintoretto nel 1594. Le nuove generazioni di artisti dovranno cimentarsi con un clima del tutto differente, aprendosi a un confronto internazionale sempre più serrato e, a poco a poco, destinato a collocare l'Italia in una posizione non più centrale. L'ultimo grande poema epico del Rinascimento italiano, la *Gerusalemme Liberata* composta da Torquato Tasso a Ferrara (non a caso, una corte destinata al rapido declino) e pubblicata per la prima volta nel 1575, segna in modo commosso e intenso la fine delle certezze umanistico-rinascimentali. Il disincanto, l'angoscia, il ricorso alla visione mistica, la nostalgia dell'amore, l'inganno cocente, la magia di giardini incantati, la fuga dalla realtà (e la simmetrica necessità di tornarvi dolorosamente), la nobiltà dell'animo messa a dura prova dalle circostanze prevalgono nettamente sulla celebrazione degli eroismi e dei fatti d'arme. Indimenticabili sono i versi dell'ultimo canto del poema, quando il grande sconfitto Solimano, il condottiero arabo, sale sulla torre più alta di Gerusalemme, quando la città è ormai invasa dai crociati. Davanti a lui si para il panorama della disfatta, che nelle parole del Tasso diventa un dramma che pervade tutto il secolo e che orienta verso il baratro il destino stesso dell'uomo: "mirò, quasi in teatro od in agone/ l'aspra tragedia dello stato umano/ i vari assalti e il crudo orror di morte/ e i gran giochi del caso e della sorte". È impossibile dimenticare che questi versi vengono scritti dal Tasso tra la morte di Michelangelo e quella di Tiziano, tra il *Giudizio Universale* della Sistina e la *Pietà* di Venezia. E tuttavia, l'accento di virile tragedia con cui si chiude il più luminoso periodo dell'arte e della cultura italiana risalta ancor di più sullo sfondo di una straordinaria epoca dello spirito.

L'avventura dell'uomo rinascimentale, partita nella orgogliosa Firenze di Dante e di Giotto come rivendicazione di un nuovo ruolo da giocare nel mondo ("fatti non foste a viver come bruti/ ma per seguir virtute e conoscenza") aveva assunto, lungo i decenni, una dimensione e una profondità forse inizialmente imprevedibili, fino

Paolo Veronese
Cristo nell'orto
1581
tela
Milano, Pinacoteca
di Brera.

Leonardo
San Giovanni Battista
1516
tavola
Parigi, Louvre.

all'irripetibile generazione dei grandissimi maestri nati tra la metà e la fine del Quattrocento. Prendono avvio nei secoli dell'Umanesimo e del Rinascimento il nostro attuale modo di vivere nel mondo, la nostra capacità di rapportarci con la storia e con il destino, la nostra maniera di interpretare il presente come anello di congiunzione tra un passato appassionatamente studiato e un futuro serenamente affrontato. Il gusto per la bellezza sotto ogni forma, l'amore per la natura, la passione per la vita e per l'arte sono, più dei singoli capolavori dei più grandi pittori, scultori e architetti della storia, la vera eredità del Rinascimento: un motivo di giusto orgoglio per l'Italia, certo, ma anche un impegno difficile da mantenere e da rinnovare di fronte al mondo.

Il Rinascimento al tramonto lascia il posto a una sensibilità nuova nei confronti dell'uomo, della natura, dei misteri del cosmo e del divino. È la generazione di Caravaggio e di Galileo, entrambi capaci di costruire un "cannocchiale" per guardare senza paura nel profondo dell'anima o nel buio della notte. Quelle strade dell'uomo e dell'universo che un secolo prima Leonardo aveva per primo, sorridendo, indicato.

Leonardo da Vinci

Vinci (Firenze), 1452 - Cloux presso Amboise, 1519

Personaggio emblematico e riassuntivo del Rinascimento italiano, personalità inquieta e poliedrica, perennemente insoddisfatto dei risultati raggiunti, capace di passare senza soluzione di continuità dall'arte alla scienza, Leonardo sfugge a una definizione unitaria e sintetica. La pittura (o quanto meno il disegno, di cui rimane maestro insuperabile) costituisce la trama di fondo su cui Leonardo proietta le attività più disparate: inventore, tecnologo, architetto, ingegnere idraulico e militare, urbanista, botanico, astronomo, trattatista, poeta. La formazione artistica avviene a Firenze, durante gli anni settanta del Quattrocento. Leonardo esordisce al fianco del maestro Verrocchio (*Battesimo di Cristo* agli Uffizi) e non tarda a manifestare la spiccata attitudine verso il ritratto (*Ginevra Benci*, Washington, National Gallery) e verso la ricerca del movimento dinamico e dell'espressione psicologica. Queste ultime caratteristiche, sostanzialmente estranee al gusto calligrafico di Perugino e Botticelli, provocano la mancata chiamata di Leonardo fra gli artisti che decorano la cappella Sistina: Leonardo reagisce lasciando Firenze per Milano (1482). Al lungo soggiorno presso Ludovico il Moro risalgono opere fondamentali come la *Vergine delle rocce* (Parigi, Louvre), il Cenacolo e gli appassionati studi sulle espressioni umane e sugli effetti dell'atmosfera (Windsor, Collezioni Reali). Alla caduta del Ducato di Milano (1499) Leonardo ritorna a Firenze, dove gareggia con Michelangelo negli affreschi (perduti) di palazzo Vecchio e inizia l'esecuzione della *Gioconda*. Accumula centinaia di fogli di disegni, appunti, studi, per lo più raccolti in "codici" (il più importante è nella Biblioteca Ambrosiana di Milano). Tornato a Milano, elabora la *Madonna con sant'Anna* (Parigi, Louvre) e lascia un influsso decisivo sulla scuola locale. Accogliendo l'invito del re Francesco I si trasferisce infine in Francia, dove dipinge le ultime, enigmatiche opere (*San Giovanni Battista*, Parigi, Louvre).

Leonardo da Vinci
Vergine delle rocce

1483-1490 c.
tavola trasportata su tela
Parigi, Musée du Louvre.

È la prima opera leonardesca a Milano; la seconda redazione è nella National Gallery di Londra.

Leonardo da Vinci
Ultima Cena, particolare

1495-1497
tempera e olio su due strati
di preparazione
Milano, Santa Maria
delle Grazie, refettorio.

Commissionato dal duca
di Milano Ludovico il
Moro, il Cenacolo ha
mantenuto, a dispetto
delle pessime condizioni
di conservazione, una forza
espressiva di travolgente
emozione. Leonardo
innova profondamente
un tema tradizionale,
scegliendo il momento
in cui Cristo annuncia
agli Apostoli l'imminente
tradimento. Tra i
personaggi si diffonde uno
sconvolgente turbamento,
meravigliosamente
rappresentato attraverso
i "moti dell'anima".
Leonardo analizza
con pazienza gesti ed
espressioni, riprendendo
esplicitamente il linguaggio
dei gesti utilizzato dai muti
per comunicare. Per poter
dipingere con cura ogni
dettaglio il pittore ha
cercato un'alternativa
alla tradizionale tecnica
dell'affresco, che impone
tempi di esecuzione
alquanto rapidi:
purtroppo, il sistema
adottato da Leonardo per
fissare i colori alla parete si
è rivelato inadeguato, tanto
che egli stesso ha dovuto
restaurare il dipinto pochi
anni dopo la sua
esecuzione. Per secoli si
sono susseguiti interventi
di conservazione e
traversie (la sala è stata
adibita a stalla durante
il periodo napoleonico
ed è stata gravemente
bombardata nel 1943).
Il recente, lentissimo
intervento attualmente
in fase di completamento
ha riportato alla luce
quanto ancora rimane della
stesura originale, rivelando
particolari che erano
rimasti coperti
dalle ridipinture.

Leonardo da Vinci
Ritratto di musico

1485-1490
tavola
Milano, Pinacoteca
Ambrosiana.

È l'unico dipinto su tavola
di Leonardo rimasto
a Milano: il personaggio
effigiato, chiaramente
connotato come un
musicista dallo spartito
retto nella mano destra,
è probabilmente Franchino
Gaffurio, maestro di
cappella del Duomo di
Milano e insigne trattatista.
L'intelligente, ispirato
volto emerge dal fondo
scuro con plastica forza
di modellato, mentre
i riccioli dorati sono dipinti
con cura da miniaturista.
Il cappello rosso e il vestito
sono frutto dell'intervento
di allievi.

Alla pagina accanto
Leonardo da Vinci
Annunciazione

1474 c.
tavola
Firenze, Galleria degli Uffizi.

Prezioso esempio
dell'attività giovanile,
rivela le consonanze
ma anche le profonde
differenze tra Leonardo
e l'ambiente fiorentino,
dominato in quel periodo
dall'emergente Botticelli.
Alcuni dettagli, come
il leggio in imperfetta
prospettiva o l'esemplare
quinta di alberi al limitare
del giardino, rispondono
al gusto antiquario degli
"orti laurenziani"; così,
l'eleganza dei gesti e dei
panneggi può essere messa
in rapporto con il gusto
grafico di Botticelli e
di Perugino. Al contrario,
l'umido paesaggio al
centro e l'appassionata
descrizione "scientifica"
dei fiori e delle erbe sono
già precisi indizi degli
sviluppi futuri della pittura
leonardesca.

Leonardo da Vinci
La dama con l'ermellino

1490 c.
tavola ·
Cracovia, Czartoryski
Muzeum.

La bella ragazza che ruota
lentamente tra ombra e
luce, compiendo un gesto
opposto a quello
dell'animaletto, è
solitamente identificata
con Cecilia Gallerani,
l'aristocratica amante
di Ludovico il Moro.

Leonardo da Vinci
Ritratto di dama
(La Belle Ferronnière)

1495-1499 c.
tavola
Parigi, Musée du Louvre.

Anche questa enigmatica
giovane dama era con ogni
verosimiglianza una
gentildonna della corte
milanese, forse addirittura
la stessa Cecilia Gallerani
effigiata nel dipinto
di Cracovia.

147

Leonardo da Vinci
Sant'Anna, la Vergine,
il Bambino e
san Giovannino

1499-1508 (?)
carboncino, tempera e biacca
a sfumato su carta
Londra, National Gallery.

Il grande cartone (disegno
preparatorio delle stesse
dimensioni dell'opera
finita) per la *Madonna
con sant'Anna* segna
l'emozionante incontro
tra l'attività grafica
di Leonardo, forse il più
grande disegnatore di tutti
i tempi, e la produzione
propriamente pittorica.
Leonardo aveva l'abitudine
di studiare con insistenza,
quasi con accanimento
i suoi soggetti. A parte
i ritratti, la stesura non era
quasi mai definitiva: il
pittore riteneva un diritto-
dovere mantenere i propri
dipinti in uno stato di
perenne incompiutezza o
comunque poterli ritoccare
più volte, anche a distanza
di anni, o reinventarne le
composizioni. Basta il
confronto tra il cartone
e il dipinto finale per

vedere quanto Leonardo
modificasse la struttura
complessiva dell'immagine
e i singoli personaggi.
Il meraviglioso disegno
londinese esprime
l'inconfondibile forza della
grafica leonardesca, basata
sull'equilibrio di due forze
contrastanti: la nitida
pulizia del tratto
e la densità ombrosa
del chiaroscuro.

Leonardo da Vinci
Sant'Anna, la Vergine
e il Bambino con l'agnello

1510-1513 c.
tavola
Parigi, Musée du Louvre.

La dolcezza misteriosa
del triplice sorriso
dei personaggi divini
si proietta su un denso
sfondo naturale di rocce
e di acque che si inserisce
coerentemente nelle
ricerche scientifiche
e pittoriche sviluppate
da Leonardo durante
il secondo soggiorno
a Milano.

Leonardo da Vinci
Monna Lisa
(La Gioconda), particolare

*1503/06-1513, tavola
Parigi, Musée du Louvre.*

Celebre al punto da non
essere più nemmeno
"guardata", la *Gioconda*
fa parte stabilmente
dell'immaginario
collettivo, opera-culto
oggetto, da secoli,
di adorazione e di
dissacrazione.
L'ineffabile sorriso è una
presenza costante e
inquietante nell'attività
tarda di Leonardo;
iniziato a Firenze,
continuato durante il
secondo periodo milanese,
portato in Francia
dal pittore e ritoccato
costantemente, il ritratto
raccoglie gli studi,
le tensioni, le emozioni
degli ultimi lustri di vita
dell'artista: la ricerca
dell'espressione, il
rapporto con il paesaggio,
le brume dell'atmosfera,
il disegno che sfuma
in chiaroscuro. Il tutto
si fonde in un'immagine
cosmica, che è insieme
clima e psicologia, persona
e ambiente, sottile
interiorità e universale
panteismo.

149

Piero di Cosimo

Firenze, 1461/62 - 1521

Personalità singolare della scuola fiorentina nel momento di transizione tra Quattro e Cinquecento, Piero prende il soprannome da Cosimo Rosselli, il pittore di cui è allievo e che lo coinvolge precocemente nella decorazione della cappella Sistina.

A questo esordio prestigioso Piero di Cosimo fa seguire una discreta carriera, ricca di opere significative e di rimandi culturali eterogenei: il nitore della luce dei fiamminghi, la carica espressiva di Leonardo, l'instabilità nervosa di Filippino Lippi. Solo pochi dipinti di Piero di Cosimo sono rimasti in Italia: la maggior parte si trova in musei stranieri, come

le scene storiche e mitologiche sull'esistenza dell'umanità primitiva dipinte durante l'ultimo decennio del Quattrocento, disperse tra Oxford, Ottawa e diversi musei statunitensi. All'inizio del Cinquecento l'artista accentua l'eccentricità del suo stile, allontanandosi dal vivo del dibattito artistico per elaborare suggestive composizioni "fuori dal tempo".

Piero di Cosimo
Madonna col Bambino, angeli e santi

1493
tavola
Firenze, Museo dello Spedale degli Innocenti.

Fra Bartolomeo

Bartolomeo di Paolo del Fattorino,
Savignano (Prato), 1472 - Firenze, 1517

Compagno di studi di Piero di Cosimo
presso Cosimo Rosselli, il pittore inizia
l'attività lavorando insieme a Mariotto
Albertinelli, ma in seguito alle
predicazioni del Savonarola conosce
una profonda crisi mistica e nell'anno
1500 abbandona la pittura per
prendere i voti domenicani. Ritorna
all'arte nel 1504, aprendo un atelier
all'interno del convento di San Marco.
Fin dalla *Visione di san Bernardo*
(Firenze, Uffizi) dimostra un perfetto
aggiornamento, accogliendo la delicata
resa atmosferica di Leonardo.
Nel 1508 si reca a Venezia e in seguito
a questo viaggio i suoi colori assumono
tonalità più calde e corpose, come si
vede nelle due pale d'altare conservate
a Lucca. Gli sviluppi successivi vedono
crescere la monumentalità mistica dei
personaggi divini, in una resa sempre
sensibile della natura e del paesaggio.

Fra Bartolomeo
Ritratto di Girolamo
Savonarola

1517 (?)
tavola
Firenze, Museo di San Marco.

Entrato nell'ordine
Domenicano, fra
Bartolomeo lavora a lungo
nel convento decorato
dagli affreschi del Beato
Angelico e di cui il
Savonarola era stato priore.
La riabilitazione postuma
del grande predicatore
passa anche attraverso
questa immagine di rigore
ascetico e ferma
determinazione.

Fra Bartolomeo
Dio Padre in gloria tra
le sante Maria Maddalena
e Caterina da Siena

1509
tavola
Lucca, Pinacoteca.

Le grandi pale d'altare
sono l'aspetto più
innovativo dell'arte di fra
Bartolomeo, per l'efficace
bilanciamento tra il ritorno
a un misticismo
appassionato e intenso
e, d'altra parte, un
delicatissimo accordo di
luce e colore, paragonabile
ai contemporanei risultati
di Raffaello.

151

Raffaello
Madonna col Bambino
e san Giovannino
(Madonna della seggiola)

1513
tavola
Firenze, palazzo Pitti,
Galleria Palatina.

Raffaello Sanzio

Urbino, 1483 - Roma, 1520

Figlio del pittore e trattatista Giovanni
Santi, Raffaello è per antonomasia
l'*enfant prodige* della pittura: grazie
al talento precocissimo, ancora
adolescente rileva la bottega del padre
e a sedici anni è già un maestro
autonomo. Partito dalla cultura
artistica urbinate di eredità
pierfrancescana, intorno al 1500
Raffaello si lega a Perugino, il pittore

più influente dell'epoca. Il rapporto
con Perugino non è un semplice
alunnato, ma una collaborazione
attenta e critica. Ne è eccellente
esempio lo *Sposalizio della Vergine*
(Milano, Brera), in cui Raffaello
reinventa e modifica profondamente
schemi perugineschi. La capacità
di recepire e rielaborare spunti da altri
artisti caratterizza il periodo fiorentino
di Raffaello (1504-1508). In dialogo
con Michelangelo e con Leonardo,
il giovanissimo artista raggiunge presto

un grande equilibrio tra l'applicazione
corretta delle regole dell'arte
rinascimentale, l'imitazione della
natura e la dolcezza dell'espressione.
Tipico frutto di questo periodo sono
alcuni ritratti e le memorabili
Madonne. Con il *Trasporto di Cristo
al sepolcro* (Roma, Galleria Borghese)
Raffaello dimostra le proprie capacità
espressive anche in uno stile sostenuto
e classico. Papa Giulio II lo chiama
a Roma, per affrescare le stanze
dell'appartamento privato in Vaticano.

Il ciclo prende avvio con la stanza della
Segnatura (1508-1511) e prosegue con
quella di Eliodoro (1511-1513), con
un passaggio da scene armonicamente
impostate in fondali simmetrici a
episodi più concitati, con giochi di
luce suggestivi. Si susseguono intanto
pale d'altare, ritratti e lavori ad
affresco. Sotto il pontificato di Leone
X Raffaello si occupa di imprese
decorative e modifica ulteriormente
il proprio stile, anticipando temi e
soluzioni dell'incipiente Manierismo.

Raffaello
Sposalizio della Vergine

1504
tavola
Milano, Pinacoteca di Brera.

Dipinto da Raffaello
a ventun anni, questo
capolavoro proviene
da Città di Castello
e conclude in modo
grandioso e commovente
l'attività giovanile
del pittore. Il rapporto
con Perugino è esplicito sia
nell'impostazione generale
del dipinto che in singoli
particolari e figure:
tuttavia, il giovane
Raffaello supera
decisamente l'esempio
del maestro umbro per la
perfetta, limpidissima resa
dello spazio architettonico
e naturale che si dilata
intorno alle squisite
proporzioni del tempio
a pianta centrale.

Raffaello
Madonna del Granduca

1506
tavola
Firenze, palazzo Pitti,
Galleria Palatina.

Il titolo con cui questa
Madonna è nota ricorda
Ferdinando III, granduca
di Toscana, che la acquistò
nel 1799 e non volle mai
separarsene per tutta
la vita. Le figure affiorano
con estrema delicatezza
dal fondo scuro e con
un leggero punto di vista
dal basso verso l'alto
che conferisce un senso
di pacata monumentalità.
Opera tipica del periodo
fiorentino di Raffaello,
rivela l'attento studio
nei confronti di Leonardo.

Raffaello
Trasporto di Cristo
al sepolcro

1508
tavola
Roma, Galleria Borghese.

Il dipinto ricorda
un drammatico fatto
di cronaca, il brutale
assassinio di un giovane
membro della famiglia
Baglioni a Perugia: fu
commissionato dalla madre
dell'ucciso, per
commemorare insieme
lo scempio di un innocente
e lo strazio della madre.
Raffaello imposta la
composizione su questi
due distinti momenti,
giustapponendo due
gruppi di figure.
Le espressioni tese, i gesti
eloquenti, le citazioni
classiche, i ricordi
di Michelangelo
(in particolare nel corpo
di Cristo esanime e nella
figura seduta sulla destra
che, con una torsione
del busto, si gira a
sostenere la Madonna)
fanno di quest'opera
una sorta di dichiarazione
di maturità e di forza.
Il successo dell'impresa
apre a Raffaello le porte
di Roma.

Raffaello
Madonna del Belvedere

*1506
tavola
Vienna, Kunsthistorisches
Museum.*

Durante il periodo
fiorentino Raffaello ha più
volte realizzato delicate

"variazioni sul tema" della
Madonna nel paesaggio
con il Bambino e san
Giovannino. Altre versioni,
sempre seducenti, sono a
Firenze, Parigi, Edimburgo
e Washington.

Raffaello
Madonna di Foligno

*1511-1512
tavola
Roma, Pinacoteca Vaticana.*

Nonostante l'aspetto
e le dimensioni da pala
d'altare, è l'*ex voto* donato
dal protonotario apostolico
Sigismondo de Conti
per lo scampato pericolo
della caduta di un
meteorite sulla sua casa
(la scena si riconosce
sullo sfondo).

Raffaello
Madonna Sistina

*1515-1516
tela
Dresda, Gemäldegalerie.*

Capolavoro indimenticabile
della maturità, fu dipinto
per la chiesa di San Sisto
a Piacenza: inserito
nell'abside, simula una
finestra aperta sul cielo,
con le tende tirate
e il davanzale al quale sono
appoggiati i due
celeberrimi angioletti.

Raffaello
Disputa del Sacramento

1508-1509
affresco
Roma, palazzi Vaticani,
stanze Vaticane,
stanza della Segnatura.

Con questo lunettone
prende avvio la lunga
vicenda degli affreschi
di Raffaello
nell'appartamento di papa
Giulio II. La prima stanza
era in origine la biblioteca
privata del pontefice
e gli affreschi alludono
all'argomento dei volumi
conservati nelle scansie
lungo le pareti: in questo
caso, la Teologia,
simboleggiata da una doppia
esedra di personaggi
sui due registri, divino
e terreno.

Raffaello
Il Parnaso

1509-1510
affresco
Roma, palazzi Vaticani,
stanze Vaticane,
stanza della Segnatura.

La parete riservata alla
Poesia presenta l'ostacolo
di una finestra. Raffaello
ha utilizzato genialmente
questo vano per raffigurare
la vetta del monte Parnaso,
con Apollo che suona
la cetra accompagnato
dalle nove Muse e dai più
celebri poeti antichi
e moderni, da Omero
a Ludovico Ariosto.

Raffaello
Quattro scene bibliche

1511
affresco
Roma, palazzi Vaticani, stanze
Vaticane, stanza di Eliodoro.

Passando dalla prima alla
seconda stanza (chiamata
"di Eliodoro" dal soggetto

dell'affresco più vistoso)
Raffaello elabora soluzioni
fortemente innovative.
Il suo stile assume un
ritmo più drammatico
e incalzante, meno
contemplativo e sereno
rispetto alla stanza
della Segnatura. La
volta, eseguita forse

con la collaborazione
di Baldassarre Peruzzi,
simula quattro teli
triangolari tesi e assicurati
da lunghe file di anelli:
le storie dell'Antico
Testamento simulano
la tecnica dell'arazzo.

Raffaello
Incontro di Attila e Leone
Magno sul fiume Mincio

1513
affresco
Roma, palazzi Vaticani, stanze
Vaticane, stanza di Eliodoro.

La seconda stanza ha
un carattere più "politico"
rispetto alla prima.
L'episodio dell'intervento
pacificatore del papa fu
voluto dal successore del
bellicoso Giulio II, Leone
X, per sottolineare
attraverso la pittura la fine
delle guerre. Figlio
di Lorenzo il Magnifico,
Leone X avvia una politica
di armonia e di
riconciliazione per lo Stato
della Chiesa.

Raffaello
La Messa di Bolsena

1512
affresco
Roma, palazzi Vaticani, stanze
Vaticane, stanza di Eliodoro.

Il miracolo del sangue
sgorgato da un'ostia
durante una messa
celebrata a Bolsena risale
al XIII secolo, ma Raffaello
l'ha reso attuale con la
partecipazione (a destra)
di papa Giulio II e del suo
variopinto seguito di
cardinali, prelati e guardie
svizzere.

158

Raffaello
Ritratto di Agnolo Doni

1506-1507
tavola
Firenze, palazzo Pitti.

Esempio caratteristico
della prima attività
ritrattistica di Raffaello,
durante il periodo
fiorentino, unisce
l'accurata raffinatezza
di Perugino e l'intensità
espressiva di Leonardo.
Il personaggio, un
gentiluomo fiorentino
impegnato
nell'amministrazione
pubblica, assume una posa
non aulica, quasi invitando
il visitatore a un muto
dialogo di sguardi.

Raffaello
Ritratto di donna
(La Velata)

1516
tela
Firenze, palazzo Pitti,
Galleria Palatina.

Alcuni ritratti femminili
hanno animato fantasiose
ipotesi sulle fanciulle
amate da Raffaello.
La suggestione, tuttavia, va
ricercata soprattutto nella
stesura pittorica, come
l'eccezionale resa della
luce sulle pieghe della
manica in primo piano.

Raffaello
Ritratto di Baldassare
Castiglione

1515 c.
tela
Parigi, Musée du Louvre.

Celebre letterato e grande
amico di Raffaello, il
Castiglione è visto in una
immediata, colloquiale
intimità grazie all'uso
di pochi colori sul fondo
neutro, con una
straordinaria anticipazione
delle opere giovanili
di Caravaggio.

159

Giulio Romano

Giulio Pippi, Roma, 1492/1499 - Mantova, 1546

Prestigioso architetto e grande organizzatore di imprese decorative, compie tutto l'iter della formazione e della prima attività nella bottega di Raffaello, di cui diventa in breve il più fidato collaboratore. In tale veste si occupa dell'esecuzione di importanti cicli, come le stanze e le logge del Vaticano, la Farnesina, villa Madama. Non è facile distinguere la mano di Giulio da quelle degli altri collaboratori di Raffaello: un tratto più plastico e colori metallici caratterizzano tuttavia opere come il *Martirio di santo Stefano* (Genova, Santo Stefano) o la *Madonna della gatta* (Napoli, Capodimonte), in cui emerge anche la tendenza a gesti ed espressioni di una certa enfasi oratoria, in linea con il nascente Manierismo. Alla morte di Raffaello (1520) Giulio Romano assume la direzione della bottega, portando a compimento lavori di notevole impegno (sala di Costantino in Vaticano). Nel 1524 si trasferisce a Mantova: da questo momento, fino alla morte, Giulio si trasforma nello spettacolare regista dell'ultima stagione dell'arte di corte rinascimentale in Italia. Per i Gonzaga progetta straordinari cicli di affreschi, costruzioni ambiziose (palazzo Te, il Duomo di Mantova, l'abbazia di San Benedetto Po) o colossali rinnovamenti di edifici antichi (nuovi quartieri e cortili in palazzo Ducale), ma realizza anche cartoni per arazzi o disegni per oreficerie, curando insomma nel suo complesso tutta l'immagine pubblica della corte di Isabella e di Federico Gonzaga. La dispersione e la demolizione delle residenze gonzaghesche ha fatto parzialmente perdere alcune di queste imprese: l'operazione più complessa e ricca di significati resta la progettazione e la decorazione di palazzo Te, in cui ogni sala presenta nuove e sempre più coinvolgenti soluzioni ornamentali.

Giulio Romano
Veduta d'insieme della sala di Amore e Psiche

1526-1528 c.
affresco
Mantova, palazzo Te.

Nella decorazione della residenza suburbana dei Gonzaga Giulio Romano sbriglia tutta un'inesauribile fantasia, facendo di ogni sala una sorpresa. Al fluente dipanarsi delle scene classiche lungo le pareti fa riscontro l'articolata suddivisione in riquadri del soffitto, ricco di invenzioni prospettiche e luministiche e di citazioni letterarie.

Michelangelo Buonarroti

Caprese (Arezzo), 1475 - Roma, 1564

Coscienza critica del Rinascimento nel momento dell'apogeo e poi testimone della sua crisi, Michelangelo domina il XVI secolo in Europa non solo per l'ineguagliabile magistero di scultore ma anche come architetto e pittore. Coinvolto giovanissimo nel clima di recupero classico di Lorenzo il Magnifico, Michelangelo affronta la statuaria monumentale in marmo, realizzando già prima dell'anno 1500 memorabili capolavori. Durante il primo decennio del Cinquecento si occupa ripetutamente di pittura: prima a Firenze, dove gareggia con Leonardo nella decorazione (perduta) di palazzo Vecchio ed esegue il *Tondo Doni*, unica opera su tavola portata a compimento; poi a Roma, dove, per volere di papa Giulio II, avvia l'impresa della volta della cappella Sistina, sintesi drammatica della storia dell'uomo e celebrazione della bellezza della creazione. Dopo questa opera massacrante, eseguita dal 1508 al 1512, Michelangelo abbandona per più di vent'anni la pittura, dedicandosi alla scultura e all'architettura. Riprende i pennelli negli anni trenta, per la lunga gestazione del *Giudizio Universale* della cappella Sistina, cui seguiranno altri due affreschi in Vaticano; poi, gli anni della vecchiaia, con la meditazione sulla morte delle ultime due *Pietà* in marmo.

Michelangelo
Sacra famiglia con san Giovannino (Tondo Doni)

1503-1540
tavola
Firenze, Galleria degli Uffizi.

Alla pagina accanto
Michelangelo
Un ignudo, particolare

1508-1512
affresco
Roma, palazzi Vaticani,
volta della cappella Sistina.

Michelangelo
Storie della Genesi,
veduta d'insieme

1508-1512
affresco
*Roma, palazzi Vaticani, volta
della cappella Sistina*

Il programma iconografico
del soffitto della Sistina
prevede l'apoteosi della
Creazione dalla quale
scendono, in sequenza,
le monumentali figure
di Profeti e di Sibille e,
nelle lunette intorno alle
finestre, gli Antenati
di Cristo. In sostanza,
la Genesi, la condanna
(con il Peccato Originale)
e la prima salvezza del
genere umano (con l'Arca
di Noè) sono le premesse
storiche per il cammino
della Redenzione. Questo
progetto verrà
ulteriormente modificato
quando sulla parete di
fondo (che ospitava
un'*Assunta* affrescata da
Perugino) Michelangelo
dipingerà la scena del
Giudizio Universale. La volta
segna un'epoca nuova nella
storia dell'arte. Nella zona
centrale, Michelangelo
dipinge una serie di nove
scene bibliche, alternando
riquadri più grandi
a episodi più piccoli
inqandrati fra coppie
di stupendi efebi ignudi:
dall'ingresso verso
la parete di fondo si va
dalla *Separazione delle
tenebre dalla luce* fino
al *Sacrificio di Noè*,
passando attraverso i
solenni momenti dei giorni
della Creazione. La scena
raffigurante la *Creazione
di Adamo*, con il virile
contatto fra l'energica
figura volante di Dio Padre
e l'atletico Progenitore
che lentamente si alza
è uno dei simboli del
Rinascimento: tra l'indice
di Dio e quello di Adamo
scocca la scintilla di una
volontà superiore, di una
mente ordinatrice potente
che si confronta e si riversa
nell'umanità. L'esecuzione
della volta della cappella
Sistina, affrontata
da Michelangelo a
ventott'anni, segna
profondamente il fisico
e la carriera del maestro.

Costretto a lavorare
per parecchio tempo steso
sulla schiena con il braccio
teso in alto e il colore
che gli gocciolava in faccia,
negli anni dell'impresa
Michelangelo contrae
una serie di malattie
e di deformità, con
l'aggravante di doversi

dedicare a un'arte poco
amata, come la pittura, e
non alla prediletta scultura
in marmo.

Michelangelo
Storie della Genesi,
particolare, dall'alto
verso il basso:
Peccato Originale
e Cacciata dall'Eden;
Creazione di Eva;
Creazione di Adamo

1508-1512
affresco
*Roma, palazzi Vaticani,
volta della cappella Sistina.*

Michelangelo
Giudizio Universale

1536-1541
affresco
Roma, palazzi Vaticani,
parete di fondo della cappella
Sistina.

Sintesi terribile del
Rinascimento, il *Dies Irae*
di Michelangelo è una
delle creazioni più sofferte

e drammatiche della
storia dell'umanità:
il significato morale
e poetico trascende
di gran lunga i limiti
della storia dell'arte
e ne fa uno dei cardini
della cultura europea
dell'ultimo millennio.
Queste osservazioni sono
favorite dai risultati
del recentissimo restauro,

che, eliminando alcuni
dei "braghettoni" (i veli
e i panneggi sulle parti
intime delle figure nude)
aggiunti per decenza
nel 1564, le ridipinture
successive e ombre
grigiastre, ha dato alla
parete un nitore del tutto
nuovo. La tragedia
dell'uomo, schiantato dal
turbine divino, assume così

un risalto di indicibile
energia. Rispetto alla
tradizionale iconografia
del Giudizio Universale
organizzato a fasce
sovrapposte e diviso
ordinatamente dalla figura
di Cristo, Michelangelo
imposta la scena come
un unico schianto,
un'immagine che si
proietta tutta insieme

verso di noi. Nelle lunette
(la prima porzione
dell'affresco portata a
termine) si trovano le
schiere angeliche con
i simboli della Passione;
sotto, l'assemblea dei santi
si apre e la stessa Madonna
sembra ritrarsi impaurita
di fronte all'esplosiva
energia di Cristo. Fra i
santi si riconoscono le

grandiose figure di Pietro
e Paolo, mentre nella pelle
di san Bartolomeo
Michelangelo ha lasciato
un angoscioso autoritratto.
Sotto, gli angeli soffiano
nelle trombe per
richiamare in vita i morti.
Tutt'intorno si scatena
la battaglia tra gli angeli
e diavoli, che si
contendono le anime.

167

Andrea del Sarto

Andrea d'Agnolo, Firenze, 1486 - 1531

Attento erede della grande tradizione
fiorentina del tardo Quattrocento,
Andrea del Sarto ne propone un
aggiornamento garbato e di ampio
respiro, senza spingersi alle audacie
polemiche dei primi manieristi, che
pure saranno suoi allievi. Formatosi
presso Piero di Cosimo, accurato
copista dei cartoni di Leonardo e di
Michelangelo, Andrea apre una bottega
autonoma a Firenze nel 1508: subito
è impegnato in un importante ciclo
di affreschi nel chiostrino dei Voti
della Santissima Annunziata.
Per l'andamento narrativo delle grandi
scene si ispira al decorativismo
di Ghirlandaio, "corretto" da una
più consapevole sensibilità atmosferica.
Dopo un viaggio a Roma, durante
il quale entra in contatto con Raffaello
e con le opere di Michelangelo e
Sansovino, Andrea inizia l'originale
decorazione a monocromo del chiostro
dello Scalzo, testo fondamentale per
lo sviluppo del disegno fiorentino del
primo Cinquecento. La *Madonna delle*

arpie (Firenze, Uffizi), del 1517,
precede un breve soggiorno in Francia,
sulla scia di Leonardo e in anticipo
sul Rosso Fiorentino. Nel corso
degli anni venti il suo stile si fa sempre
più intensamente devozionale,
con importanti ricerche sul colore:
capolavoro di questo periodo è il
Cenacolo di San Salvi, in cui il colloquio
tra Cristo e gli Apostoli si riverbera
sul realistico fondale con tre grandi
finestre aperte sul cielo.

Andrea del Sarto
Ultima Cena

1519
affresco
Firenze, convento di San Salvi.

È l'ultimo grande
"Cenacolo" del
Rinascimento fiorentino.
Il riferimento a Leonardo
si risolve in
una elegantissima
composizione, espressiva
ma non concitata.

Per la sua bellezza, il
Cenacolo di San Salvi venne
risparmiato dalle truppe
spagnole, accampate nei
pressi durante l'assedio di
Firenze.

Andrea del Sarto
Storie del Battista:
Battesimo di Cristo

1507-1513 c.
affresco
Firenze, chiostro dello Scalzo.

La tecnica a monocromo
chiaroscurato esalta

le qualità di Andrea del
Sarto come grandissimo
disegnatore:questi affreschi
verranno a lungo
considerati un eccellente
esempio da imitare e
copiare per la formazione
dei pittori.

Andrea del Sarto
Madonna della scala

1522 c.
tela
Madrid, Museo del Prado.

Esempio dello stile
monumentale del pittore
dopo il 1520, questa tela
è diventata alla fine del
Cinquecento un modello
classico di composizione
e di espressione, tanto
da proporsi come esempio
accademico più volte
imitato nel tempo. Andrea
del Sarto si colloca in una
posizione intermedia tra le
ormai tramontate certezze
umanistiche e le tensioni
della Maniera: le figure
assumono pose eloquenti
ma senza la minima
forzatura anatomica,
mentre la struttura
del gruppo reinventa
con libertà il tradizionale
schema triangolare
delle Sacre Conversazioni
quattrocentesche. La luce
morbida, i colori smorzati
e i contorni leggermente
sfumati mostrano il pieno
aggiornamento del pittore,
nel vivo del dibattito
artistico del rinnovamento
della pittura del primo
Cinquecento.

Domenico Beccafumi

Domenico di Giacomo di Pace,
Montaperti (Siena), 1486 c. - Siena, 1551

Principale protagonista dell'arte
senese della prima metà del
Cinquecento, Beccafumi lavora quasi
ininterrottamente per quarant'anni
nella sua città, trasformando il quieto
declino di una antica capitale in un
laboratorio sperimentale di effetti
di luce, colore ed espressione. Ben
aggiornato sulle ricerche leonardesche
e sugli affreschi di Raffaello
e Michelangelo in Vaticano, Beccafumi
esordisce con il *Trittico della Trinità*
(1513, Siena, Pinacoteca Nazionale),
cui seguono, sempre a Siena, il robusto
San Paolo del Museo dell'Opera
e gli affreschi nell'oratorio di San
Bernardino (1518). Nel 1519 inizia
a fornire cartoni per il pavimento
istoriato del Duomo, attività che
proseguirà per circa trent'anni.
Nel percorso artistico di Beccafumi,
sempre concentrato a Siena, si possono
via via riconoscere influssi diversi,
ma innestati su una ricerca di effetti
magici, visionari di luce radente
e di colori cangianti e composizioni
spettacolari. Al 1536 risale
l'esecuzione delle tavole per il Duomo
di Pisa, cui fanno seguito gli affreschi
nel coro del Duomo di Siena (per il
quale Beccafumi realizza anche otto
angeli in bronzo). Negli ultimi anni
di attività del pittore le pale d'altare
monumentali e ardite si alternano
con composizioni più delicatamente
intime.

Domenico Beccafumi
San Michele scaccia
gli angeli ribelli

1525 c.
tavola
Siena, Pinacoteca Nazionale.

Spettacolare e
magniloquente, si colloca
nella fase di massimo
contatto con Michelangelo
(si osservino in tal senso
le figure dei drammatici
ignudi nella parte bassa).
Come sempre, Beccafumi
reinventa i soggetti sulla
base di una visionaria,
infuocata illuminazione,
i cui effetti risultano
spesso di grande,
innovativa efficacia.

Domenico Beccafumi
Annunciazione

1545 c.
tavola
*Sarteano (Siena), Santi
Martino e Vittorio.*

Nella fase finale della sua
carriera Beccafumi tende
a frenare le soluzioni più
stravaganti per tornare a
soluzioni compositive più
tranquille, silenziosamente
intime. Rimane tuttavia
inconfondibile il
cromatismo ricchissimo,
con una gamma di passaggi
da parti vivacemente
esposte a una luce calda
a zone scure.

Pontormo
Deposizione di Cristo

1525-1529
tavola
Firenze, Santa Felicita,
cappella Capponi.

La più innovativa e
sconvolgente pala d'altare
fiorentina del primo
Cinquecento è un
autentico "manifesto"
del nascente Manierismo.
La struttura
simmetricamente regolare
della pittura umanistica
si frantuma in una
composizione volutamente
ambigua, priva di stabili
punti di riferimento
architettonici o prospettici.
I personaggi, dai gesti e
dai lineamenti fortemente
caricati, sembrano vagare
senza meta in uno spazio
incerto, mentre una luce
fredda e tagliente rende
lividi e irreali i colori.

Pontormo

Jacopo Carucci, Pontorme (Firenze),
1494 - Firenze, 1557

Artista tormentato, irregolare,
insoddisfatto, straordinariamente
geniale e coraggioso ma altrettanto
incline a cadere in crisi angosciose,
Pontormo è il principale protagonista
della svolta della pittura fiorentina
dal pieno Rinascimento al Manierismo.
Dopo un complesso percorso
formativo, concluso presso Andrea
del Sarto, Pontormo esordisce con gli
affreschi nella Santissima Annunziata.
Presto attratto da Michelangelo e dalle
stampe nordiche, Pontormo raggiunge
in breve una grande notorietà e riceve
intorno al 1520 incarichi ufficiali.
Gli affreschi della certosa del
Galluzzo, eseguiti tra il 1523 e il 1525,
e la decorazione della cappella
Capponi in Santa Felicita (1525-1526)
segnano decisamente la ricerca
di effetti espressivi nuovi e di grande
tensione. Dopo l'assedio di Firenze,
nel 1529, Pontormo si chiude sempre
più in se stesso: negli ultimi anni
di vita si occupa di imprese
drammatiche e sfortunate, che
accentuano la malinconia esistenziale
del pittore.

Pontormo
Visitazione

1528-1529 c.
tavola
Carmignano (Firenze),
pieve di San Michele.

Conturbante capolavoro
del primo Manierismo,
presenta una scena
monumentale ma quasi
congelata, sullo sfondo
di una veduta urbana tetra
e bloccata. La suggestione
quasi metafisica è
accentuata dal "raddoppio"
delle due donne,
viste simultaneamente
di faccia e di profilo,
con i colori degli abiti
simmetricamente invertiti.

Alle pagine seguenti
Pontormo
Lunetta con Vertunno
e Pomona

1519-1521
affresco
Poggio a Caiano,
villa medicea.

Il successo giovanile
di Pontormo viene
confermato dalle
commissioni ufficiali
ricevute dalla corte dei
Medici. Questa lunetta,
realizzata sulla base di una
quasi maniacale serie di
bozzetti grafici, allude
alla ricchezza e alla felicità
della stagione delle messi,
ma in modo decisamente
insolito, con i personaggi
distribuiti a vari livelli
davanti a un muro
dal quale spuntano lunghi
ed esili rami frondosi.

173

Rosso Fiorentino

Giovan Battista di Jacopo,
Firenze, 1495 - Fontainebleau (Parigi), 1540

Protagonista della prima e
fondamentale stagione del Manierismo
fiorentino, si forma insieme a
Pontormo presso la bottega di Andrea
del Sarto ed esordisce con loro negli
affreschi del chiostrino dei Voti della
Santissima Annunziata: la travagliata
vicenda dell'*Assunta* (1513-1517),
parzialmente lesionata dall'artista
stesso, segna fin dall'inizio la
controversa, polemica figura del
Rosso: i suoi personaggi hanno spesso
fisionomie bizzarre, perfino diaboliche
("arie crudeli e disperate", secondo
Vasari), che lasciano perplessi i
committenti. La *Deposizione dalla Croce*
di Volterra (1521) è in tal senso
emblematica per la violenta
deformazione delle figure e dei colori,
con un'aggressività sconcertante.
L'evoluzione stilista del pittore
è incalzante: nel giro di pochi anni,
attraverso opere di notevole
importanza, passa dall'influsso
fiorentino (Pontormo e Andrea
del Sarto) a quello romano di
Michelangelo, fino a confrontarsi con
Parmigianino. Dopo il Sacco di Roma
(1527) il pittore compie alcuni viaggi:
nel suo stile si alternano scatti aspri,
demoniaci, e una maggiore dolcezza,
più consona a committenze ufficiali.
Nel 1530 si trasferisce a Parigi: per
il re Francesco I realizza la grandiosa
galleria del castello Reale di
Fontainebleau (1532-1537),
monumento fondamentale per la
diffusione dell'estetica manierista
in Europa.

Rosso Fiorentino
Madonna col Bambino
e quattro santi

1518, tavola
Firenze, Galleria degli Uffizi.

La vena aggressiva
e deformante, spinta quasi
al grottesco, è la
caratteristica più
immediata dei dipinti
del Rosso Fiorentino,
che accentua il dinamismo
espressivo delle
composizioni con un
colore bruciato e illividito.

L'aspetto quasi "infernale"
assunto da alcuni
personaggi ha fatto nascere
ipotesi talora stravaganti
sulla non facile psicologia
del pittore, morto suicida.

Rosso Fiorentino
Deposizione dalla Croce

1521
tavola
Volterra, Pinacoteca.

Senza dubbio uno dei
dipinti più sconvolgenti
del XVI secolo, frutto
di una complessa e forzata
struttura compositiva
e investito di un'intensità
emotiva quasi
insostenibile, con
personaggi pietrificati in
atteggiamenti drammatici
e colori innaturali stesi
in maniera compatta.
Impressionante è il cielo,
un'autentica cappa
di piombo che grava
incombente sulla scena.
Le tre scale che appaiono
appoggiate alla levigata
Croce sono in effetti
un puro espediente
compositivo, essendo
del tutto improbabile sotto
il profilo della statica.

Rosso Fiorentino
Sposalizio della Vergine,
particolare

1523
tavola
Firenze, San Lorenzo.

177

Giorgione

Castelfranco Veneto (Treviso),
1477/78 c. - Venezia, 1510

La scarsità di notizie biografiche
e di documenti ha favorito un alone
di leggenda intorno a questo poetico,
grandissimo maestro, profondo
innovatore della pittura veneta

nonostante la morte in precocissima
età, poco dopo i trent'anni. Le recenti
ricostruzioni critiche hanno consentito
una maggiore chiarezza sull'itinerario
artistico di Giorgione, comunque tutto
racchiuso nel primo decennio
del Cinquecento. Chiave dell'arte
di Giorgione è il rapporto tra pittura
e natura con la resa della luce e
dell'atmosfera. Per raggiungere questo

effetto (perseguito anche da Giovanni
Bellini) Giorgione riduce l'importanza
del disegno di contorno, esaltando
i passaggi cromatici di tono. Questa
soluzione, utilizzata anche in dipinti
sacri (pala d'altare nel Duomo
di Castelfranco Veneto), risulta
particolarmente efficace in opere
di tema contemplativo, poetico
o allegorico, talvolta di non facile

interpretazione come i *Tre filosofi*
di Vienna o la *Tempesta* di Venezia.
Nella decorazione ad affresco
della facciata del Fondaco dei Tedeschi
a Venezia Giorgione chiama al proprio
fianco l'esordiente Tiziano, con il quale
avvia un rapporto di stretto sodalizio
e, insieme, di forte confronto stilistico,
al quale partecipa anche Sebastiano
del Piombo.

Alla pagina accanto
Giorgione
I tre Filosofi

1505 c.
tela
Vienna, Kunsthistorisches Museum.

Il dipinto si colloca al centro del percorso stilistico di Giorgione: i colori sono vivacissimi, ma sapientemente armonizzati all'interno della luce atmosferica. Il senso di sospensione, di ricerca, e l'attenta lettura di alcuni dettagli iconografici hanno fatto pensare che i *Tre Filosofi* (talvolta semplicemente interpretati come allegoria delle cosiddette "tre età dell'uomo", tema molto caro alla cultura artistica veneziana del primo Cinquecento) possano essere astronomi, o anche i re Magi che assistono al comparire della stella.

Giorgione
Ritratto femminile (Laura)

1506
tela applicata su tavola
Vienna, Kunsthistorisches Museum.

Una scritta sul retro consente di datare il dipinto con precisione. Il nome della ragazza (la stessa modella che ricompare nella *Tempesta*) è tratto dalle foglie di alloro che decorano il fondo. Secondo i cronisti dell'epoca Giorgione ha avviato al successo questo genere di immagini, mezze figure di fanciulle: il tema sarà praticato in seguito anche da Tiziano.

Giorgione
Giuditta

1503 c.
tavola
San Pietroburgo, Ermitage.

Come risulta dal confronto con antiche incisioni, la tavola è stata rimpicciolita sui lati. Il tramonto sullo sfondo consente a Giorgione di sperimentare gli effetti prodotti dalla luce radente, una tappa importante per la conquista della tecnica del "tonalismo".

Giorgione
Adorazione dei pastori
(Natività Allendale)

1504 c.
tavola
Washington, National Gallery.

Di questa composizione,
momento culminante del
gruppo di soggetti religiosi

dipinti da Giorgione
durante la sua prima
attività, esiste una replica
leggermente variata nel
Kunsthistorisches Museum
di Vienna. Le figure sono
raccolte in un angolo del
dipinto, per lasciare il
massimo spazio possibile
al paesaggio, che non è più

semplicemente uno
sfondo, ma partecipa in
modo diretto al soggetto,
grazie alla sottile
definizione atmosferica
di ogni particolare.

Alla pagina accanto
Giorgione
Tempesta

1506 c., tela
Venezia, Gallerie
dell'Accademia.

Fra i pochissimi dipinti
di Giorgione documentati
dalle fonti, è inesauribile
oggetto di ricerche sul
soggetto. Le più recenti
teorie vedono nei due
personaggi Adamo ed Eva

scacciati dall'Eden;
al di là delle ipotesi,
il protagonista indiscusso
è il paesaggio. Per la
architettura sullo sfondo
e per i ricchi elementi
vegetali Giorgione rinuncia

senz'altro alla minuta
definizione dei primi
dipinti e trova qui un più
ricco e sfumato impasto
cromatico. Il dettaglio
degli alberi consente
di apprezzare appieno

la pazientissima e fine
tessitura luministica che
dà al dipinto una
straordinaria, inedita
suggestione.

In alto
Giorgione
Adorazione dei Magi

1504 c.
tavola
Londra, National Gallery.

Il formato allungato della tavola suggerisce a Giorgione una netta divisione in due della scena, sottolineata dal muro di mattoni: la Sacra Famiglia, a sinistra, è avvolta da una quieta penombra, mentre il corteo dei Magi, di cui fanno parte paggi dagli sgargianti costumi, è in piena luce.

In basso
Giorgione
Venere dormiente (Venere di Dresda)

1510 c., tela
Dresda, Gemäldegalerie.

Il corpo della ragazza nuda sembra seguire le morbide linee delle colline, distendendosi nel quieto chiarore del paesaggio: l'immagine, lungi da cercare di suggerire la sensualità di Venere, sembra piuttosto un segno dell'atteggiamento contemplativo spesso dimostrato da Giorgione nei confronti della bellezza e della natura.

Giorgione
Sacra conversazione

1505 c.
tavola
Venezia, Gallerie
dell'Accademia

Con l'unica eccezione
della pala d'altare
di Castelfranco Veneto,
Giorgione ha dipinto
soggetti religiosi
esclusivamente
per la devozione o
il collezionismo privato,
come questa piccola
composizione. La pacata
distribuzione delle figure
in uno spazio quietamente
illuminato corrisponde
alla più tipica vena di
intimismo delle opere
del periodo centrale
di Giorgione. Qualche
studioso suppone che
in fase esecutiva sia
intervenuto il giovane
Sebastiano del Piombo.

Giorgione
Tre età dell'uomo
(Concerto)

1510 c.
tela
Firenze, palazzo Pitti,
Galleria Palatina.

Il dipinto è un
caratteristico esempio
delle allegorie
moraleggianti prodotte
da Giorgione e dalla sua
cerchia ed è possibile
che sia stato eseguito a più
mani. Per la sottile trama
della luce e l'atmosfera
di tranquilla pensosità
si può ritenere, almeno
parzialmente, uno degli
ultimi quadri autografi
del maestro di
Castelfranco, compiuto
poco prima di morire di
peste nell'estate del 1510.

Palma il Vecchio

Jacopo Negretti, Serina (Bergamo),
1480 c. - Venezia, 1528

Tipico esponente dell'amabile
corrente artistica dei maestri
provenienti dalla Terraferma veneta,
Palma rappresenta la versione
"moderata" della rapida evoluzione
della pittura nella Serenissima.
Il soprannome "il Vecchio" viene
utilizzato per distinguerlo
dall'omonimo Jacopo Palma
"il Giovane", importante maestro
veneziano della fine del Rinascimento.
Trasferitosi stabilmente a Venezia dal
1510, il pittore di origine bergamasca
individua con precisione due distinti
filoni di produzione: pale d'altare
per le chiese di Venezia e del Veneto
e, sull'altro versante, tele destinate
al mercato con seducenti figure
femminili. Luce diffusa, composizioni
serene, colori chiari e sonori,
un'atmosfera di calmo splendore sono
le caratteristiche ricorrenti della
pittura di Palma il Vecchio. La grande
dolcezza delle mezze figure femminili
e dei dipinti profani (come le *Fanciulle*
al bagno del Kunsthistorisches Museum
di Vienna) si riverbera nei dipinti sacri,
spesso caratterizzati dalla presenza
di amabili figure femminili, come
il *Polittico di santa Barbara* (1522-1524,
Venezia, Santa Maria Formosa)
o l'*Adorazione dei Magi* (Milano,
Pinacoteca di Brera).

Jacopo Palma il Vecchio
Sacra Conversazione

1521
tavola
Vicenza, Santo Stefano.

Le pale d'altare di Palma
il Vecchio incontrano un
notevole successo a Venezia
e nei territori della
Terraferma. Successo
ampiamente giustificato
dalla larga e luminosa
bellezza delle composizioni
e dal fascino delle singole
figure. Pur adottando
i più avanzati suggerimenti
della scuola veneta (come
il ricco colore,
dichiaratamente tizianesco,
il vasto paesaggio e le
splendide evocazioni
luministiche sui mantelli
e l'armatura), Palma
il Vecchio mantiene la
tradizionale impostazione
triangolare della scena.

**Jacopo Palma
il Vecchio**
Assunzione della Vergine

*1512
tavola
Venezia, Gallerie
dell'Accademia.*

L'ordinata e quieta
composizione, bagnata
da una calda luce dorata,
con una gradevole
e armonizzata gamma
di colori, gesti eleganti
ed espressioni frenate,
può essere confrontata
con l'opposta soluzione
adottata pochi anni dopo
da Tiziano (vedi p. 188).
Risulta così evidente la
posizione riflessiva, serena,
intimamente tradizionale
di Palma il Vecchio rispetto
all'avanguardia della scuola
veneta.

Sebastiano del Piombo

Sebastiano Luciani, Venezia,
1485 c. - Roma, 1547

Figura interessantissima di protagonista
dell'arte in due capitali (Venezia
e Roma), Sebastiano dialoga con tutti
i maggiori artisti della prima metà
del Cinquecento (Giorgione, Tiziano,
Raffaello e Michelangelo), ricavandone
uno stile personale di robusta efficacia.
Le sue prime opere cadono intorno al
1510 (ante d'organo ora nelle Gallerie
dell'Accademia; pala d'altare in San
Giovanni Crisostomo) e sono
capolavori della pittura veneziana
nel momento di transizione tra la calda
armonia di Giorgione e l'aggressività
di Tiziano. Proprio il successo
di quest'ultimo induce Sebastiano
a trasferirsi a Roma nel 1511, dove
viene coinvolto a fianco di Raffaello
negli affreschi della Farnesina: inizia
così il suo compito di mediatore tra
il colore veneto e la ricerca espressiva
della scuola romana e in particolare di
Michelangelo, di cui Sebastiano diventa
fidatissimo amico. Intorno al 1516,
con la *Pietà* oggi a Viterbo e con i
dipinti della cappella Borgherini in San
Pietro in Montorio, Sebastiano diventa
l'interprete in pittura dei modi
michelangioleschi, fino a utilizzare
disegni del Buonarroti per la grande
pala della *Resurrezione di Lazzaro* (1519,
Londra, National Gallery), dipinta
in concorrenza con la *Trasfigurazione*
di Raffaello. Alla morte di questi
Sebastiano diventa il più importante
pittore di Roma, ruolo confermato
da molti ritratti ufficiali della corte
di papa Clemente VII. Rimasto a Roma
anche dopo il Sacco (1527), Sebastiano
riceve nel 1531 l'"officio del Piombo",
un remunerativo privilegio
ecclesiastico. Da questo momento
la sua attività pittorica risulta
rallentata.

Sebastiano del Piombo
Ritratto di donna
detta "Dorotea"

1513
tavola
Berlino, Staatliche Museen.

La sensibilissima resa
della luce vespertina che
dal paesaggio al tramonto
risale verso il primo piano,
fino a disperdersi nella
vaporosa pelliccia è
splendido riflesso della
formazione veneziana
del pittore. D'altro canto,
la struttura volumetrica
più ferma e tornita della
giovane donna è già in
rapporto con l'ambiente
figurativo romano, tra
Raffaello e Michelangelo,
i due artisti con cui
Sebastiano si confronta
ripetutamente.

Sebastiano del Piombo
San Ludovico da Tolosa;
San Romualdo

1510, tele
Venezia, Gallerie
dell'Accademia.

Insieme ad altri due
pannelli (con i santi Rocco

e Sebastiano) formavano
le ante d'organo della
chiesa di San Bartolomeo
di Rialto. Si tratta della
più rilevante opera
della giovanile attività del
pittore a Venezia, e la prova
più diretta del contatto con
Giorgione. Come negli
affreschi del maestro sulla

facciata del Fondaco dei
Tedeschi, le eleganti figure
dei santi si dispongono
con calma nell'accogliente
incavo di nicchie dorate,
accarezzate da una luce
morbida e calda. Rispetto
all'aggressiva irruenza
di Tiziano, Sebastiano del
Piombo sembra mantenere

un atteggiamento più
assorto e contemplativo,
come se il pittore fosse
disposto ad assecondare,
e non a mettere in
discussione, la pacata
struttura architettonica.

187

Tiziano Vecellio

Pieve di Cadore (Belluno),
1488/90 - Venezia, 1576

La potenza di Tiziano domina secoli
di storia dell'arte. La lunga vita del
pittore può apparire una continua serie
di successi e di onori: in realtà,
si tratta di un itinerario esemplare
di costante ricerca, di inesauribile
capacità di mettersi alla prova,
di raccogliere nuove sfide, di
gareggiare con la natura e con gli
strumenti dell'arte. Per questo,
seguendo lo sviluppo di Tiziano, si può
ripercorrere quasi un intero secolo
di pittura rinascimentale, dall'apogeo
iniziale di grazia e armonia fino alla
drammatica conclusione delle ultime
opere. Allievo dei Bellini e poi
coinvolto nella bottega di Giorgione,
Tiziano non tarda a conquistare il
primato nella scuola veneziana, grazie
alla formidabile ricchezza dei colori
e al dinamismo delle composizioni,
come ben dimostra l'enorme pala
dell'*Assunta* ai Frari. Dal 1516 è pittore
ufficiale della Serenissima, ruolo che
manterrà fino alla morte, sessant'anni
più tardi. Dal 1518, con i *Baccanali* per
il duca di Ferrara Alfonso d'Este, inizia
l'attività di Tiziano per le corti:
seguiranno lavori per i Gonzaga e, più
tardi, per i della Rovere e i Farnese.
La fama del pittore, legata anche
all'impressionante vivezza dei ritratti,
viene moltiplicata dall'appoggio dei
letterati, fra cui l'influente Pietro
Aretino. Grazie a lui, nel 1530 Tiziano
entra in contatto con l'imperatore
Carlo V, che diventa il suo più
prestigioso committente. Lo stile
del pittore, dall'iniziale riferimento
a Giorgione, si sviluppa sempre più
verso una resa incalzante dell'azione.
Il dinamismo espressivo di Tiziano
conosce una pausa intorno al 1540,
quando il pittore si confronta con
i manieristi. Nasce l'esigenza di
un viaggio di aggiornamento a Roma
(1545-1546), che culmina con
un incontro non privo di polemiche
con Michelangelo. È evidente
l'opposta visione dei due grandi
maestri: Michelangelo pone al centro
dell'arte il disegno e la figura umana,
Tiziano sceglie il colore. Dopo due
viaggi in Germania al seguito di Carlo
V, dal 1551 segue due produzioni
parallele: le ultime, terribili pale
d'altare veneziane (*Martirio di san
Lorenzo*, chiesa dei Gesuiti; *Pietà* oggi
nelle Gallerie dell'Accademia)
e i dipinti mitologici, interpretati
come tragico specchio della condizione
umana. Via via il colore si fa più denso,
grumoso, pesante: nei dipinti estremi,
non è più steso con il pennello
ma direttamente con gli "sfregazzi
delle dita".

Tiziano
Assunta

1516-1518
tavola
Venezia, Santa Maria Gloriosa
dei Frari.

L'enorme pala, collocata
sull'altare maggiore della
gotica basilica francescana
sancisce la piena conquista
della supremazia sull'arte
veneziana da parte di
Tiziano. Al momento
della sua inaugurazione
suscita reazioni
contrastanti: all'entusiasmo
popolare si contrappone
la perplessità dei
committenti per
l'imponenza rude degli
Apostoli, e lo stupore
degli altri pittori veneziani,
non ancora pronti a
recepire la novità del
"fortissimo" orchestrale
dei timbri tizianeschi.
Ben presto, il dipinto
diventa un punto di
riferimento per l'area
veneta: Ludovico Dolce,
il primo biografo di
Tiziano, vi riconosce
"la venustà di Raffaello,
la terribilità di
Michelangelo", ma
soprattutto la verità
del colore.

Alla pagina accanto
Tiziano
Miracolo del neonato

1511
affresco
Padova, Scuola del Santo.

I tre affreschi padovani con
i miracoli di sant'Antonio
sono la prima importante
opera autonoma di Tiziano,
che grazie al successo
di queste animate
composizioni diventa il più
influente pittore veneto.

Tiziano
Madonna in trono e santi
con la famiglia Pesaro
(Pala Pesaro)

1522-1526, tela
Venezia, Santa Maria Gloriosa
dei Frari.

Rispetto alla tradizionale
impostazione la Madonna

è spostata a destra, per
dare avvio a una struttura
compositiva nuova, in cui
tutti i personaggi risultano
coinvolti grazie alla
stringente concatenazione
dei gesti e degli sguardi.
La libertà architettonica
e l'efficacia della soluzione
espressiva fanno della

Pala Pesaro il modello per
secoli di dipinti d'altare
a Venezia, da Veronese
a Sebastiano Ricci.

Tiziano
Martirio di san Lorenzo

1548-1559
tavola trasportata su tela
Venezia, chiesa dei Gesuiti.

Tiziano abbandona ogni
retaggio di tradizione
rinascimentale per una

composizione di esasperato
espressionismo, impostata
su una drammatica ricerca
luministica. Il profondo
notturno viene illuminato
da violente fonti di luce
interne alla scena che
creano una notevole
suggestione.

Tiziano
Danae

1545
tela
Napoli, Museo di
Capodimonte.

Cominciata a Venezia e
terminata a Roma, la tela
è un dono personale
di Tiziano al raffinato
cardinale Alessandro
Farnese, nipote di papa
Paolo III e promotore del
viaggio a Roma del pittore.
Mentre era ancora in fase
di abbozzo, monsignor
Della Casa la descrive così
al cardinale Farnese:
"una nuda che vi faria
venire il diavolo addosso".

Tiziano
Venere di Urbino

1538
tela
Firenze, Galleria degli Uffizi.

Commissionata da
Guidobaldo della Rovere,
signore di Urbino, segna
un'evoluzione decisa
rispetto alla precedente
iconografia. La serena
contemplazione della *Venere*
di Dresda (vedi p. 182)
si trasforma in fremente
sensualità: la dea fissa
con un lampo di seduzione
il riguardante, distesa
su un letto. Il cagnolino
acciambellato e le
fantesche sullo sfondo
riportano l'immagine
a un'immediatezza
quotidiana che rende ancor
più viva e presente
la maliziosa fanciulla.

Tiziano
Ritratto di Vincenzo Mosti

1520 c.
tavola trasportata su tela
Firenze, palazzo Pitti,
Galleria Palatina.

Il personaggio è un
dignitario della corte
estense, ritratto da Tiziano
durante uno dei suoi
numerosi e lunghi
soggiorni ferraresi.
Il trasporto della superficie
pittorica dal supporto
originario alla tela non
ha compromesso il sottile
equilibrio di diversi toni
di grigio su cui si reggono
i raffinati passaggi di luce
e colore che sfiorano
il dipinto.

Tiziano
Ritratto di Pietro Aretino

1545
tela
Firenze, palazzo Pitti,
Galleria Palatina.

Ritratto "privato",
compiuto da Tiziano subito
prima di recarsi a Roma,
prova tangibile della forte
amicizia e dello stretto
sodalizio professionale
con lo scrittore toscano.
D'altra parte, il ritratto
è di una tale novità che
l'Aretino, ricevendolo,
lo giudica "piuttosto
abbozzato che non finito".
Tiziano sta sperimentando
la tecnica che diventerà
tipica dell'ultimo periodo
della sua produzione:
i contorni non sono più
accuratamente definiti
e le larghe pennellate sono
stese in modo
apparentemente veloce,
quasi più per accennare
al soggetto che non per
descriverlo.

Tiziano
Ritratto votivo
della famiglia Vendramin

1543-1547
tela
Londra, National Gallery.

192

Alla pagina precedente
Tiziano
Ritratto di Paolo III
Farnese con i nipoti

1546
tela
Napoli, Museo di
Capodimonte.

Prendendo spunto da un
ritratto di Leone X dipinto
da Raffaello, Tiziano
rappresenta il papa con
i nipoti Alessandro
e Ottavio. L'anziano
pontefice, ossuto
e ingobbito, lancia uno
sguardo di acuta arguzia
a Ottavio, che si sta
producendo in un inchino.
La tecnica rapida,
abbozzata, in qualche
particolare incompiuta,
dà l'impressione
dell'intrigo, dell'atmosfera
soffocante. Il colore
è sempre più ricco,
pastoso, con un
predominante tono
di rosso: secondo
una massima ripetuta
da Tiziano, chi vuole
diventare pittore deve
semplicemente conoscere
tre colori, bianco, rosso
e nero "e averli in man".

Tiziano
Diana e Atteone

1558
tela
Edimburgo, National Gallery
of Scotland.

Fa parte di un ciclo di tele
dedicate al mito di Diana,
destinato a Filippo II.
Nel momento di passaggio
dalla tarda maturità
alle opere della vecchiaia,
Tiziano non ha
abbandonato il gusto
per colori vividi e preziosi
particolari (l'ampolla
al centro del dipinto
è la dimostrazione
delle sue intatte qualità
di riproduzione
virtuosistica degli oggetti),
ma lo arricchisce con
una stesura densa,
movimentata, tremante.

Lorenzo Lotto

Venezia, 1480 c. - Loreto, 1556/57

L'amara vicenda umana di Lotto è stata spesso letta in controluce con il travolgente successo di Tiziano. Partito da una solida formazione veneziana, il pittore raccoglie giovanili successi a Treviso e nelle Marche durante il primo decennio del secolo. Dopo uno stordente soggiorno a Roma, Lotto trova riparo a Bergamo. Qui, tra il 1513 e il 1525, dipinge pale d'altare, memorabili ritratti, cicli di affreschi in cui un umano e partecipe senso della realtà si accompagna con una continua ricerca di novità compositive. Dal 1526 ritorna a Venezia, ma trova poco spazio nelle committenze locali: mantiene così rapporti con le Marche, dove invia opere importanti (Recanati, Jesi, Cingoli). E di nuovo nelle Marche tornerà a risiedere quando, ridotto in povertà, deve lasciare Venezia. Negli ultimi anni la sua pittura si fa trepida e inquieta. Ormai anziano, prende i voti di oblato presso il santuario della Santa Casa di Loreto, dove si spegne in una serenità finalmente raggiunta.

Lorenzo Lotto
Santa Lucia davanti
al giudice

1532
tavola
Jesi (Ancona), Pinacoteca
Comunale.

Alla pagina accanto
Lorenzo Lotto
Polittico di san Domenico

1506-1508
tavola
Recanati (Macerata),
Pinacoteca Comunale.

La cornice non è originale,
ma ha il pregio di
mantenere unitario
l'importante polittico
giovanile di Recanati,
dipinto prima del viaggio
a Roma e già caratterizzato
da un'atmosfera
malinconica di pensosa
meditazione sia nella
silenziosa scena centrale
che nei pannelli laterali,
mentre la *Pietà* nel registro
superiore assume toni di
cupo mistero. Nelle figure
dei santi si possono
riconoscere motivi nordici
come il taglio preciso delle
luci e gli abbigliamenti.

Lorenzo Lotto
Annunciazione

1527 c.
tela
Recanati (Macerata),
Pinacoteca Comunale.

Il contatto con le Marche,
già allacciato in età
giovanile, è una costante
della biografia del Lotto.
Il maestro è già tornato
a Venezia quando esegue
questa irrequieta,
personalissima
interpretazione di un
soggetto mille volte
rappresentato nella storia
della pittura. Un brivido
di terrore scuote la scena,
e si trasmette dall'indifesa,
fragile Madonna al
diabolico gatto che scappa
a schiena inarcata: gli
oggetti disposti con ordine
nella stanza sono
rappresentati con cura,
quasi per rimarcare
il contrasto tra il quieto
scorrere dell'esistenza
e lo sconvolgimento
dell'apparizione
dell'angelo.

Lorenzo Lotto
Ritratto di giovane
con lucerna

1506 c.
tavola
Vienna, Kunsthistorisches
Museum.

La lucerna compare in alto
a destra, seminascosta
dal sontuoso broccato che
fa da sfondo, in contrasto
con la severa veste nera
del giovane. La nervosa
psicologia del personaggio
è sostenuta da una stesura
di eccezionale vigore
e penetrazione.

Lorenzo Lotto
Ritratto di gentildonna
in veste di Lucrezia

1533 c.
tavola
Londra, National Gallery.

Lorenzo Lotto
Ritratto di giovane
con libro

1526 c.
tavola
Milano, Castello Sforzesco,
Civiche Raccolte d'Arte.

Questo piccolo ritratto
è una delle più raffinate
e inquietanti invenzioni
di Lorenzo Lotto.
La stesura pittorica è di
una meticolosa e insistita
perfezione, mentre
lo sguardo in tralice
del personaggio penetra
gli occhi del riguardante.
Il giovane appare così
al tempo stesso
ossessivamente presente
e "inafferrabile come un
pesce veduto in una boccia
di cristallo" (A. Banti).

Lorenzo Lotto
Angelo annunciante

1530 c.
tela
Jesi, Pinacoteca Comunale.

Insieme all'Annunciata,
conservata nello stesso
museo, faceva parte
di un altare smembrato.

Lorenzo Lotto
Pala di san Bernardino

1521
tavola
Bergamo, San Bernardino
in Pignolo.

Lorenzo Lotto
Ritratto di Andrea Odoni

1527 c.
tela
Hampton Court,
Royal Collections.

La figura del collezionista
di antichità si dipana

in modo lento e largo
nello spazio, ingombro
di memorie di un passato
illustre ma frammentario.
La luce smorzata e la
voluta sfocatura dei marmi
conferiscono al ritratto
una nobile patina
di malinconia.

199

Dosso Dossi
Giove pittore di farfalle,
Mercurio e la Virtù

1522-1524 c.
tela
Vienna, Kunsthistorisches
Museum.

Dosso Dossi

*Giovanni di Niccolò Luteri, tra Mantova
e Ferrara, 1490 c. - Ferrara, 1542*

Non si conosce con esattezza la data e
il luogo di nascita del pittore destinato
a diventare il protagonista della scuola
ferrarese del primo Cinquecento, in
perfetto accordo cronologico e ideale
con Ludovico Ariosto, allora poeta
di corte degli Este. Formatosi in
stretto contatto con l'ambiente
giorgionesco, intorno al 1510 Dosso

lavora a Mantova e dal 1514 diventa
pittore di corte a Ferrara e subito
viene coinvolto nelle imprese
decorative di Alfonso d'Este accanto
a Giovanni Bellini e a Tiziano. Grazie a
frequenti viaggi (soprattutto a Venezia
ma anche a Firenze e a Roma) Dosso
si mantiene costantemente aggiornato,
sempre nel vivo dell'evoluzione della
pittura cinquecentesca. Nella lunga
attività estense si alternano pale
d'altare (talvolta in collaborazione con
il Garofalo, come il grandioso *Polittico*

conservato nella Pinacoteca Nazionale
di Ferrara) e notevoli cicli decorativi
profani, con temi letterari o
mitologici. Il principale riferimento
stilistico di Dosso è all'arte veneta,
ma non senza rimandi alla tradizione
espressiva della scuola ferrarese
e a una autonoma, "ariostesca", vena
narrativa. Intorno al 1530 si collocano
gli affreschi della villa Imperiale di
Pesaro e del castello del Buonconsiglio
a Trento, sempre in collaborazione
con il fratello Battista.

Dosso Dossi
Circe

1522-1524 c.
tela
Roma, Galleria Borghese.

L'identificazione della
misteriosa figura con la
maga dell'*Odissea* è dubbia,
ma questo non diminuisce
affatto il fascino magnetico
della rigogliosa immagine,
in cui il prevalente
riferimento ai colori
e alle atmosfere luminose
dell'arte veneta si coniuga
con l'inesausta ricerca
di seduzioni esoteriche
e letterarie della scuola
ferrarese.

201

Correggio

Antonio Allegri,
Correggio (Parma), 1489 c. - 1534

Nel sereno alveo di Parma, svincolato
dalla necessità di un confronto diretto
con altri maestri, Correggio elabora
una personalissima "terza via"
per gli sviluppi del Rinascimento.
All'esplosione del colore veneziano
e al Manierismo tosco-romano
contrappone uno stile fluido,
luminoso, di grande coinvolgimento
grazie alla dolcezza delle espressioni
e allo stupefacente coraggio
prospettico nelle pale d'altare, nei
dipinti profani e nei grandi affreschi.
In questa chiave, Correggio è un
precedente fondamentale per la nascita
della pittura barocca. La sua
formazione avviene a Mantova, negli
ultimi anni di vita del Mantegna e in
quella della prima diffusione di un più
dolce stile raffaellesco (dipinti nella
cappella funeraria del Mantegna
in Sant'Andrea, opere nel convento
del Polirone). Su questo sostrato
Correggio innesta con grande
intelligenza e capacità critica stimoli
leonardeschi e veneziani. Tutti questi
influssi possono essere ravvisati nel
percorso giovanile di Correggio, fino
alla prima grande opera parmense,
la camera della Badessa nel convento
di San Paolo (1519). L'originalità delle
soluzioni iconografiche e pittoriche,
sempre temperata da un gusto
raffinato per le espressioni e i colori,
anticipa il geniale ciclo di San Giovanni
Evangelista, iniziato con la scena
affrescata nella cupola (1520-1521)
e poi proseguito nelle altre parti
della chiesa parmense anche con
l'aiuto di allievi. Durante gli anni venti
si susseguono pale d'altare di
spettacolare concezione, con gesti
concatenati, espressioni sorridenti,
colori suadenti: memorabili sono
l'*Adorazione dei pastori* (1522, Dresda,
Gemäldegalerie) e la *Madonna di san*
Gerolamo (1523, Parma, Galleria
Nazionale). Capolavoro riassuntivo
e supremo è la vasta *Assunzione della*
Vergine realizzata nella cupola del
Duomo di Parma, vorticoso e insieme
morbido prodigio di prospettiva.
Negli ultimi anni di vita Correggio
torna a lavorare per i Gonzaga, con
due tele per lo studiolo di Isabella
(ora al Louvre) e il ciclo degli *Amori*
di Zeus, diviso tra Vienna, Berlino
e la Galleria Borghese di Roma.

Correggio
Madonna di san Giorgio

1530 c.
tavola
Dresda, Gemäldegalerie.

Correggio
Veduta d'insieme della
camera della Badessa

1519 c.
affresco
Parma, monastero
di San Paolo.

Questo straordinario
ambiente, perfetto
esempio di gusto
rinascimentale, è rimasto
segreto per secoli. Veniva
infatti ritenuto
sconveniente che una
monaca ricevesse ospiti
e tenesse conversazioni
letterarie in un salotto
intensamente profano,
dominato dalla figura
di Diana (sul camino) e
trasformato magicamente
in un pergolato grazie agli
affreschi illusionistici della
volta che sviluppano spunti
di Mantegna e di
Leonardo. Meravigliosi
e insieme sottilmente
inquietanti sono
i monocromi che corrono
lungo le parti alte delle
pareti: le lunettte simulano
morbidissime sculture
classiche accarezzate
dalla luce radente e si
appoggiano a finti capitelli
con teste di arieti fra
i quali il pittore ha dipinto
stoffe tese in cui sono
infilati oggetti rituali
con un prodigioso effetto
di *trompe-l'œil*.

203

Correggio
Madonna
di san Gerolamo

1523
tavola
Parma, Galleria Nazionale.

È forse la più celebre fra le
pale d'altare di Correggio.
Opere come questa fanno
comprendere l'importanza
delle intuizioni del pittore,
capace di rinnovare
profondamente la struttura
compositiva e sentimentale
della pala d'altare
rinascimentale, senza
peraltro ricorrere
alle nuove norme del
Manierismo. Partendo
da Leonardo (i lineamenti
della Madonna e,
soprattutto, la luce che
sfuma i contorni)
Correggio ha sviluppato
i sentimenti di dolcezza, di
abbandono, di sorridente
fiducia. La splendida scelta
dei colori, su morbidi toni
dorati, è un'ulteriore
anticipazione della pittura
barocca, di cui Correggio
si conferma sempre più
il vero, sorprendente
precursore.

Alla pagina accanto
Correggio
Ratto di Ganimede
Giove e Io

1531 c.
tela
Vienna, Kunsthistorisches
Museum.

I due dipinti fanno parte
dell'eccezionale ciclo degli
"Amori di Giove",
comprendente anche
la *Danae* della Galleria
Borghese di Roma e la
Leda e il cigno degli
Staatliche Museen di
Berlino. Nel suo
complesso, il ciclo si
colloca ai vertici della
pittura mitologico-sensuale
del Rinascimento, con
passaggi di dolcissimo
abbandono amoroso.
In questo senso, un vero
prodigio è la scena in cui
Giove, trasformatosi in una
nuvola, abbraccia, bacia
e fa cadere in deliquio
la ninfa Io. La soffice nube
divina sembra davvero
poter avvolgere il levigato
corpo della fanciulla,
stringendolo in un
morbido, irresistibile
amplesso. L'eleganza,
il garbo, il sorriso di
Correggio mantengono
sempre queste scene ben
al di qua della soglia di un
grossolano effetto erotico.

Parmigianino

Francesco Mazzola,
Parma, 1503 - Casalmaggiore, 1540

Teso, glaciale, intellettuale, Parmigianino realizza un contrappunto stilistico a Correggio, tanto da fare di Parma, durante gli anni venti e trenta, uno dei più avanzati laboratori dell'arte cinquecentesca. Dotato di un talento precocissimo, Parmigianino si confronta subito con Correggio, proponendo un aggiornato riferimento al nascente Manierismo. A vent'anni dipinge la prima opera importante, il *Bagno di Diana* nella rocca Sanvitale di Fontanellato. Nel 1524 si reca a Roma e s'immerge nel vivo del clima artistico della corte di Clemente VII: nascono in questo contesto alcuni ritratti di nitida, raffinata fermezza e dipinti sacri di forte influsso manierista. Dopo il Sacco di Roma trascorre alcuni anni a Bologna, per ritornare nel 1531 a Parma. Qui esegue gli affreschi nella Madonna della Steccata, ispirati a un raffinatissimo e stilizzato classicismo. Tipica espressione di questi anni è l'innaturale allungamento delle figure, che assumono pose a serpentina: esemplare è in tal senso l'incompiuta *Madonna del collo lungo* degli Uffizi. Negli ultimi anni della sua breve vita Parmigianino si rinchiude in se stesso, appassionandosi ad esperimenti di alchimia.

Parmigianino
Autoritratto in uno specchio convesso

1524 c.
tavola
Vienna, Kunsthistorisches Museum.

Eseguito come vero e proprio *tour-de-force* virtuosistico, simula l'effetto di distorsione del viso, della mano e dell'ambiente riflessi in uno specchio convesso. Parmigianino portò il dipinto a Roma come "biglietto da visita" di abilità.

Parmigianino
Visione di san Gerolamo

1526-1527
tavola
Londra, National Gallery.

Eseguita durante il soggiorno romano, mostra nella forte torsione dei personaggio la particolare interpretazione del Manierismo, inteso dal Parmigianino anche come pungente e ambiguo dialogo con lo spettatore.

Parmigianino
Ritratto di giovane donna
detta l'"Antea"

1524-1527
tela
*Napoli, Museo di
Capodimonte.*

L'estrema raffinatezza
della stesura, portata fino
ad effetti di magico
iperrealismo, fa di
Parmigianino un eccellente
e affascinante ritrattista.
I volti dei suoi personaggi
esprimono spesso un
dubbio, una tensione,
un'emozione trattenuta
che trapela sotto il rigore
e la glaciale immobilità.

Parmigianino
Madonna col Bambino,
angeli e san Girolamo
(Madonna dal collo
lungo)

1534-1535
tavola
Firenze, Galleria degli Uffizi.

Nonostante un lungo e
sofferto lavorìo esecutivo,
il dipinto è rimasto
incompiuto. Si tratta
del capolavoro riassuntivo
della pittura del
Parmigianino e della chiave
per intendere la sua
interpretazione del
Manierismo: le figure,
interpretate con una
sofisticata e flessuosa
eleganza, spingono fino ai
limiti della verosimiglianza
anatomica membra
innaturalmente allungate,
mentre inquietanti
presenze e misteriosi
simboli conferiscono alla
scena un valore esoterico
e riservato.

Gaudenzio Ferrari

*Valduggia (Vercelli) 1475/80 -
Milano, 1546*

Spinto da un travolgente e commosso
spirito popolare, ma al tempo stesso
attentissimo interprete degli stimoli
figurativi più aggiornati, Gaudenzio
è il creatore di un genere particolare
di arte, il Sacro Monte. La fusione

tra paesaggio, architettura, pittura
e scultura fa del complesso impostato
sopra Varallo un'"opera d'arte totale".
Partendo da una cultura artistica
lombardo-piemontese, con una
componente peruginesca, Gaudenzio
entra nella maturità artistica con la
grande parete divisoria di Santa Maria
delle Grazie a Varallo (1513), preludio
per le due cappelle del Sacro Monte

(*Adorazione dei pastori* e *Calvario*), in cui
il maestro è autore sia delle sculture
che degli affreschi circostanti.
Il sentimento corale di un grande
coinvolgimento collettivo si ritrova
anche nelle opere successive, come
gli affreschi e la pala in San Cristoforo
a Vercelli (1529-1534), la cupola
del santuario di Saronno (1534-1536)
e i tardi dipinti eseguiti a Milano.

Gaudenzio Ferrari
Polittico di Novara

*1514-1521, tavole
Novara, San Gaudenzio.*

La monumentale
"macchina" d'altare
comprende molti brani
di calligrafica raffinatezza
e di delicata espressività.

Gaudenzio Ferrari
Crocifissione

1513
affresco
Varallo Sesia (Vercelli),
Santa Maria delle Grazie.

È la scena centrale
della "paretona" divisoria
della chiesa conventuale
che sorge all'inizio
del cammino per il Sacro
Monte di Varallo.
La struttura complessiva
della monumentale
composizione (una
sequenza di riquadri con
episodi della vita e della
passione di Cristo)
appartiene alla tradizione
lombardo-piemontese dei
tramezzi affrescati: in ogni
singola scena, però,
Gaudenzio sperimenta
emozionanti soluzioni
compositive, prospettiche
e luministiche,
preparandosi così
alla travolgente Sacra
Rappresentazione,
popolare e insieme
nobilissima, delle cappelle
sul Sacro Monte.
La *Crocifissione* è un ottimo
esempio della commistione
di elementi tradizionali
(gli elmi, le armature e
i finimenti sono in rilievo)
e di raffinati rimandi
figurativi, da Perugino
a Leonardo. Il tutto è
sostenuto dalla potenza
narrativa e drammatica di
Gaudenzio, che coinvolge
tutti i personaggi in
un'unica, grandiosa ondata
di sentimenti. Secondo
i consigli della "devotio
moderna", Gaudenzio
trasporta nella attualità
gli episodi del Vangelo:
ai piedi della Croce, sulla
destra, sono rappresentati
due personaggi varallesi,
accompagnati da un festoso
cagnolino e dalle
dolcissime donne con
i bambini in braccio:
immagini di amabile
quotidianità, vivacemente
contrapposte ai ceffi
caricaturali dei soldati
che si giocano a dadi
la veste di Cristo.

Pordenone

Giovanni Antonio de' Sacchis,
Pordenone, 1483 c. - Ferrara, 1539

La sua pittura viene sbrigativamente definita "provinciale" per la robusta vena popolare, ricca di soluzioni spettacolari: forse è più opportuno interpretarla come un'alternativa espressiva alle più raffinate ma talvolta più rigide scuole predominanti. Dopo una formazione nel segno della tradizione veneta dell'entroterra (Cima da Conegliano, Bartolomeo Montagna, ma anche Mantegna e Carpaccio), il Pordenone esordisce intorno al 1510 con opere in Friuli: un viaggio a Roma gli fa conoscere le opere di Michelangelo e di Raffaello, mentre la circolazione delle stampe di Dürer gli offre nuovi spunti compositivi. Dopo gli affreschi della cappella Malchiostro del Duomo di Treviso, l'artista affronta di slancio il colossale incarico di affrescare la controfacciata e la navata centrale del Duomo di Cremona (1520-1522): le *Storie della Passione* rivelano un artista dotato di un grandioso *pathos* narrativo, prontamente ribadito nelle portelle d'organo di Spilimbergo. Dopo un primo contatto con Venezia, intorno al 1530 il Pordenone lavora in Emilia, a Cortemaggiore e a Piacenza. Forte dei nuovi stimoli ricevuti da Correggio e da Parmigianino, affronta l'ambiente artistico veneziano, proponendosi, prima dell'improvvisa scomparsa, come un pericoloso antagonista di Tiziano.

Pordenone
Crocifissione

1520-1522
affresco
Cremona, Duomo.

Occupa la facciata interna del Duomo ed è la più impressionante fra le scene della Passione affrescate dal pittore friulano nell'ambito del grande ciclo a più mani che decora l'interno della cattedrale cremonese. Sugli ampi spazi dell'edificio romanico il Pordenone ha agio di dispiegare tutta la sua violenta, drammatica e coinvolgente vena teatrale. La turbinosa composizione, di forte effetto popolare, risulta molto diversa rispetto alla tradizionale impostazione dei Calvari precedenti: un'atmosfera fosca e tempestosa suggerisce saettanti effetti di luce, le tre croci sono disposte in modo asimmetrico e di sbieco, la folla si agita scompostamente, i cavalli bruscamente scorciati hanno un aspetto quasi demoniaco, mentre il perno su cui ruota tutta la composizione è il gigantesco lanzichenecco al centro. Sostituendo il Romanino nell'incarico di affrescare le pareti interne del Duomo di Cremona, il Pordenone dà una forte scossa allo sviluppo della scuola locale.

Pordenone
Madonna in trono e santi

1525 c.
tavola
Susegana (Treviso),
chiesa parrocchiale.

La posizione del
Pordenone di una grande
libertà rispetto alla scuola
veneta è ben espressa
da questa pala d'altare,
in cui la tradizionale
impostazione viene
contraddetta
dall'asimmetrica quinta
architettonica sullo sfondo
e dall'inquieto, efficace
gesticolare di tutte
le figure.

Pordenone
Pala di san Lorenzo
Giustiniani, particolare

1532
tela
Venezia, Gallerie
dell'Accademia.

La più importante fra
le opere dipinte dal
Pordenone a Venezia può
essere considerata come
un'autentica dichiarazione
d'intenti. Il pittore parte
dalla tradizione veneziana
(il gruppo di figure sullo
sfondo di un'abside con
mosaici dorati ricorda le
opere di Giovanni Bellini),
ma le pose muscolose
e i rapporti reciproci fra
le figure appartengono
al lessico del Manierismo,
mentre la tonalità smorzata
e quasi "nebbiosa" della
luce è in aperta polemica
con i colori densi e pieni
di Tiziano.

211

Gerolamo Romanino

Brescia, 1484/87 c. - 1562

Protagonista della stagione del Rinascimento bresciano, il Romanino segue una formazione sul duplice versante della cultura milanese e di quella veneta. L'influsso tizianesco, recepito con grande prontezza, si rivela nella grande pala d'altare di Padova (1513), ribadita nella non meno grandiosa *Sacra Conversazione* della chiesa di San Francesco a Brescia (1517). Dal 1517 al 1519 lavora alla decorazione del Duomo di Cremona, incarico in cui verrà sostituito dal Pordenone. Tra il 1521 e il 1524 esegue il ciclo delle tele della cappella del Santissimo Sacramento per la chiesa di San Giovanni Evangelista a Brescia, improntate a un solido, umano, talvolta persino aspro realismo. Segue una serie di pale d'altare e di affreschi a Brescia e dintorni, sempre sul registro di una diretta ripresa dal vero. Nel 1531 si reca a Trento per affrescare il castello del Buonconsiglio. A questa impresa signorile fa seguito un gruppo di affreschi in Valcamonica (Pisogne, Breno, Bienno), di una forza espressiva che si spinge quasi alla caricatura. Inesauribile creatore di immagini suggestive, Romanino moltiplica la propria attività a Brescia, Verona, Modena e in svariati centri minori, accentuando via via il senso visionario e grandioso delle sue scene.

Gerolamo Romanino
La paga agli operai

1531-1532
affresco
Trento, castello
del Buonconsiglio,
scala del giardino.

La decorazione delle eleganti parti residenziali del castello, autentica reggia rinascimentale voluta dall'ambizioso vescovo Bernardo Cles, rappresenta una singolare sfida per Romanino, che riesce a conferire un ricchezza sontuosa agli ambienti affrescati senza rinunciare al suo tipico, corposo, quasi brutale senso della realtà.

Girolamo Romanino
Pala di santa Giustina

1514, tavola
Padova, Museo Civico.

Splendida pala giovanile,
conservata in tutti i suoi
elementi nella cornice
originaria, segna il precoce
e quasi profetico
interessamento di
Romanino per le prime
opere di Tiziano.
La ricchezza piena e sonora
del colore tizianesco
resterà una costante
per quasi tutta la vita del
pittore, mescolandosi con
la ricerca di una concreta,
anche popolaresca, realtà.

Girolamo Romanino
San Matteo e l'Angelo

1521-1524, tela
Brescia, chiesa di San
Giovanni Evangelista,
cappella del Sacramento.

Il realismo di Romanino
si esalta nei densissimi
notturni, punti fermi nella
ricostruzione critica che
vede nei maestri bresciani
del Cinquecento i più
importanti precursori
di Caravaggio.

Giovan Gerolamo Savoldo

Brescia, 1480/85 - 1548 c.

Il più raffinato tra i pittori bresciani del Cinquecento, attento ricercatore di effetti di luce e di riflessi, è stato giustamente indicato come un diretto precedente di Caravaggio. Anche se Savoldo ha trascorso quasi tutta la sua vita di artista a Venezia, è corretto inserirlo nella scuola bresciana, sia per il rapporto di committenza con la città d'origine, sia per l'indubbio legame con la corrente di realismo e di delicata interpretazione psicologica del Rinascimento di Brescia (Romanino, Moretto) e Bergamo (Lotto e poi Moroni). Poco chiari sono gli esordi del pittore, che comincia a lavorare in Veneto intorno al 1520 (*Pala degli eremiti*, Venezia, Gallerie

dell'Accademia; *Sacra Conversazione*, Treviso, San Nicolò). La sua produzione è multiforme: pale d'altare (grandiosa è quella conservata a Milano, nella Pinacoteca di Brera), ritratti, dipinti di soggetto sacro destinati a privati talvolta replicati in più di una versione, come la fortunata *Maddalena* o il *Riposo durante la fuga in Egitto*. Nel corso degli anni venti la pittura di Savoldo si accende di bagliori di luce, di colori vividi, di effetti inargentati, talvolta riflessi da specchi. Durante il decennio successivo la luminosità tende a smorzarsi, per cercare più delicati passaggi smorzati, di intima e malinconica poesia: esemplari sono i due capolavori conservati nella Pinacoteca Tosio Martinengo di Brescia, il *Ritratto di flautista* e la migliore versione dell'*Adorazione dei pastori*.

Giovan Gerolamo Savoldo
Tobiolo e l'angelo

1527 c.
tela
Roma, Galleria Borghese.

Durante il primo decennio di attività veneziana, Savoldo acquisisce con personale, altissima sensibilità il luminismo di Tiziano, tradotto in scintillanti vibrazioni. Tuttavia, non perde mai il "lombardo" senso della realtà che caratterizza tutte le sue opere.

Giovan Gerolamo Savoldo
Adorazione dei pastori

1540 c., tavola
Brescia, Pinacoteca Tosio-Martinengo.

Esemplare opera matura, replicata da Savoldo in più di una versione. La redazione bresciana resta la più concentrata e convinta, per il poetico sentimento popolare, svolto attraverso gesti semplici e diretti, espressioni cariche di umanità, luci tenui, dettagli di impressionante realismo. Il particolare della finestrella sullo sfondo, da cui si affaccia un pastore barbuto mentre un altro chiede di poter a sua volta guardare, chiarisce in modo convincente il ruolo di "precedente" di Caravaggio che Savoldo, forse più di tutti gli altri maestri cinquecenteschi, ha avuto.

Paolo Veronese

*Paolo Caliari, Verona, 1528 -
Venezia, 1588*

Alla luminosa, iridescente tavolozza
di Paolo Veronese Venezia affida la più
felice immagine della sua gloria.
Nella fase centrale della sua attività,
il pittore sa trasformare in una solare
e festosa allegria qualunque soggetto:
temi letterari, astruse allegorie, pale
d'altare, le predilette "Cene" della
Bibbia sembrano volta per volta il
pretesto per mettere in scena la gioia
di vivere e di dipingere. Completato
l'iter formativo nella città natale,
Paolo partecipa in gioventù a lavori
collettivi, con un crescendo che lo
porta nel 1553 a lavorare nel palazzo
Ducale di Venezia (sala del Consiglio
dei Dieci). Da questo momento il
Veronese diventa uno dei principali
pittori "pubblici" di Venezia: la sua
pittura chiara e grandiosa, impostata
su classiche simmetrie e colori
squillanti, gli assicura committenze
prestigiose: tre tondi per il soffitto
della Libreria Marciana (1556),
la decorazione della chiesa di San
Sebastiano (condotta a più riprese
tra il 1556 e il 1567), l'affollata *Cena
in Emmaus* oggi al Louvre (1562).
Fra queste opere si colloca l'incontro
con Andrea Palladio, con il capolavoro
della villa Barbaro a Maser. Le sale
principali dell'edificio, limpida
opera dell'architetto vicentino,
sono decorate dai solari affreschi
del Veronese, che inneggia alla
bellezza, alla gioventù, all'abbondanza
dei raccolti. Segue, negli anni
sessanta, una serie di sfavillanti dipinti
per le chiese di Venezia. Le perplessità
sollevate dall'Inquisizione sul *Convito in
casa di Levi* (1573, Venezia, Gallerie
dell'Accademia) impongono un freno
all'esuberanza di Veronese. La sua
pittura sacra si fa via via più riflessiva,
fino a effetti intimisti nell'ultima età.
Al contrario, si moltiplicano gli
impegni statali, legati soprattutto
alla ricostruzione e alla ridecorazione
di palazzo Ducale.

Veronese
Trionfo di Venezia,
particolare

*1583
tela
Venezia, palazzo Ducale,
sala del Maggior Consiglio.*

Incastonata nel soffitto
della grande sala di
riunione del patriziato
veneziano, allude in modo
sontuoso ma non
particolarmente festoso
alla gloria della

Serenissima. Benché
spalleggiato da
collaboratori, Veronese
esprime per l'ennesima
volta la sua attitudine a
comporre scene di
tripudio. D'altro canto,
sembra di avvertire che la
situazione sta cambiando:
dopo la guerra di Cipro
con i Turchi e la peste del
1576 l'economia veneziana
è a terra, e dal punto
di vista storico non rimane
più molto da celebrare.

Alla pagina accanto
Veronese
Marte e Venere
incatenati da Amore

*1580 c., tela
New York, Metropolitan
Museum.*

È probabile che questa
deliziosa tela sia stata
dipinta da Veronese per la
celebre collezione di opere
d'arte e di curiosità
naturalistiche formata
dall'imperatore Rodolfo
II d'Asburgo a Praga.
Anche il tipo di
esecuzione, con ricche
campiture di colore, corpi
atletici e pelli eburnee,
ricorda da vicino il gusto
rudolfino, particolarmente
amante di questo tipo
di soggetti erotico-
moralistici.

Veronese
Decorazione delle sale
del piano nobile,
particolari

1560 c., affreschi
Maser (Treviso), villa Barbaro,
sala dell'Olimpo.

Il ciclo di affreschi eseguito
da Veronese nella villa
costruita dal Palladio per
i fratelli Marcantonio e
Daniele Barbaro è uno
dei momenti culminanti
della produzione di Caliari
e dell'intera pittura
rinascimentale.
La luminosa struttura
architettonica di Palladio
consente a Veronese
di lavorare in spazi ampi
e in ambienti disposti
secondo una logica
articolazione. I temi degli
affreschi seguono un
complesso programma
iconografico (molto
probabilmente dettato
dai fratelli Barbaro,
intellettuali impegnati),
ma Veronese ha saputo
trasformare ogni allegoria,
anche la più astrusa, in
figure tangibili, credibili,
gioiose. Nel complesso,
si può definire l'insieme
degli affreschi un trionfo
dei lavori agricoli: ma
questo soggetto (abilmente
giocato anche con l'aiuto
del paesaggio reale, che
appare dalle grandi
finestre) è un puro
pretesto per Veronese.
Infiniti scherzi ottici
e gustosi *trompe-l'œil* si
mescolano alla presenza
di grandiose figure
maschili e femminili, quasi
sempre immagini di una
florida, piena, appagante
bellezza. La trasparenza
dei colori e il nitore della
luce di Veronese trovano
qui un apice altissimo,
che verrà assiduamente
ricercato dai maestri
del Settecento veneto,
in particolar modo
da Ricci e da Tiepolo.

Veronese
Bimbetta che si affaccia

1560 c.
affresco
Maser (Treviso), villa Barbaro.

È forse il particolare più
famoso dell'intero ciclo:
la bambina sorridente
schiude una finta porta,
ricavata sulla crociera
centrale della villa.

Veronese
La Musica

1556-1557
tela
Venezia, Libreria Marciana.

Anche questa
composizione si trova su
un soffitto, il che implica
una particolare percezione

prospettica. In gara con
altri sei pittori coetanei,
Veronese vince il
confronto, e si merita un
premio da parte di Tiziano,
che gli conferisce una
medaglia d'oro. Fra le tre
tele eseguite per il soffitto
della Libreria sansoviniana,
La Musica è la più celebre,

per l'eccellente equilibrio
compositivo e per
la ricchezza profonda
del colore, accostabile
a quello usato trenta
o quarant'anni prima
da Tiziano giovane.

Veronese
Ratto di Europa

1580 c.
tela
Venezia, palazzo Ducale,
sala dell'Anticollegio.

Questa composizione
ha goduto nel tempo
di una vasta celebrità:
l'elegantissima figura di
Europa, seduta sul bianco
toro, e l'aura di malinconia
che sfiora i pur
meravigliosi colori saranno
una fonte preziosa di
ispirazione per Tiepolo.

Veronese
Sogno di sant'Elena

1570 c., tela
Londra, National Gallery.

Solo raramente Veronese
ha l'occasione di
concentrarsi su un'unica
figura. In questo caso,
la visione della Croce da
parte di sant'Elena avviene
accanto al davanzale di una
finestra. La stesura
del colore, a fini velature
sovrapposte, ne fa una
delle opere più delicate
e commoventi.

219

Veronese
I santi Antonio, Cornelio
e Cipriano

1567 c.
tela
Milano, Pinacoteca di Brera.

Pur adottando uno schema
tradizionale, Veronese
conferisce a quest'opera

una vibrante animazione
grazie a una sottile
definizione della luce,
che appare come riscaldata
nell'interno foderato
di marmi pregiati e di ori
scintillanti.

Veronese
Il Tempo e la Fama

1551
affresco staccato
Castelfranco Veneto, Duomo.

È il frammento di maggiori
dimensioni fra quanto resta
della villa Soranzo,
decorata da Veronese e
Zelotti nel 1551, demolita
dopo il parziale distacco
nel 1818. All'esordio
nel campo degli affreschi
ornamentali con temi

allegorici, Paolo mostra
subito una freschissima
fantasia compositiva e un
gusto spiccato per i
virtuosismi prospettici.
La luce limpidissima
e la soda realtà delle figure
celano in realtà
un'ispirazione culturale
rivolta a prototipi
di Michelangelo
e di Raffaello.

Veronese
Giunone versa i suoi doni
su Venezia

1553-1554
tela
Venezia, palazzo Ducale,
sala del Consiglio dei Dieci.

All'inizio della lunga
attività per palazzo Ducale,
il giovane Caliari viene
chiamato a venticinque
anni a decorare i soffitti di
alcune sale destinate al
Consiglio dei Dieci.

Veronese
Aracne o la Dialettica

1575-1577
tela
Venezia, palazzo Ducale,
sala del Collegio.

Veronese
Venere e Adone

1580 c.
tela
Madrid, Museo del Prado.

Tintoretto

Jacopo Robusti, Venezia, 1519 - 1594

Il ruolo giocato da Tintoretto nell'ultimo Rinascimento veneziano è determinante e controverso. Se all'artista va riconosciuta una geniale capacità di innovare schemi compositivi, impianti prospettici, soluzioni luministiche, d'altro canto va attribuito l'avvio di formule figurative che, riprese da artisti modesti, diventeranno monotone e vincolanti. Ma non è colpa di

Tintoretto se, alla sua morte, la scuola veneziana si ritrova come d'improvviso esaurita. Lo spettacolare *Miracolo di san Marco* (1548, Venezia, Gallerie dell'Accademia) segna l'irrompere di Tintoretto sulla scena artistica veneziana, che trova in lui un'alternativa a Tiziano. Tintoretto, pur salvaguardando tutto il gusto per il colore e la luce della tradizione veneta, introduce gesti grandiosi, corpi muscolosi e spericolati tagli prospettici di tipo manierista. Durante gli anni cinquanta Tintoretto dipinge scene

mitologiche e religiose con grande scioltezza di pennellata, riprendendo talvolta i suggerimenti di Veronese (*Susanna e i vecchioni*, Vienna, Kunsthistorisches Museum) o pose bruscamente contorte. Per nulla intimorito davanti a imprese di proporzioni colossali, avvia nel 1564 la decorazione della Scuola di San Rocco, il lavoro che a più riprese caratterizzerà la sua evoluzione. Dalle scene magniloquenti e affollate si passa a composizioni di intensa ricerca espressiva, fino alle tarde,

sorprendenti, visionarie immagini della sala a piano terra. A capo di una efficiente bottega, Tintoretto realizza decine di pale d'altare per diverse chiese veneziane; dal 1575 è protagonista dei lavori di ridecorazione di palazzo Ducale, culminati nella sterminata tela del *Paradiso* nella sala del Maggior Consiglio. Dopo la morte di Tiziano e di Veronese, l'ormai anziano Tintoretto avvolge di mistero e di magia le opere estreme, come l'*Ultima Cena* di San Giorgio Maggiore.

Tintoretto
Miracolo dello schiavo

1548
tela
Venezia, Gallerie dell'Accademia.

Salutata con grande entusiasmo da Pietro

Aretino e da altri intellettuali, la grande tela era destinata alla decorazione della prestigiosa Scuola di San Marco. Con essa il trentenne Tintoretto si afferma come l'artista di punta della nuova

generazione, e le sue proposte accendono appassionati dibattiti: il senso grandioso e drammatico della scena, il movimento delle masse di personaggi, l'ambiguità tra dettagli di immediato naturalismo e l'atmosfera

irreale del miracolo suscitano alcune critiche. Tintoretto se ne risente, al punto da ritirare la tela e da restituirla solo dopo calde preghiere da parte dei detrattori. Pur sempre fedele al duplice riferimento di

Michelangelo e Tiziano, Tintoretto ha ormai individuato una sua propria, inconfondibile, linea espressiva.

Tintoretto
Cristo davanti a Pilato

1565-1567
tela
Venezia, Scuola di San Rocco,
sala dell'Albergo.

Grazie a uno stratagemma,
Tintoretto riesce a battere
la concorrenza e ad
aggiudicarsi la decorazione
della sala dell'Albergo:
inizia così la lunga attività
del pittore per la Scuola
di San Rocco, prolungatasi
per un arco di ventitre
anni. Le pareti della sala
sono rivestite di grandi
tele con scene della
Passione: l'impaginazione
delle scene segue uno
schema libero e personale,
in cui la sincera, commossa
devozione si combina
con il desiderio di
sperimentare novità
e capacità.

Tintoretto
Ritrovamento del corpo
di san Marco

1562-1566
tela
Milano, Pinacoteca di Brera.

Per incarico del Guardian
Grande, Tommaso
Rangone, Tintoretto torna
a dipingere per la Scuola di
San Marco, dove nel 1548
aveva eseguito il *Miracolo
dello schiavo*. Il nuovo ciclo
comprende tre grandi tele
(la prima e la terza sono il
*Trafugamento del corpo di san
Marco* e il *Miracolo del
saraceno*, alle Gallerie
dell'Accademia di Venezia),
e segna un momento di
notevole intensità. Il gusto
per impostazioni
prospettiche inusitate e la
disinvoltura con cui gruppi
di personaggi si
dispongono nello spazio si
spiegano con un "segreto"
del pittore: Tintoretto
costruiva teatrini di legno
con cui studiava e simulava
la scena del dipinto, e vi
inseriva pupazzetti di cera
e di stoffa, illuminandoli
in modo bizzarro. Al
centro della tela compare
il ritratto del committente
inginocchiato accanto al
corpo di san Marco, il cui
fantasma gigianteggia sulla
sinistra.

Tintoretto
Crocifissione

1565-1567
tela
Venezia, Scuola di San Rocco,
sala dell'Albergo.

L'immensa *Crocifissione*
dimostra la straordinaria
capacità di Tintoretto
nell'affrontare imprese
di proporzioni grandiose.
Considerata nel passato
un'autentica palestra per
i giovani pittori, è servita
da esempio per la coerenza
dell'insieme e per
la infinita varietà dei
particolari descrittivi.

Tintoretto
Filosofo

1570
tela
Venezia, Libreria Marciana.

Fa parte di una serie
di dodici immagini
di pensatori, di cui cinque
di mano di Tintoretto,
disposte lungo le pareti
della sala di lettura della

Libreria sansoviniana.
Per una volta, non si tratta
dunque di una scena
narrativa e affollata
di personaggi.
Tintoretto, in queste
espressive tele, dimostra
con efficacia
la propria capacità
di concentrare le torsioni
virtuosistiche e gli effetti
di luce su una sola figura.

Alla pagina precedente
Tintoretto
Santa Maria Egiziaca

1583-1588
tela
Venezia, Scuola di San Rocco,
sala terrena.

Gli ultimi lavori del
Tintoretto nella Scuola
di San Rocco sono le otto
grandi tele del salone al
pianterreno. La sensibilità
del pittore verso un tipo
di devozione semplice e
popolare, con toni dimessi
e mistici insieme,
raggiunge in questa serie
di opere accenti di grande
poesia. L'impegno del
pittore è grande, al punto
che il maestro affida in
larga parte agli allievi
i pur prestigiosi dipinti
da eseguire per palazzo
Ducale. Specie nelle scene
ambientate nel paesaggio,
Tintoretto trova un tono
lirico molto raro nella
sua produzione, e più in
generale nell'arte della
seconda metà del
Cinquecento. Gli elementi
naturali, alberi, acqua,
animali, accarezzati da una
luce radente ma vibrante,
sembrano assumere
un'intensità interiore,
quasi un'"anima propria".
In questo senso, la *Santa
Maria Egiziaca* è stata
spesso considerata un
prototipo per i successivi
sviluppi della pittura
seicentesca.

Alla pagina seguente
Tintoretto
Adorazione dei pastori

1577-1578
tela
Venezia, Scuola di San Rocco,
sala superiore.

Ampliando notevolmente
un più modesto
programma iniziale,
Tintoretto affronta
con grande slancio
e con un forte impegno
di invenzione di immagini
la decorazione del salone
principale della Scuola.
Le scene bibliche del
soffitto hanno come tema
conduttore le
prefigurazioni del Vecchio
Testamento del sacrificio
eucaristico: nate per essere
viste dal basso verso l'alto,
esaltano l'estro di
Tintoretto nella ricerca
di effetti prospettici di
singolare efficacia. Le tele
lungo le pareti,
tematicamente legate a
quelle della volta ma con
scene del Nuovo
Testamento, propongono
a Tintoretto un non facile
problema: la disagiata
collocazione fra le finestre
e la scarsa illuminazione.
Il pittore riesce però
a sfruttare questi limiti
espositivi, moltiplicando i
giochi di luce e le soluzioni
suggestive.

Tintoretto
Ultima Cena

1592-1594
tela
Venezia, San Giorgio
Maggiore.

Le ultime opere del
Tintoretto decorano la
parte absidale della grande
chiesa di San Giorgio,
da poco ricostruita
su progetto di Palladio.
L'articolazione compositiva
mediante gruppi
contrapposti di figure trova

nella *Deposizione*
un'ennesima, sofferta
conferma; l'*Ultima Cena*
segna l'estremo sviluppo
della ricerca luministica
del Tintoretto, sviluppata
in questo caso intorno
a due distinte sorgenti di
luce. L'ambigua relazione
tra realtà e miracolo tocca
un momento di intensa
poesia e di profondo
misticismo, specie nelle
evanescenti figure di angeli
che aleggiano nel buio
del Cenacolo.

Jacopo Bassano

Jacopo da Ponte,
Bassano (Vicenza), 1510/15 - 1592

Potente voce "provinciale" del tardo
Rinascimento veneto, Jacopo fa parte
di una numerosa famiglia di pittori
bassanesi. Ancorché svolta in massima
parte per centri medio-piccoli della
fascia pedemontana, la sua carriera
rivela un costante aggiornamento
sugli sviluppi più avanzati dell'arte
e una capacità di elaborare soluzioni
compositive di grande forza espressiva.
Formatosi nella bottega paterna,
Jacopo si stacca decisamente dalla
locale tradizione popolaresca e
devozionale studiando con attenzione
le stampe di Raffaello e gli sviluppi
del Manierismo. Nel corso degli anni
quaranta la sua pittura è sperimentale,
con forzature anatomiche e posture
innaturali: un passaggio indispensabile
per acquisire uno stile del tutto
personale, capace di assimilare le
novità e di tradurle in espressioni di
grande forza comunicativa. Il realismo
popolare di Jacopo Bassano, sostenuto
da un'eccezionale luminosità
e caratterizzato dal realismo di
personaggi e dettagli descrittivi,
si esprime in forme sempre più
grandiose e coinvolgenti attraverso
una serie di pale d'altare (a Bassano,
Treviso, Padova, Belluno) dagli anni
cinquanta fino alle ultime opere,
dipinte con il crescente aiuto
dei quattro figli pittori.

Jacopo Bassano
San Valentino battezza
santa Lucilla

1575 c.
tela
Bassano del Grappa,
Museo Civico.

Una prodigiosa evocazione
della luce fa frusciare serici
riflessi e bagliori
d'oreficerie: questo
capolavoro della tarda
maturità del pittore
chiarisce in modo
esauriente la grande carica
innovativa, tra realismo
popolare e magia d'effetti,
che Jacopo Bassano riesce
a produrre pur vivendo
lontano dai maggiori centri
dell'arte.

Jacopo Bassano
Il Paradiso terrestre

1570-1575 c.
tela
Roma, Galleria Doria
Pamphilj.

Anche se volutamente
"confinato" nella cittadina
natale, Jacopo Bassano
ha raggiunto rapidamente
una vasta fama presso
i collezionisti, grazie
ai dipinti in cui ha potuto
riversare tutto il suo
genuino amore per la
natura, per gli animali,
le luci e i colori
della campagna.

Jacopo Bassano
Sacrificio di Noè

1574 c.
tela
Potsdam, Staatliche Schlösser
und Gärten Potsdam-
Sanssouci.

Tipica opera della
produzione matura, prende
spunto dall'episodio
biblico di Noè appena
uscito dall'arca per
raffigurare ancora una
volta un gran numero
di animali. Questo genere
di composizioni, in cui il
tema è evidentemente solo
un pretesto per una scena
di campagna e di natura,
ha un eccezionale successo
sul mercato artistico e
viene più volte ripetuto
da Jacopo Bassano e dai
suoi figli.

Giovan Battista Moroni

Albino (Bergamo), 1520/24 - Albino, 1578

Moroni è uno dei più grandi e schivi ritrattisti del Cinquecento: la critica recente ha posto in evidenza l'abbondante produzione di dipinti sacri e pale d'altare, corrette interpretazione dei suggerimenti dei pittori bresciani del Rinascimento: tuttavia, l'emozionante forza espressiva dei ritratti è tale da fare di Moroni uno "specialista". Dopo l'apprendistato a Brescia presso il Moretto, Giovan Battista Moroni trascorre quasi tutta la carriera nella zona di Bergamo, diventando l'erede della tradizione lottesca. Fanno parziale eccezione due soggiorni a Trento (1548 e 1551), durante lo svolgimento del Concilio: in queste occasioni Moroni dipinge varie opere (fra cui la *Pala dei Dottori della Chiesa* per la chiesa di Santa Maria Maggiore) ed entra in contatto con la famiglia Madruzzo e con Tiziano. Dagli anni cinquanta Moroni diventa, di fatto, l'alternativa a Tiziano per i ritratti: sfilano davanti al suo pennello nobili e gentildonne di provincia, personaggi carichi di umanità e di concretezza, lontani da ogni eroismo e calati nella quotidianità. Più rari sono i lavori religiosi fra cui si segnala l'*Ultima Cena* nella parrocchiale di Romano di Lombardia.

**Giovan Battista
Moroni**
Il cavaliere in rosa
(Gian Gerolamo Grumelli)

1560
tela
*Bergamo, Collezione
conti Moroni.*

Splendida opera della maturità, riassume efficacemente i caratteri di Moroni come ritrattista: l'intensa "verità" nel volto del personaggio si accompagna a un contesto di ambiente e di abbigliamento denso di rimandi simbolici. Il senso della luce e del colore si collega efficacemente con la tradizione bergamasca di Lorenzo Lotto e soprattutto con i maestri bresciani.

Giuseppe Arcimboldi

L'Arcimboldo, Milano, 1527 - 1593

Gli esordi "normali" a metà Cinquecento, con la giovanile produzione di cartoni per le vetrate del Duomo di Milano, di arazzi per quello di Como e di affreschi per quello di Monza, non lasciano presagire l'originalissima evoluzione dell'artista. Chiamato nel 1562 presso la corte imperiale di Praga, l'Arcimboldo scatena quasi all'improvviso una fantasia deformante e inedita, componendo ritratti e allegorie attraverso la sovrapposizione di vari oggetti. La maniera dell'Arcimboldo, ripetutamente imitata nel corso dei secoli fino a rendere talvolta difficile l'esatta attribuzione, è stata talvolta interpretata come un'antenata del surrealismo del nostro secolo: più pertinentemente, va considerata nel tramonto del Rinascimento, quando si sviluppa una nuova attenzione (di collezionismo e di studio scientifico) verso la natura. Vero "responsabile dell'immagine" della corte praghese, il pittore milanese progetta costumi, apparati scenografici e decorazioni: l'imperatore Rodolfo II lo incarica della ricerca e dell'acquisto di opere d'arte e di curiosità naturalistiche, oltre a commissionargli ripetuti saggi di pittura. Nel 1587 l'Arcimboldo ritorna a Milano, pur senza perdere i contatti con l'imperatore, al quale invia, quasi al termine della vita, l'inconsueto ritratto nelle vesti del dio greco Vertumno.

Giuseppe Arcimboldi
L'Inverno

1563
tela
Vienna, Kunsthistorisches Museum.

Il dipinto fa parte di un ciclo dedicato alle quattro stagioni, ciascuna delle quali rappresentata simbolicamente dalla giustapposizione compiaciuta ed evocativa di frutti e oggetti tipici di quella parte dell'anno. Il soggetto è particolarmente congeniale per il pittore, che di frequente affronta gruppi di dipinti a tema, come appunto le stagioni oppure i quattro elementi (Terra, Aria, Acqua e Fuoco).

Giuseppe Arcimboldi
Vertumno

1591
tela
Stoccolma (dintorni),
Skoklosters Slott.

Inconfondibile capolavoro
della fantasia e del
virtuosismo del pittore
milanese, il mitico
Vertumno, dio delle messi
e dell'abbondanza,
è in realtà uno stravagante
ritratto dell'imperatore
Rodolfo II d'Asburgo.
Nella cosmopolita corte di
Praga l'imperatore ha dato
vita, alla fine del XVI
secolo, a una stagione
irripetibile di arte
internazionale: Arcimboldi
si inserisce nel più raffinato
ed esclusivo ambiente del
tardo Manierismo europeo
con una nota che può
apparire dissacrante, ma
che invece manifesta tutta
la tensione per il nuovo
e per la ricerca di
un'espressività che esce
dalle regole consuete per
provocare insolite reazioni
ed emozioni. I dipinti e gli
oggetti della *Wunderkammer*
(la "camera delle
meraviglie") di Rodolfo
d'Asburgo sono stati
purtroppo dispersi durante
il saccheggio di Praga da
parte dell'esercito svedese
nel corso della Guerra
dei Trent'anni.

233

Francesco Salviati

Francesco de' Rossi, Firenze, 1509 c. - Roma, 1563

Il soprannome è un omaggio al cardinale Giovanni Salviati, il primo committente romano del maestro. Formatosi a Firenze ma quasi sempre attivo a Roma, Francesco Salviati è il campione della "seconda generazione" del Manierismo, quando lo stile, persa la forza eversiva dei primi interpreti (come Pontormo, Rosso Fiorentino, Parmigianino), diventa la corrente "ufficiale" della pittura in Italia centrale. Salviati porta la grande decorazione manierista a livelli di suprema eleganza, con una cura meticolosa nelle citazioni classiche, nei fregi di contorno, nell'anatomia ispirata a Michelangelo. La luce fredda e nitida esalta il disegno di contorno, evitando accuratamente naturalistici effetti di luce: ne consegue un risultato di sofisticata astrazione e di virtuosismo. Il Salviati partecipa a tutti i "laboratori" della decorazione manierista a Roma, come gli oratori del Gonfalone e di San Giovanni Decollato, il convento di San Salvatore al Lauro e palazzo Sacchetti. Di notevole importanza per la diffusione del Manierismo sono inoltre i viaggi a Venezia (1539-1541) e in Francia (1555-1557), oltre al lungo soggiorno fiorentino (1543-1549), durante il quale il pittore ottiene varie onorificenze e affresca fra l'altro la sala dell'Udienza di palazzo Vecchio.

Francesco Salviati
Visitazione

1538
affresco
Roma, oratorio
di San Giovanni Decollato.

Opera quintessenziale della "seconda generazione" del Manierismo, chiarisce efficacemente il ruolo assunto dal Salviati nello sviluppo dello stile a Roma. L'oratorio, alla cui decorazione partecipano in tempi diversi anche altri importanti artisti del secondo quarto del Cinquecento, può essere visto come un vasto repertorio di motivi, sia per quanto riguarda gli sfondi architettonici sia (soprattutto) per gli atteggiamenti delle singole figure. Il Salviati recupera temi e personaggi dell'antichità, cita sapientemente Raffaello, specie per le opere più avanzate, dalla Stanza dell'Incendio di Borgo in poi, esibisce un disegno di impeccabile perfezione, suggerisce nuovi spazi con la presenza dei due personaggi che sbucano in scena. nel complesso, comunque, rpevale l'impressione di un grande controllo intellettuale dell'immagine e dei risultati, con un vago senso di irrealtà legato in special modo alla freddezza dei colori.

Bronzino
Ritratto di Eleonora
di Toledo

Firenze, Galleria degli Uffizi.

L'aristocratica, ferma,
calligrafica stesura dei
contorni e dettagli fissa in
maniera inconfondibile
i ritratti di Bronzino, che
assumono un aspetto quasi
metafisico da stemma
araldico di se stessi.
Il senso di questa immota
e atemporale finezza è
particolarmente ravvisabile
nei ritratti della famiglia
granducale. Una
ricognizione nella tomba
di Eleonora, moglie
di Francesco I de' Medici,
ha permesso di ritrovare
frammenti del medesimo
vestito indossato nel
ritratto.

Bronzino

*Agnolo di Cosimo di Mariano Tori,
Firenze, 1503 - 1572*

Supremo interprete della congelata,
rigorosa etichetta della corte
granducale di Firenze, Bronzino
attraversa e caratterizza la storia
del Manierismo, accompagnandone
gli sviluppi dall'iniziale ribellione
rispetto agli schemi della pittura
quattrocentesca fino alla sua
affermazione come "pittura di regime"
e, infine, come enigmatico stile di una
ristretta aristocrazia culturale.
Allievo e a lungo collaboratore stretto

del Pontormo, il Bronzino partecipa
insieme al maestro a importanti
imprese fiorentine durante gli anni
venti (affreschi nella certosa del
Galluzzo, decorazione della cappella
Capponi in Santa Felicita). Chiamato
nel 1530 alla corte marchigiana del
Della Rovere, Bronzino comincia a
dipingere ritratti, un genere nel quale
non tarderà ad eccellere e che
lo porterà a elaborare uno stile
personale, distinto da quello di
Pontormo. Infatti, all'attenzione quasi
maniacale per un accurato disegno del
maestro, Bronzino sa aggiungere una
personalissima resa del colore, steso
in maniera nitida e compatta, quasi

smaltata. Verso il 1540 è senza dubbio
il pittore prediletto della corte
medicea e dell'aristocrazia fiorentina,
anche per le sue doti di letterato.
Ai ritratti sempre più levigati e
cristallizzati, si alterna la direzione
di memorabili lavori decorativi, come
gli affreschi nelle ville medicee, la
sistemazione degli appartamenti privati
in palazzo Vecchio, la fornitura di cicli
di cartoni per le arazzerie granducali.
A partire dal 1560 si moltiplicano i
dipinti sacri per gli altari di importanti
chiese fiorentine, in cui si può
riconoscere un crescente sforzo
di adeguare complesse iconografie
ai dettami del Concilio di Trento.

Federico Barocci

Urbino, 1535 - 1612

Non sono soltanto ragioni cronologiche a suggerire di concludere la vicenda della pittura rinascimentale italiana con la figura di Federico Barocci. Il pittore marchigiano, infatti svolge una funzione di perfetta cerniera tra i grandi maestri cinquecenteschi e la nuova arte del nascente Seicento, dai Carracci a Rubens. Formatosi nella straordinaria eredità artistica di Urbino e in particolare di Raffaello, Barocci riprende fin dalle opere giovanili la grazia sorridente di Correggio arricchendola con il gusto caldo dei colori veneti. Un infelice soggiorno a Roma si conclude con il definitivo ritorno a Urbino (1565). La collocazione defilata non impedisce a Barocci di esercitare un'influenza decisiva, grazie anche alla perfetta adesione ai suggerimenti per l'arte sacra emersi dal Concilio di Trento: le composizioni di Barocci fluiscono semplici e dirette, con dettagli di toccante verità quotidiana. Questo non impedisce al pittore di cimentarsi a più riprese con composizioni ambiziose (*Deposizione* del Duomo di Perugia, 1569; *Madonna del popolo*, Firenze, Uffizi, 1576-1579; *Martirio di san Vitale*, Milano, Brera, 1583), in cui si nota la progressiva ricerca di sempre più ampie suggestioni di spazio. Nelle opere della tarda maturità si accentuano caratteri di spiritualità e di contemplazione, fortemente anticipatori dell'arte barocca.

Federico Barocci
Annunciazione

1592-1596
tela
Perugia, Santa Maria degli Angeli, cappella Coli-Pontani.

Le pale d'altare di Barocci sono una precisa e rapida risposta alle "Istruzioni" del Concilio di Trento per l'arte sacra. L'intellettualismo raffinato ma spesso astruso del Manierismo viene decisamente bandito a favore di un'immagine che fluisce semplice, leggibile, senza misteri o complicazioni. L'episodio sacro viene inserito nella realtà quotidiana, come dimostrano lo sfondo con il palazzo Ducale di Urbino, i dettagli descrittivi, il gattino che dorme in primo piano. Esplicito è il riferimento a Correggio nella dolcezza delle espressioni.

Federico Barocci
Riposo durante la fuga
in Egitto

1570-1575 (?)
tela
Roma, Pinacoteca Vaticana.

Anche nelle tele
di dimensioni ridotte,
destinate alla devozione
privata o al collezionismo,
Barocci rinuncia alla
calligrafia talvolta fredda
della Maniera per
immagini delicate,
con colori rosati e luci
smorzate, inserite
nel paesaggio. Questa
considerazione non
significa affatto che Barocci
non sia un pittore
raffinato: anzi, un dipinto
come questo, con la
concatenazione dei gesti
e degli sguardi dei
personaggi, rivela un
attento e abile studio della
composizione, ma questa
ricerca non viene esibita
come prova di abilità fine
a se stessa. L'accurata
descrizione di alcuni
particolari (i frutti,
i metalli, gli oggetti
all'angolo sinistro) anticipa
l'ormai imminente
sviluppo del genere
della natura morta,
confermando
ulteriormente il ruolo
decisivo svolto da Barocci -
perlomeno nell'ambito
dello Stato della Chiesa,
tra Roma e Bologna -
per il definitivo passaggio
dalla pittura rinascimentale
alla nuova fase barocca.

237

Il Seicento

Caravaggio
Vocazione di san Matteo

1599-1600
Roma, San Luigi dei Francesi,
cappella Contarelli.

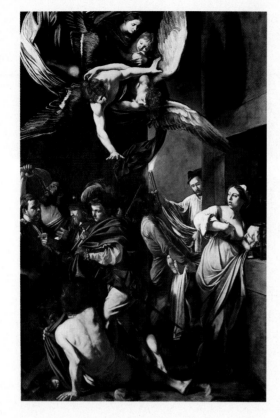

Caravaggio
*Le sette opere
di misericordia*
1606/1607
tela
Napoli, Pio Monte
della Misericordia
(in deposito alle Gallerie
di Capodimonte).

Annibale Carracci
Mangiafagioli
1584
tela
Roma, Galleria Colonna.

Per molto tempo il XVII è stato in Italia uno dei secoli meno amati della storia: il termine "barocco" viene ancora oggi spesso usato in senso dispregiativo per indicare qualcosa (per esempio un modo di esprimersi, una decorazione, un gusto) di pletorico, sovrabbondante, pesante, inutile. Orgogliosi edifici e interi centri storici sono stati abbandonati all'incuria più penosa, dal Piemonte sabaudo alla Sicilia di Noto, proprio per il diffuso pregiudizio di disistima nei confronti del famigerato Barocco. La matrice classica della cultura italiana tende quasi a "eliminare" il Seicento, e basta un piccolo esempio per rendersene conto: mentre anche chi non ha una preparazione specifica sa elencare un discreto numero di artisti del Rinascimento, il solo nome seicentesco che viene in mente a tutti è quello di Caravaggio. Solo in anni relativamente recenti è cominciato il recupero critico e culturale che ha finalmente riscattato il lungo "esilio" che il Seicento ha dovuto ingiustamente subire. Campagne di restauro, riscoperte letterarie, un più sereno atteggiamento mentale hanno fatto anzi riscoprire almeno in parte la grande densità di un secolo travagliato, percorso da dubbi, sempre in bilico tra una fastosa tragedia e una drammatica festa: un secolo, insomma, tutt'altro che "inutile", ricchissimo anzi di passioni e di umanità, espresse da artisti di notevole temperamento e personalità.

Una parziale giustificazione all'oblio in cui è caduto il Seicento può essere riconosciuta nella consapevolezza della crisi economica, politica e anche artistica in cui l'Italia viene a trovarsi, non in seguito a un fatto drammatico (come avviene invece per la Germania, massacrata dalla sanguinosa Guerra dei Trent'anni dal 1618 al 1648), ma per un lento e inarrestabile declino che a poco a poco porta la penisola in una posizione marginale rispetto al vivo della storia e della cultura: specie durante la seconda metà del secolo, gli intellettuali italiani sembrano quasi spiazzati da questa nuova e poco gratificante realtà. Quel ruolo di guida per tutta Europa, che l'Italia aveva sostenuto da almeno due secoli, è passato ad altri. Non a caso, il Seicento viene ricordato come il "secolo d'oro" di varie nazioni: l'età elisabettiana vede fiorire in Inghilterra il teatro di Shakespeare, la ricca Olanda attraversa l'epoca più affascinante della sua storia artistica con personaggi come Rembrandt e Vermeer, in Spagna i capolavori della letteratura di Cervantes e Calderòn de la Barca

Annibale Carracci
Resurrezione di Cristo,
particolare
1593
tela
Parigi, Musée du Louvre.

trovano adeguato parallelo nella scuola pittorica che si distende da El Greco a Velasquèz, in Francia il rilancio della politica di "grandeur" regale si esprimerà nella pienezza di Versailles e della corte del Re Sole. A questi fasti l'Italia può certamente contrapporre la vitalità delle arti figurative, ma in una posizione che sembra sempre più rannicchiata su se stessa: la sorte toccata a Galileo, il più grande scienziato e pensatore del Seicento italiano, è sintomatica.

Venezia e Firenze, le splendenti capitali del Rinascimento, attraversano una fase di appannamento ma Roma conquista la ribalta. La Città Eterna è indiscutibilmente, per tutto il secolo, il laboratorio delle tendenze culturali che poi s'irraggiano in Europa: ma questo ruolo è giustificato non solo e non tanto dall'attività di artisti italiani contemporanei, quanto dalla presenza di memorabili capolavori classici e rinascimentali e dalla discesa in Italia di maestri stranieri, per i quali un viaggio a Roma è un'esperienza assolutamente determinante e insostituibile. I due decenni a cavallo dell'anno 1600 andrebbero ricordati come una delle epoche di più profondo cambiamento nella storia dell'arte, verrebbe da dire nel "concetto" stesso di opera d'arte. La necessità di smuovere le acque divenute stagnanti del Manierismo, l'auspicato rilancio

della pittura sacra dopo il Concilio di Trento, le nuove esigenze di committenti e mecenati esigenti imponevano un radicale ripensamento sull'arte. Venuti dalle nebbiose città dell'Italia settentrionale, Annibale Carracci e il Caravaggio rivoluzionano dalle fondamenta la pittura, accentuando il carattere di cantiere aperto della Roma post-rinascimentale: l'uno rielabora ecletticamente gli stimoli della storia, l'altro cattura al volo la realtà così come ci appare sotto gli occhi. Operazioni che portano a risultati che possono apparire antitetici, ma che nascono dalla comune esigenza di ispirarsi alla verità "naturale" e di giungere a una pittura che colpisca il cuore e l'immaginazione del riguardante. L'attività parallela dei due pittori inaugura le correnti principali della pittura seicentesca, spalancando le porte anche a nuovi generi autonomi, come il paesaggio, di cui Annibale Carracci è il lirico precursore, e la natura morta, magistralmente interpretata da Caravaggio in quel capolavoro d'intensità, di penetrante poesia, di suprema raffinatezza esecutiva che è il *Canestro di frutta* della Pinacoteca Ambrosiana di Milano. Morti precocemente e malamente i due maestri (l'intristito Annibale Carracci nel 1609, Caravaggio, angosciato esule, nel 1610), gli epigoni si dividono in due schiere nettamente contrapposte: da un lato gli emiliani, allievi dell'Accademia dei Carracci, che propongono l'elegante, sofisticato classicismo (Guido Reni, Domenichino, Albani); dall'altra parte, la più scomposta ma vivace schiera dei "caravaggeschi", che, da diverse angolature, cercano di ritrovare l'efficacia drammatica del maestro (Gentileschi, Serodine e molti altri). Un elemento nuovo è proposto, sempre a Roma, dall'arrivo di Pieter Paul Rubens, giovane ma già celebre pittore fiammingo. La sua corposa pennellata, pastoso omaggio a Tiziano, trova intelligenti eredi anche in Italia, specie nei pittori che hanno potuto avere con Rubens o con le sue opere un prolungato contatto diretto (Strozzi a Genova, Fetti a Mantova). Un caso a parte è costituito da Napoli, la più popolosa città d'Europa, che nel XVII secolo offre una scuola pittorica di primissimo piano, avviata dalla ripetuta presenza di Caravaggio in città e poi sviluppata lungo

tutto il secolo con un'ininterrotta sequenza di importanti maestri. Il dibattito tra "classicisti" e "caravaggeschi", ricostruibile anche attraverso la storia delle alterne fortune collezionistiche delle due tendenze e grazie alla vivace attività degli scrittori d'arte del Seicento, si risolve intorno al 1630 con il prevalere di una terza corrente, quella più dichiaratamente "barocca". Il grande regista dello spettacolo della Roma seicentesca è Gian Lorenzo Bernini, insuperabile scultore, architetto, urbanista e, occasionalmente, anche pittore, commediografo, attore. Un personaggio capace di caratterizzare profondamente l'immagine artistica di una città e di un secolo, prontamente affiancato da altri maestri. Pietro da Cortona, dotato di un talento travolgente, ha il prestigioso compito di tradurre le idee berniniane in fastose decorazioni pittoriche a Roma e a Firenze, inaugurando la lunga stagio-

Orazio Gentileschi
Lot e le figlie
1621 c.
tela
Madrid, Fundación
Colección Thyssen-
Bornemisza.

Domenico Fetti
David
1520 c
tela
Venezia, Gallerie
dell'Accademia.

ne della grande decorazione di soffitti, volte, cupole: passando attraverso le magie prospettiche di padre Andrea Pozzo, questo genere si prolungherà per buona parte del Settecento, almeno fino a Tiepolo.

Rispetto ai secoli precedenti appare attenuato il carattere autonomo e originale delle scuole locali di diverse regioni o città: i modelli figurativi (Caravaggio, i Carracci, il Barocco) si diffondono in modo quasi contemporaneo dappertutto, grazie anche ai viaggi a Roma di quasi tutti i principali pittori. Tuttavia, la storica vitalità del territorio italiano trova anche nel Seicento numerose e bellissime conferme: volendosi limitare a un solo caso signficativo, bisognerà ricordare almeno la Lombardia, che, sotto il dominio spagnolo, trova nelle iniziative culturali di san Carlo e di suo cugino Federico Borromeo bagliori di autentica grandezza, con una scuola pittorica che alterna rapinose estasi mistiche a pacate meditazioni sulla realtà. Durante la seconda metà del secolo, tuttavia, si avverte un generale attenuarsi della tensione espressiva. La tarda attività di Pietro da Cortona e, soprattutto, di Gian Lorenzo Bernini mantiene viva a Roma la grande, spettacolare arte barocca, ma le tendenze innovative d'inizio secolo sono ormai ricordi lontani. La necessità di un rinnovo profondo delle arti figurative parte dalla fantasiosa e ricca scuola napoletana: i lunghi viaggi dell'estroso Luca Giordano sollecitano il gusto per una pittura spigliata, rapida, virtuosistica. Con le sue pennellate fresche e nervose, Luca Giordano contribuisce in modo determinante a sollevare lo stile sempre più greve dei pittori del secondo Seicento: il suo esempio verrà ben presto recepito dai geniali interpreti della luminosa stagione del Settecento veneto.

Un tema poco sviluppato in Italia, infine, è la produzione di pittura "di genere" (paesaggi, battaglie, scene di vita quotidiane, nature morte), che viceversa costituisce un filone fortunatissimo nell'arte fiamminga e olandese: nell'orgogliosa committenza dei grandi aristocratici e nelle richieste dei prelati questi soggetti vengono considerati "minori" e il collezionismo limitato a pochi intelligenti amatori. Tuttavia, proprio nelle sommesse voci della pittura di genere e in modo particolare nella natura morta l'arte italiana del Seicento offre brani di commossa, intensissima poesia.

Ludovico Carracci

Bologna, 1555 - 1619

Portato per temperamento a una vita
schiva, Ludovico Carracci non
conoscerà il successo di suo cugino
Annibale: a parte i viaggi di studio
compiuti in gioventù e un breve
e poco gradevole soggiorno a Roma,
trascorrerà tutta la vita
nell'accogliente ambiente di Bologna,
dove tuttora si trova la maggior parte
dei suoi lavori. A lui va tuttavia
riconosciuto di aver per primo
abbandonato programmaticamente
lo stile del tardo Manierismo per
proporre una nuova immagine morale
e devozionale per la pittura.
Interpretando i suggerimenti del
cardinale Paleotti, particolarmente
interessato alla riforma dell'arte sacra,
Ludovico Carracci comprende
precocemente che la via per
il rinnovamento passa attraverso
la riconsiderazione della natura così
com'è, nella sua schietta o perfino
dimessa apparenza, senza ricorrere
al cerebralismo degli ultimi manieristi.
Per raggiungere questo scopo,
alla attività di pittore affianca quella
di docente. Dagli anni ottanta
del Cinquecento Ludovico, affiancato
dai due cugini Annibale e Agostino,
apre infatti l'"Accademia dei
Desiderosi" (poi ribattezzata "degli
Incamminati" o semplicemente "dei
Carracci"), attraverso la quale si forma
un'intera generazione di pittori
emiliani: a testimonianza della
compattezza del gruppo, i tre Carracci
eseguono insieme gli affreschi
di palazzo Fava. La semplicità della
composizione che può ricordare
le proposte di Federico Barocci,
la dolcezza delle espressioni memori
di Correggio, la piena conoscenza
della pittura veneta sono gli elementi
su cui Ludovico innesta la propria
personale sensibilità, fatta di gesti
delicati, di sguardi ritrosi, di una certa
eloquenza narrativa, pronta a tradursi,
specie nelle opere di formato medio-
piccolo, in lirica poesia. Tra le opere
principali si ricordano la giovanile
Annunciazione e la nobile *Madonna
dei Bargellini* (entrambi nella
Pinacoteca Nazionale di Bologna),
mentre a una fase più tarda
appartengono gli affreschi del chiostro
di San Michele in Bosco presso
Bologna (1604) e, dopo la morte
dei cugini, alcune grandi e un po'
rattristate composizioni, come
i *Funerali della Madonna* della Galleria
Nazionale di Parma e l'affresco
dell'*Annunciazione* sull'arco trionfale
della Metropolitana di San Pietro
a Bologna, completato nell'anno
della morte.

244

Ludovico Carracci
Martirio
di santa Margherita

1616
tela
Mantova, San Maurizio,
cappella di Santa Margherita.

Nel perfetto equilibrio
di tutte le componenti
formali questa pala d'altare
mostra la profonda riforma
operata da Ludovico
Carracci nel campo
della pittura sacra.
Interpretando con
intelligente sensibilità
i dettami del Concilio
di Trento, il pittore
bolognese cerca la via
della semplicità e della
persuasione. La santa che
offre il collo al carnefice
è un modello di virtù
cristiane, che vengono
esaltate dalla luminosa
bellezza contrapposta
alla brutalità del soldato
a sinistra e del boia
(in queste due figure
si possono riconoscere
motivi tizianeschi,
frequenti nell'arte
di Ludovico). Il fedele
che guarda il dipinto può
immedesimarsi nelle figure
di astanti sotto il palco
della decapitazione,
diventando così spettatore
partecipe e non estraneo.

**Ludovico, Agostino
e Annibale Carracci**
Storie di Giasone,
particolare

1584
affresco
Bologna, palazzo Fava.

I tre Carracci hanno
sempre orgogliosamente
rivendicato l'esecuzione
in *équipe* dell'affascinante
fregio che fascia il salone
di palazzo Fava,
rifiutandosi di identificare
le parti spettanti a ciascuno
di essi. La critica recente
ha cercato di distinguere
la mano di Ludovico
e quella dei più giovani
cugini Agostino e
Annibale, ma non ha
mancato di sottolineare
il valore anche
dimostrativo di questa
impresa. Il concetto
di accademia inaugurato
dai Carracci non va inteso
come forma di
conservatorismo e di
acquiescenza nei confronti
di modelli canonici, ma
in un colto e dinamico
rapporto con la tradizione.
Si può così meglio
apprezzare la varietà
dei rimandi e la ricchezza
dei motivi dispiegati
in palazzo Fava: su tutto,
comunque, aleggia
un senso di velata,
brumosa malinconia,
una poesia crepuscolare
che va con ogni probabilità
attribuita alla sensibilità
di Ludovico.

LAESI
NON NECATI
ALIMVR

Annibale Carracci

Bologna, 1560 - Roma, 1609

È possibile – ma non certo – che
Annibale si sia formato insieme
al fratello Agostino presso la bottega
del cugino Ludovico Carracci: i tre
lavoreranno più volte insieme, ma
Annibale rivela presto una sensibilità
personale, un'attenzione verso

la natura che ne fa uno dei più grandi
riformatori della storia della pittura.
Fin dall'esordio (*Crocifissione*, Bologna,
Santa Maria della Carità, 1583)
Annibale propone l'abbandono
delle formule intellellettuali e fredde
del Manierismo. Il ritorno a una
pittura diretta e piana si manifesta
anche nelle scelte di soggetti insoliti,
come macellerie o popolani che

mangiano. Attenti viaggi di studio
intorno al 1585 portano Annibale a
impadronirsi dello stile rinascimentale
di Tiziano e di Correggio, di cui
sollecita una potente e aggiornata
riscoperta. La fondazione della
"Accademia dei Desiderosi", fatto
di eccezionale importanza per l'arte,
segna la proposta anche didattica
di una maniera al tempo stesso classica

e rinnovata. Il trasferimento a Roma
dell'Accademia e dell'attività
carraccesca, intorno al 1590,
è il fisiologico riconoscimento
dell'operazione culturale dei Carracci,
proiettata nel vivo del dibattito
artistico. Roma diventa così
il laboratorio delle tendenze più
moderne, apparentemente divergenti
ma nate entrambe dall'esigenza

di un'immagine "naturale" e umana: il realismo di Caravaggio e l'eclettico accademismo di Annibale Carracci. Nell'ambiente romano Annibale studia con passione l'arte classica e le rende omaggio nell'eccezionale volta della galleria di palazzo Farnese, alla cui esecuzione dedica gli ultimi anni di vita. In questo lavoro e nei lunettoni con paesaggi della Galleria Doria

Pamphili Annibale è coadiuvato da giovani aiuti, quasi tutti emiliani, che presto daranno vita al fortunato filone del classicismo. L'immagine "accademica" di Annibale Carracci, mantenuta per tre secoli come modello di stile, ha a lungo fatto dimenticare il non meno affascinante aspetto del naturalismo, pienamente valorizzato dalla critica recente.

Annibale Carracci
Sposalizio mistico
di santa Caterina

1585-1587
tela
Napoli, Gallerie
di Capodimonte.

Dalle collezioni Farnesiane. La grande dolcezza della scena discende dall'esempio di Correggio, ben evidente soprattutto nell'espressione di lieve sorriso a occhi bassi della santa. Il fondo scuro esalta la morbidezza della luce laterale.

Alla pagina accanto
Annibale Carracci
Battesimo di Cristo

1584
tela
Bologna, San Gregorio.

Le composizioni sacre di Annibale Carracci sono sempre intonate a un ampio respiro spaziale grazie alla presenza di luminosi e profondi paesaggi, mentre le figure assumono pose classiche ma non sforzate.

Annibale Carracci
Paesaggio con la fuga
in Egitto

1604
tela
Roma, Galleria Doria
Pamphili.

Annibale Carracci

Trionfo di Bacco
e Arianna

Alla pagina accanto, in basso
Omaggio a Diana

1597-1602
affreschi
Roma, palazzo Farnese.

La grande volta del salone
di palazzo Farnese
si colloca anche
cronologicamente sulla
soglia del XVII secolo, in
perfetta contemporaneità
con il ciclo di dipinti
di Caravaggio in San Luigi
dei Francesi. Con queste
due imprese, simmetriche
e divergenti, si gettano
a Roma le basi per gran
parte della pittura del
Seicento. Palazzo Farnese
diventa, nel corso della
lunga esecuzione degli
affreschi, la palestra
e l'accademia del
classicismo. Annibale
Carracci trasforma
l'ambiente in una
luminosissima raccolta
di "quadri" antichi:
la decorazione non prevede
infatti una scena unitaria
ma simula una collezione
di dipinti inseriti in cornici
intorno alla scena
principale, il *Trionfo di
Bacco e Arianna* che occupa
il centro della volta.
Ogni singolo riquadro
è interpretato con un
sorridente, sereno senso
dell'antico, rivisto e
reinterpretato alla luce
di Raffaello, di Tiziano e di
Correggio. Molte correnti
del Rinascimento vengono
fatte qui confluire per dare
però avvio a una stagione
nuova, caratterizzata
dal prevalere del concetto
di decorazione e di ritmo.
Splendido è anche tutto
il minuto apparato
ornamentale delle
incorniciature, con finti
stucchi e simulate
dorature: siamo
evidentemente all'opposto
dei severi fondali neutri
o scuri della pittura
caravaggesca.

Caravaggio

Michelangelo Merisi, Milano, 1571 - Porto Ercole (Grosseto), 1610

La vicenda umana e artistica di Caravaggio, il cui travaglio esistenziale e il carattere violento si intrecciano in modo inestricabile con l'assoluta genialità, fa del pittore lombardo il prototipo dell'"artista maledetto". L'odissea di Caravaggio, ineluttabilmente destinata alla tragedia finale, è in parte legata alle radicali novità introdotte nell'arte, tanto sconvolgenti da non essere capite e apprezzate dai committenti ma destinate in brevissimo tempo a tracciare un solco di demarcazione profondo tra "prima" e "dopo", non solo in Italia ma in tutta Europa. Formatosi in Lombardia, erede di una tradizione di realismo schietto e umano, Caravaggio si trasferisce a Roma intorno al 1590. Collaboratore del Cavalier d'Arpino, si specializza nella pittura di fiori e frutta, inaugurando il genere della "natura morta". I primi dipinti, di formato medio e con fondi chiari, presentano soggetti tratti dalla vita quotidiana: scene e personaggi tratti dalla strada (bari, garzoni, zingare, suonatori), dagli ambienti "bassi" a cui anche Caravaggio appartiene. L'eccezionale raffinatezza esecutiva viene messa al servizio di immagini di immediata verità umana e psicologica, lontanissime dal freddo e innaturale intellettualismo degli ultimi manieristi: il successo non tarda a venire, e Caravaggio incontra il favore di ricchi e colti collezionisti. Nell'anno 1600 l'esecuzione delle tele con san Matteo per la chiesa di San Luigi dei Francesi a Roma segna una svolta epocale nella carriera di Caravaggio e in generale nell'arte sacra: attraverso la sensibilità nei confronti della luce, Caravaggio carica di emozione le scene. Inizia così una serie di grandi pale d'altare per le chiese di Roma (Santa Maria del Popolo, Sant'Agostino), con soluzioni tanto coraggiose e innovative da lasciar perplessi i committenti, fino al rifiuto di alcune opere (*Morte della Vergine*, oggi al Louvre). Nel 1606, dopo l'ennesimo e più grave episodio di violenza in cui viene coinvolto, Caravaggio è costretto a fuggire. Dopo un primo soggiorno a Napoli, decisivo per lo sviluppo della scuola pittorica locale, il pittore naviga fino a Malta, dove passa dalla gloria (*Decollazione del Battista* nella cattedrale della Valletta) al carcere. Fuggito in Sicilia, dipinge opere sempre più drammatiche, in cui il realismo diventa evocazione visionaria Una nuova tappa a Napoli (1609-1610) si conclude con un ferimento e una nuova fuga, terminata tragicamente.

Alla pagina accanto
Caravaggio
Riposo durante la fuga
in Egitto

1594-1596
tela
Roma, Galleria Doria
Pamphili.

È il dipinto culminante
della giovinezza del
pittore, che sembra
rivolgere un conclusivo
omaggio alla tradizione
del realismo lombardo.
La luminosità diffusa,
la presenza del paesaggio,
l'elegantissimo angelo
violista rendono
un'atmosfera di quiete
agreste. Nei confronti del
soggetto sacro, affrontato
per la prima volta in modo
complesso, Caravaggio
adotta lo stesso
atteggiamento di aderenza
al vero naturale che
caratterizza i suoi dipinti
profani.

Caravaggio
Canestro di frutta

1596
tela
Milano, Pinacoteca
Ambrosiana.

Il cestino è noto anche
come "Fiscella": così
lo definisce il cardinale
Federico Borromeo,
che lo ricevette in dono
dal cardinale Del Monte.
Con quest'opera
Caravaggio apre e chiude
il genere della natura
morta: e, in effetti, per
la prima volta un canestro
di pochi frutti, dimesso
e spoglio, viene elevato
al rango di assoluto
protagonista dell'arte,
non più come "oggetto"
ma come "soggetto".

Caravaggio
La buona ventura

1594 c., tela
Roma, Pinacoteca Capitolina.

Secondo il biografo
seicentesco Bellori, per
realizzare il dipinto
Caravaggio "chiamò una
zingara che passava a caso
per istrada, e condottala
all'albergo la ritrasse
in atto di predire
l'avventura".

Caravaggio
Giovane con un cesto
di frutta

1593-1594
tela
Roma, Galleria Borghese.

Fa parte dell'importante
gruppo di dipinti della
giovinezza di Caravaggio
con figure di popolani
tratte dalle stradine e dalle
osterie della zona di piazza
Navona.

Caravaggio
Santa Caterina
d'Alessandria

1597, tela
Madrid, Fundación Colección
Thyssen-Bornemisza.

Dipinto caratteristico di
un momento molto preciso
della pittura di Caravaggio,
che qui utilizza la
medesima modella che
ritroviamo nella *Giuditta
e Oloferne* (vedi p. 254)
in questa fase, che segna
il passaggio dalla prima
produzione "di genere"
alle imprese monumentali
delle pale d'altare nelle
chiese di Roma, le figure,
ben modellate dalla luce,
emergono con forza dal
fondo, mentre gli oggetti
sono presentati nella verità
quasi mimetica dei
materiali.

(vedi p. 254)

Alla pagina accanto, in alto
Caravaggio
Sacrificio di Isacco

1603 c.
tela
Firenze, Galleria degli Uffizi.

È l'interpretazione più
nota del drammatico
soggetto biblico: la smorfia
di terrore, il grido
di Isacco è un dettaglio
indimenticabile, del tutto
esente da ogni intenzione
pietistica o accademica.
Basta questo particolare
per comprendere
la dirompente forza
espressiva della pittura
caravaggesca,
costantemente rivolta
alla più bruciante
e tangibile realtà.

Alla pagina accanto, in basso
Caravaggio
Sacrificio di Isacco

1598-1599
tela
Princeton (New Jersey),
Collezione Johnson.

Caravaggio
Stigmate
di san Francesco

1594-1595
tela
Hartford (Connecticut),
Wadsworth Athenaeum.

Caravaggio
Cena in Emmaus

1596-1598
tela
Londra, National Gallery.

È la prima versione del
soggetto evangelico dipinto
due volte da Caravaggio,
in momenti differenti della
sua carriera. Qui, ai limiti
del periodo giovanile,
la natura morta sulla tavola
ha ancora un notevole
risalto: d'altra parte, la
luce comincia ad assumere
una provenienza, un taglio
ben preciso, con un
coinvolgente effetto
di presenza fisica, reale
dei personaggi davanti
a chi guarda il quadro.

Caravaggio
Giuditta e Oloferne

1595-1596
tela
Roma, Galleria Nazionale
d'Arte Antica.

La spettacolare e
drammatica scena fa parte
di un gruppo ben distinto
di dipinti, eseguiti all'inizio
del rapporto con il
cardinale Del Monte,
in cui le figure vengono
trattate con insolito nitore,
quasi con durezza.
Una luce precisa e ferma
mette in evidenza i
particolari più macabri:
il tema della testa mozzata
e del sangue che scorre
è uno dei più tipici della
produzione caravaggesca,
e costituisce quasi un *leit-
motiv* della sua carriera.

Caravaggio

Martirio di san Matteo

Vocazione di san Matteo

San Matteo e l'angelo

1599-1602
tele
Roma, San Luigi dei Francesi,
cappella Contarelli.

Il ciclo di San Luigi
dei Francesi costituisce
la più vasta e organica
commissione affrontata
da Caravaggio. Il *Martirio*
è la scena più affollata
e dinamica, incentrata
sull'irruzione del carnefice
e sul santo ferito: nei
gruppi di personaggi che
si ritraggono sconvolti,
Caravaggio trova una
sequenza di espressioni
di grande umanità,
culminanti nell'immagine
famosa del chierichetto
che scappa urlando. Fra
reminiscenze di Raffaello
e di Leonardo, Caravaggio
ha lasciato anche il proprio
autoritratto nell'uomo con
la corta barba seminascosto

sullo sfondo, subito
a sinistra dello sgherro
uccisore. Nella *Vocazione*
vibra un uso nuovo ed
emozionante della luce,
ormai non più diffusa
ma direzionale e orientata.
Cristo, a destra,
seminascosto da Pietro,
si rivolge a Matteo, seduto
al tavolo di gabelliere:
intorno, altri personaggi
fanno corona, in un gioco
di pose contrapposte
e di dettagli finissimi.
La composizione, che
comunica una fortissima
tensione morale, è
all'origine di una lunga
serie di riprese da parte
dei "caravaggeschi".
Il *San Matteo e l'angelo*
è la seconda versione
del soggetto: la prima
fu rifiutata, poiché
l'immagine di san Matteo
era priva di "decoro".
La posa disinvolta del
santo è comunque indice
di una spregiudicatezza
che i rifiuti dei
committenti non possono
piegare.

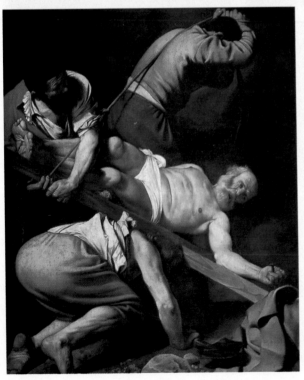

Alla pagina accanto, in alto
Caravaggio
San Gerolamo

1606
tela
Roma, Galleria Borghese.

Alla pagina accanto, in basso
Caravaggio

Crocifissione di san Pietro

Caduta di san Paolo

1600-1601
tele
Roma, Santa Maria
del Popolo, cappella Cerasi.

I due dipinti della cappella
Cerasi seguono
immediatamente il ciclo
di San Luigi dei Francesi
e ne costituiscono un
ideale proseguimento.
Nel *Martirio di san Pietro*
Caravaggio usa la luce
per concentrare lo sguardo
di chi osserva il quadro
su poche figure, i veri
protagonisti dell'azione.
Il senso di umanità,
di intensa partecipazione,
si estende anche agli
aguzzini, che non vengono
presentati come personaggi
che agiscono in modo
brutale e crudele, ma sono
piuttosto uomini semplici,
costretti a un lavoro
faticoso. Con la *Caduta*
di san Paolo la libertà
d'interpretazione dei temi
religiosi da parte di
Caravaggio tocca uno
dei vertici assoluti: la
folgorazione di Paolo non
avviene lungo la via di
Damasco, ma all'interno
di una stalla semibuia,
dominata dalla massa
pezzata del grande cavallo,
alla presenza del solo
stalliere, che emerge dalla
penombra. Il silenzio
e la solitudine aumentano
il fascino della scena.
Nel contratto per
l'esecuzione dei due quadri
della cappella Cerasi,
Caravaggio viene definito
"egregius in urbe pictor":
nonostante le frequenti
disavventure l'artista,
non ancora trentenne,
ha raggiunto l'apice
della sua fama.

Caravaggio
Madonna dei pellegrini

1603-1605
tela
Roma, Sant'Agostino.

L'altare è dedicato
alla Madonna di Loreto,
ma Caravaggio offre solo
un accenno alla devozione
relativa alla Santa Casa,
ponendo la sua Madonna
su una soglia domestica.
La scena si svolge in un
clima dimesso ma di
intensa commozione:
Maria stessa è una donna
semplice, lontana
dall'iconografia
tradizionale. Di fronte,
i due personaggi che sono
diventati quasi i veri
protagonisti del dipinto,
i poveri pellegrini
sbrindellati e sudici che
offrono allo spettatore
il "primo piano" dei loro
piedi piagati e sporchi,
un particolare di grande
realismo che fece gridare
allo scandalo
i contemporanei
di Caravaggio.

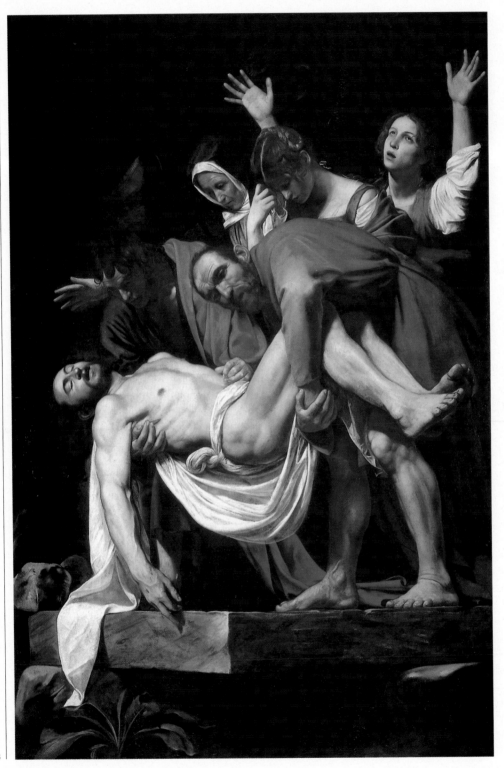

Caravaggio
Deposizione nel sepolcro

1602-1604
tela
Roma, Pinacoteca Vaticana.

Destinata a Santa Maria
in Vallicella, la tela viene
spesso considerata una
sorta di "intermezzo
classico" negli ultimi anni
romani di Caravaggio.
La ricerca di una massa
plastica, degna di
Michelangelo, appare
qui evidente: i gesti
sono bloccati in modo
espressivo e la luce
tornisce le figure. D'altra
parte, non viene meno
la forza realistica,
di intensa suggestione
nell'angolo di pietra
che sporge e nelle gambe
di Nicodemo.

Caravaggio
Morte della Vergine

1606
tela
Parigi, Musée du Louvre.

È l'ultimo dipinto eseguito
da Caravaggio a Roma.
Destinato a Santa Maria
della Scala, fu rifiutato
dai Carmelitani per la
mancanza di "decoro"
e per il sospetto che
la modella usata da
Caravaggio per la Vergine
fosse una prostituta
annegata nel Tevere.
Acquistato dai Gonzaga
dietro consiglio di Rubens,
è passato poi nelle raccolte
di re Carlo I d'Inghilterra
e infine in Francia.
La scena, dominata da un
drappeggio rosso-sangue,
suscita un'impressione
di estrema miseria
e di toccante commozione.
Gli apostoli piangenti si
stringono intorno al letto
di Maria, assecondando la
diagonale di luce che filtra
da sinistra verso destra,
conclusa con la figura
rannicchiata della
Maddalena.

Caravaggio
Flagellazione di Cristo

1606-1607
tela
Napoli, Museo
di Capodimonte.

Il ritrovamento recente
di alcuni documenti
suggerisce di datare l'opera
al primo periodo
napoletano di Caravaggio.
In effetti, l'amarezza
tragica di questo girotondo
di tormenti, le ombre
avvolgenti che sfiorano le
figure, il clima di tragedia
sono elementi tipici
dell'estrema fase espressiva
del maestro.

Caravaggio
Ritratto di cavaliere
di Malta

1608 c.
tela
Firenze, palazzo Pitti,
Galleria Palatina.

È possibile che si tratti
del Gran Maestro Alof de
Wignacourt che dapprima
accolse l'esule Caravaggio
a Malta, iscrivendolo tra
i nobili Cavalieri di San
Giovanni, poi, scoperta
la condanna penale
che incombeva sulla testa
del pittore, lo fece
imprigionare, revocando
con ignominia tutti i
benefici precedentemente
concessi.

Caravaggio
Decollazione del Battista

1608
tela
La Valletta (Malta),
San Giovanni.

È il più grande dipinto
di Caravaggio e l'unico
firmato (il nome del
maestro è tracciato con
il sangue che esce dal collo
mozzato di san Giovanni).
L'evoluzione della poetica
caravaggesca sta giungendo
agli ultimi snodi: il Merisi,
sempre fuggiasco e sempre
animato dalla speranza
di tornare a Roma,
ha ormai abbandonato
del tutto i colori vividi
e i particolari smaglianti
della giovinezza. Ora la sua
attenzione è concentrata
sull'uso dello spazio: nella
grande tela maltese, tutti
i protagonisti sono
raggruppati nella parte
sinistra, mentre l'intera
metà di destra è occupata
dal cieco muro di una
prigione, che dà
all'episodio la raggelante
impressione di una spietata
esecuzione, compiuta
alle prime luci dell'alba.

Guido Reni

Bologna, 1575 - 1642

Esponente quintessenziale del classicismo accademico, Guido Reni è uno dei più eleganti pittori di tutta la storia dell'arte. Per la ricerca costante di un'estrema, rarefatta finezza, calibrata sull'esempio dell'antichità e di Raffaello, il maestro bolognese ha conosciuto nei secoli una fama molto alterna a seconda degli sviluppi del gusto, passando da momenti di esaltazione a periodi di scarsa attenzione: anche i denigratori però non possono negare l'eccezionale qualità tecnica della sua pittura, la limpidezza di una pennellata di suprema sicurezza e armonia. Entrato ventenne nell'Accademia dei Carracci, Reni completa la propria formazione con un viaggio a Roma intorno all'anno 1600: da questo momento, l'arte antica e recente della Città Eterna diventa il polo dialettico della sua pittura. L'ammirazione incondizionata per Raffaello si confronta con il naturalismo di Caravaggio in un gruppo di opere giovanili (come la *Crocifissione di san Pietro* della Pinacoteca Vaticana, 1604), di grande energia chiaroscurale. Alternando ritorni a Bologna con frequenti soggiorni a Roma, Guido Reni diventa dopo la morte di Annibale Carracci (1609) il caposcuola del gruppo dei pittori emiliani classicisti, come ben dimostrano gli affreschi eseguiti a Roma intorno al 1610 (al Quirinale, in Vaticano, in varie chiese), fortemente ispirati al recupero della classicità, fino al vertice quasi mimetico dell'*Aurora* di palazzo Ludovisi. Grandi pale d'altare bolognesi (*Strage degli Innocenti*, *Pietà dei mendicanti*, entrambe nella Pinacoteca Nazionale di Bologna) segnano il trionfo dell'Idea, la capacità di controllare e indirizzare sentimenti, gesti, espressioni, composizione, disegno e colore verso l'unico fine di una forma eloquente e impeccabile. Il successo di Guido Reni è sottolineato anche dalle prestigiose commissioni ricevute, come il ciclo delle *Fatiche d'Ercole* (1617-1621) eseguito per il duca di Mantova e oggi al Louvre, tripudio di luci limpide, corpi perfetti, colori vivaci. Verso la fine della vita Reni modifica il proprio stile per una pittura leggera fino a divenire incorporea, quasi monocroma, con lunghe pennellate filanti e un'atmosfera di intensa malinconia.

Alla pagina accanto
Guido Reni
Strage degli Innocenti

1611-1612
tela
Bologna, Pinacoteca
Nazionale.

Memorabile capolavoro
di totale dominio della
composizione, rappresenta
una radicale e consapevole
alternativa a Caravaggio:
alla drammatica
perentorietà e
all'immediatezza della
pittura caravaggesca Guido
Reni oppone un'arte
riflessiva, calibrata, in cui
la tragedia viene come
filtrata da un'altissima
letteratura.

Guido Reni
Sansone vittorioso

1611-1612
tela
Bologna, Pinacoteca
Nazionale.

L'insolito formato ricorda
la funzione originaria
di copertura della cappa
di un camino. La ben
bilanciata figura dell'eroe
che si disseta dopo
la vittoria si staglia su
un drammatico paesaggio
cosparso a perdita d'occhio
di nemici caduti.

263

Alla pagina accanto, in alto
Guido Reni
L'Aurora

1612-1614
affresco
Roma, palazzo Parravicini Rospigliosi.

Nel suo secondo periodo romano Guido Reni

si confronta direttamente con l'antico: questa composizione è in dichiarata competizione con l'arte classica, nei confronti della quale è anche un superbo, purissimo atto d'amore.

Alla pagina accanto, in basso
Guido Reni
Atalanta e Ippomene

1622-1625
tela
Napoli, Gallerie di Capodimonte.

Composizione di raffinato calcolo, esalta il gioco

di gesti contrapposti tra l'imbattibile atleta Atalanta, che si piega a raccogliere la sfera d'oro lasciata cadere da Ippomene, e il giovane che grazie a questo stratagemma si accinge a vincere la corsa. Il senso del movimento è espresso

quasi esclusivamente dalle ampie volute dei mantelli, mentre i levigati corpi eburnei dei due protagonisti si stagliano luminosi sullo sfondo a tonalità grigio-brune.

Guido Reni
Ratto di Elena

1631
tela
Parigi, Musée du Louvre.

265

Domenichino
Il bagno di Diana

1614
tela
Roma, Galleria Borghese.

La festosa composizione
ha una genesi singolare:
fu voluta dal cardinale
Aldobrandini come

"prosecuzione" del ciclo
dei *Baccanali* di Tiziano,
da poco acquisiti nella
sua collezione. Questo
confronto con un modello
tanto illustre esalta le doti
di luminosità e di
freschezza del
Domenichino: rispetto a
Tiziano il pittore emiliano

rinuncia volentieri
all'esplosione dinamica
del colore per soffermarsi
con pacata gioia nella
contemplazione felice
della bellezza delle
fanciulle, degli animali,
del paesaggio.

Domenichino

Domenico Zampieri,
Bologna, 1581 - Napoli, 1641

Il più sofisticato, quasi rarefatto pittore
del XVII secolo, ha svolto un
importante ruolo culturale anche sotto
il profilo della teoria sull'arte. Allievo
dei Carracci prima a Bologna e poi
a Roma (dove, a fianco di Annibale,
collabora nei primissimi anni del

secolo nell'esecuzione della Galleria
Farnese e dei lunettoni Pamphili),
il Domenichino è del tutto conquistato
dalla bellezza semplice, classica
ed elegante dell'arte di Raffaello e dei
grandi maestri del primo Cinquecento.
Tutta la sua carriera è dedicata alla
rievocazione della luminosa stagione
del pieno Rinascimento, rivisitato alla
luce di una consapevolezza critica
e intellettuale aggiornata. Espressione

caratteristica del suo stile sono le pale
d'altare (*Comunione di san Gerolamo*
dipinta in risposta ad Agostino
Carracci, Roma, Pinacoteca Vaticana)
e i numerosi cicli di affreschi sacri
e profani, come quelli della villa
Aldobrandini a Frascati, della cappella
di San Nilo nell'abbazia di
Grottaferrata (1610) e quelli,
bellissimi, della cappella di Santa
Cecilia in San Luigi dei Francesi

a Roma (1611-1614), quasi di fronte
alle tele dedicate a san Matteo dipinte
con spirito perfino opposto da
Caravaggio una dozzina d'anni prima.
La carriera del Domenichino subisce
una battuta d'arresto per il parziale
insuccesso degli affreschi in
Sant'Andrea della Valle (1624-1628).
Il pittore, amareggiato, si trasferisce
a Napoli, dove dipinge la cappella
del Tesoro in Duomo.

Domenichino
La sibilla Cumana

1610 c.
tela
Roma, Pinacoteca Capitolina.

La bellezza idealizzata
di questa fanciulla sembra
riflettersi su tutto ciò che
la circonda: ogni minimo
dettaglio del dipinto
è curato in maniera
impeccabile, come peraltro
è caratteristico del
Domenichino. Il pittore
emiliano si ispira in modo
dichiarato a Raffaello,
e in particolare all'*Estasi
di santa Cecilia* conservata
a Bologna.

Francesco Albani
L'acconciatura di Venere

1618-1622
tela
Roma, Galleria Borghese.

Fa parte di un gruppo
di quattro tondi di squisito
soggetto mitologico.

Francesco Albani

Bologna, 1578 - 1660

Allievo a Bologna del manierista
Denijs Calvaert e poi entusiasta allievo
dell'Accademia dei Carracci,
Francesco Albani condivide le scelte
di molti artisti bolognesi, trasferendosi

a Roma per studiare l'arte antica e
diventarne un appassionato interprete.
Il classicismo di Albani si può cogliere
nelle pale d'altare dipinte dopo il
ritorno a Bologna, come il *Battesimo
di Cristo* conservato nella Pinacoteca
Nazionale, ma ancor meglio nei cicli
di dipinti di soggetto mitologico,

un genere che trova nell'Albani il vero
fondatore. Cogliendo nella mitologia
(*Danza degli amorini,* Milano,
Pinacoteca di Brera) o nella tradizione
delle allegorie (gli elementi, le
stagioni) spunti di sorridente idillio,
l'Albani inserisce ninfe, dee e
sorridenti puttini in luminosi paesaggi

"ideali", inaugurando un gusto leggero
e gradevole, destinato ad avere
un duraturo successo, ma anche
una declinazione verso il lezioso,
fino a tutto il Settecento.
Il formato prediletto per queste
composizioni è il tondo o l'ovale.

Guercino

Giovan Francesco Barbieri,
Cento, 1591 - Bologna, 1666

Autodidatta di precoce talento, il
Guercino conquista un ruolo di grande
protagonista dell'arte pur trascorrendo
gran parte della sua vita a Cento,
una cittadina di provincia tra Bologna
e Ferrara. Ispirandosi alla riforma
di Ludovico Carracci, dipinge in anni
giovanili opere di forte tensione
chiaroscurale, con scene dinamiche
e sentimenti intensi. Chiamato a Roma
nel 1621 da papa Gregorio XV,
si ferma fino al 1623 cercando un
equilibrio tra il proprio temperamento
e la rarefatta maniera dei classicisti.
Le grandi opere del periodo romano
(*Aurora* nel casino Ludovisi, *Pala*
di santa Petronilla nella Pinacoteca
Capitolina) segnano forse il momento
più maturo e originale della sua arte.
Tornato in Emilia, il Guercino tende
progressivamente ad abbandonare
l'energia degli anni giovanili per una
forma più controllata e rigorosa.
Dopo la morte di Guido Reni (1642)
si trasferisce a Bologna dove, in un
clima di accentuato e un po' freddo
classicismo, diventa il caposcuola
della corrente accademica.

Guercino
Il ritorno del figliol
prodigo

1619
tela
Vienna, Kunsthistorisches
Museum.

Eseguita per il cardinale
Serra, è una stupenda
opera giovanile del pittore,
intrisa di energia
e di sentimento: il gioco
delle mani e delle stoffe
corrisponde all'esplosione
dei sentimenti, contrastanti
e violenti, dei tre
personaggi.

Guercino
Sansone catturato
dai filistei

1619, tela
New York, Metropolitan
Museum of Art.

Esemplare capolavoro
giovanile del Guercino,
esprime come pochi altri
quadri la capacità di
ottenere effetti di
drammatica teatralità senza
abbandonare mai un rude
naturalismo.

Guercino
Aurora

1621
affresco
Roma, casino Ludovisi.

Divenuto papa con il nome
di Gregorio XV, Alessandro
Ludovisi invita a Roma
il Guercino, che vi si ferma
fino al 1623. La prima
opera romana è la
decorazione del casino
Ludovisi. Nell'*Aurora*,
inquadrato
dalle incorniciature dipinte
da Agostino Tassi,
il trentenne Guercino
sbriglia tutto il suo estro
e la sua fantasia per
una composizione
di vivacissimo effetto, in
aperta polemica con Guido
Reni, che, qualche anno
prima, aveva trattato
il medesimo soggetto
nel casino Rospigliosi,
facendone un saggio di
elegante ma fredda grazia
classicheggiante.

Guercino
Et in Arcadia Ego

1618
tela
Roma, Galleria Nazionale
d'Arte Antica.

Uno dei dipinti più noti
del maestro, rappresenta
la scoperta di un teschio
da parte di due giovani
pastori, e il titolo può
essere interpretato come
una frase pronunciata dalla
Morte ("Io sono anche in
Arcadia"). Ma il significato
morale dell'opera si
stempera in un istante
di pura contemplazione,
in cui le reminiscenze
dell'arte veneta e del
Correggio trovano un
perfetto accordo con la
profondità e la sensibilità
tipiche del Guercino.

ET IN ARCADIA EGO

270

Guercino
Vestizione
di san Guglielmo
d'Aquitania

1620
tela
Bologna, Pinacoteca
Nazionale.

Proviene dalla chiesa di San
Gregorio a Bologna, e,
a detta dei contemporanei,
la sua "gran macchia"
di luce e colore rendeva
smorti tutti i dipinti vicini,
compresa una pala di
Ludovico Carracci. È senza
dubbio il più importante
dipinto giovanile del
Guercino, lungamente
preparato da accurati studi
e abbozzi grafici.
Originalissima appare
la struttura compositiva,
con le figure tutte disposte
lungo i lati di
un'immaginaria losanga,
che lascia al centro del
dipinto uno spazio vuoto.
L'uso delle luci e delle
ombre esalta colori
chiarissimi (fino al bianco
candido del frate a destra)
o, viceversa, profonde
zone scure. Grazie a questo
capolavoro, il Guercino
diventa il pittore favorito
del cardinale Ludovisi,
e s'impone ai vertici della
scuola bolognese.

Bartolomeo Schedoni

Modena, 1578 - Parma, 1615

La morte precoce (forse un suicidio per debiti di gioco) interrompe bruscamente la carriera di uno dei più accattivanti pittori del primo Seicento, eccentrico esponente della scuola emiliana. Legato alla corte farnesiana di Parma e Modena, lo Schedoni raccoglie e rielabora stimoli diversi: l'eredità diretta di Correggio, la finezza esecutiva dei Carracci, le più aggiornate tendenze romane. Inviato da Ranuccio Farnese a Roma allo scadere del XVI secolo, Bartolomeo Schedoni ritorna presto in Emilia per stabilirsi a Parma. Qui dipinge un non folto ma affascinante gruppo di capolavori con uno stile severo, nobile e al tempo stesso riscaldato da una luce che rende morbide le stoffe e delicate le espressioni. Pur in una posizione storica e geografica diversa, la vicenda umana del pittore emiliano si può sovrapporre a quella di Caravaggio: il carattere violento e rissoso gli crea ripetuti problemi con la giustizia mentre la passione per il gioco della pallacorda si spinge al punto da rischiare di compromettere la funzionalità della mano destra.

Bartolomeo Schedoni

Cristo deposto nel sepolcro

Le Marie al sepolcro

1613
tele
Parma, Galleria Nazionale.

Questi due memorabili capolavori (in origine nella chiesa dei Cappuccini a Fontevivo, presso Parma) fanno ulteriormente rimpiangere la breve e travagliata vita artistica di Bartolomeo Schedoni, che si dimostra qui davvero in grado di indicare una via originale e intensa alla pittura barocca. I gesti bloccati, la luce violenta, i bianchi accecanti e il nitore perfetto dei dettagli producono un effetto quasi metafisico.

Bartolomeo Schedoni
La carità

1611
tela
Napoli, Gallerie
di Capodimonte.

Storicamente pertinente
alle collezioni farnesiane,
è una delle opere più note
del pittore. Il titolo,
alquanto generico,
non appare soddisfacente:
la tela ha infatti tutta
l'apparenza di descrivere
un fatto reale. Schedoni
conferisce ai personaggi
una consistenza e una
perentorietà
impressionanti: il giovane
cieco che volge verso il
riguardante gli occhi vuoti
è una delle immagini più
forti di tutto il Seicento.
D'altro canto, come
sempre, lo Schedoni
ritrova nell'eredità di
Correggio l'ispirazione
per passaggi di un lirismo
toccante, come il bimbetto
a destra: ma la vera magia
di questo dipinto è, ancora
una volta, l'uso
personalissimo che
il pittore fa della luce,
al tempo stesso tagliente
e delicata, pronta a
mettere in evidenza stoffe
colorate e a nascondere
sotto lunghe ombre parti
dei visi.

Guido Cagnacci

Santarcangelo di Romagna,
1601 - Vienna, 1663

Interessante pittore emiliano del pieno
Seicento, come molti compatrioti
attivamente partecipe al clima
di recupero dell'antico, ha un ruolo
molto rilevante nella storia dell'arte
per essersi trasferito a Vienna e aver
così esportato a nord delle Alpi
il gusto classicheggiante. Allievo di
Guido Reni, Guido Cagnacci combina
il prevalente riferimento ai modelli
classici e raffelleschi con un vivo
interesse nei confronti delle ardite
prospettive e delle composizioni
brillanti del Barocco: esemplari sono

le vaste tele del Duomo di Forlì,
realizzate nella prima fase della
carriera. Un viaggio a Venezia nel 1650
arricchisce la sua tavolozza e apre
la gamma dei suoi soggetti a scene
sensuali, con seducenti figure di
fanciulle seminude. Proprio questo
tipo di composizioni, molto richieste
fra i collezionisti, apre a Cagnacci
la possibilità di aperture internazionali:
il passaggio a Vienna (1658) sancisce
il successo della sua pittura.

Guido Cagnacci
La morte di Cleopatra

1658
tela
Vienna, Kunsthistorisches
Museum.

Opera del tardo periodo
viennese, riprende e
amplifica il tema del nudo
femminile, sensualmente
investigato più volte
dal Cagnacci.

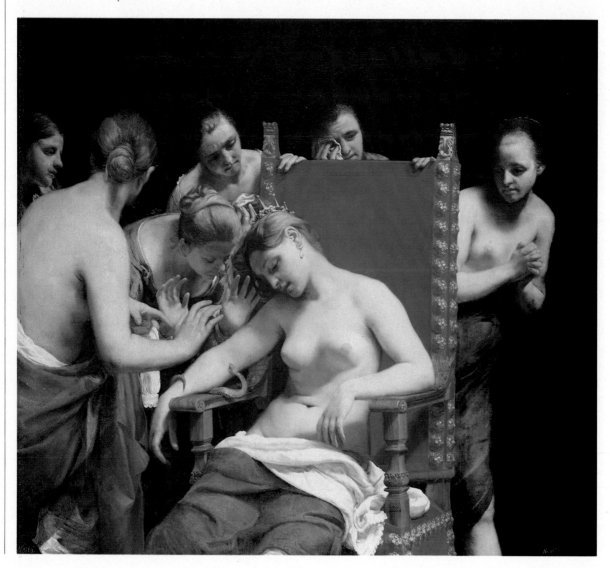

Guido Cagnacci
Fiori in una fiasca

1645 c.
tela
Forlì, Pinacoteca Comunale.

Affascinante capolavoro
della natura morta in Italia,
il dipinto forlivese
costituisce un punto
di riferimento nodale
per ricostruire l'attività
di Cagnacci in questo
peculiare genere di pittura.
Si tratta evidentemente
di un'opera di grande
ispirazione lirica, non
puramente di un pezzo
di bravura. L'ammirazione
per l'impressionante
virtuosismo mimetico
lascia ben presto il posto
al senso poetico del
mazzolino di fiori poco
costosi che cercano la luce
e sembrano volersi
spingere verso l'alto,
liberandosi dall'avvilente
involucro della paglia
sfilacciata della fiasca.

Orazio Gentileschi

Pisa, 1563 - Londra, 1639

Appartenente a una numerosa famiglia
di artisti (e la tradizione continuerà
con la figlia Artemisia) Orazio Lomi
Gentileschi si forma nella bottega
romana di uno zio, ma l'avvio
della carriera è, fino alle soglie
dei quarant'anni, decisamente lento.
Poi, durante il primo decennio del
Seicento, il contatto con Caravaggio
provoca una svolta improvvisa.
Sull'alto magistero grafico e stilistico
della tradizione toscana Orazio
Gentileschi innesta il realismo
chiaroscurale caravaggesco, con un
risultato di grande finezza e insieme
di efficace forza espressiva.
Dopo un decennio di attività a Roma,
intorno al 1612 il pittore si trasferisce
nelle Marche, dove esegue numerose
pale d'altare e gli affreschi nel Duomo
di Fabriano. Nel 1621 viene invitato
a Genova dal nobile Sauli: è l'inizio di
un travolgente successo internazionale
presso committenti aristocratici,
per i quali dipinge tele da collezione,
talvolta replicando la medesima
composizione in più di una versione.
Dopo un contatto con i Savoia,
nel 1624 Orazio Gentileschi parte
per Parigi, dove fino al 1626 lavora
per Maria de' Medici. In seguito passa
a Londra: qui si fermerà fino alla
morte, ammiratissimo dalla corte
e dai privati per la produzione
sempre raffinata e godibile.

Orazio Gentileschi
Visione di santa Francesca
Romana

1615-1619
tela
Urbino, Galleria Nazionale
delle Marche.

Con un'abilità del tutto
personale Orazio
Gentileschi riesce a
ottenere nelle pale d'altare
un duplice effetto:
da un lato tutta la nobiltà
silenziosa e aulica di scene
solenni, dall'altro
l'evocazione di sentimenti
profondi e sommessi,
di grande delicatezza
interiore.

Orazio Gentileschi
Annunciazione

1623
tela
Torino, Galleria Sabauda.

Risalente al periodo
genovese (una prima
versione del medesimo
soggetto si trova
nella chiesa di San Siro a
Genova), è una delle opere
più famose del pittore.
Il grande drappo rosso
che pende alle spalle
del candido letto della
Madonna è un esplicito
omaggio a Caravaggio, e al
grande maestro lombardo
rimanda in generale
il senso di vibrante realtà
di luce e di sentimenti.
Tuttavia, Gentileschi
avvolge il nucleo espressivo
caravaggesco in una
ricchezza insolita, con
un colore che si dispiega
liberamente e fa pensare
ai grandi pittori
fiamminghi dell'epoca,
come Rubens e Van Dyck,
attivi o presenti con opere
a Genova nello stesso
periodo. Inoltre,
l'impeccabile qualità del
disegno accentua i caratteri
di raffinatezza e di nobiltà
su cui si basa tutta l'attività
del pittore.

Cerano

Giovanni Battista Crespi, Cerano (Novara) (?), 1575 c. - Milano, 1632

Pittore, scultore, architetto, intellettuale di ampi orizzonti, direttore dell'Accademia Ambrosiana per volere del cardinale Federico Borromeo: il Cerano è il principale animatore della scena culturale milanese del primo Seicento, impegnato in numerosi importanti iniziative di "riforma" dell'arte lombarda alla luce del Concilio di Trento. Alla capacità di gestire imprese colossali (come il ciclo dei dipinti dedicati a san Carlo e i bozzetti per i portali del Duomo di Milano o l'enorme statua bronzea di san Carlo ad Arona) il Cerano aggiunge un temperamento di forte drammaticità, tradotto in dipinti di travolgente energia e di commossa intensità, come il *Battesimo di sant'Agostino* (1618; Milano, San Marco) o l'intervento nella *Pala delle tre mani* (Milano, Pinacoteca di Brera), dipinta insieme a Morazzone e a Giulio Cesare Procaccini, autentico manifesto del movimento pittorico chiamato "Seicento lombardo".

Cerano
Messa di san Gregorio

1617
tela
Varese, San Vittore.

La violenza visionaria e drammatica del più influente pittore del Seicento lombardo relega l'episodio della celebrazione della Messa in secondo piano, per dare il massimo risalto alla turbinante visione che dal Purgatorio sale in un vortice gestuale fino alla luce dell'Empireo.

Alla pagina accanto
Cerano
San Carlo erige le croci alle porte di Milano, particolare

1602
tela
Milano, Duomo.

Fa parte del grandioso ciclo di "quadroni" voluti dal cardinale Federico Borromeo in occasione della beatificazione dello zio, san Carlo.

Giovanni Serodine

*Ascona (Canton Ticino), 1594 c. -
Roma, 1630*

Figura solitaria ed eccentrica della
pittura dopo Caravaggio, Serodine
segue la strada di molti conterranei,
scesi dalle valli lombarde per trovare
lavoro a Roma. Arrivato nella Città
Eterna intorno al 1615, il Serodine
non segue le orme del padre e del
fratello, rinomati stuccatori, ma
preferisce cimentarsi con la pittura.
Di temperamento diametralmente
opposto al gruppo dei classicisti,
il ticinese si trova ben presto
emarginato. Pochissime commissioni
(fra cui l'*Elemosina di san Lorenzo*
nell'abbazia di Casamari) mostrano
la sua maniera aspra, drammatica,
ancor più diretta e brutale di quella di
Caravaggio. Le pennellate rapide, quasi
dei colpi di sciabola, lasciano impronte
malcerte sulle tele, lontanissime
dalla levigata grazia dei maestri
emiliani. La breve carriera di Serodine,
morto precocemente, si compendia
in un numero limitato di opere,
fra cui spiccano le tre tele di soggetto
sacro inviate alla parrocchiale
di Ascona e il *Ritratto del padre*
(Lugano, Museo Civico).

Giovanni Serodine
Incoronazione
della Vergine e santi

*1625 c.
tela
Ascona, Parrocchiale.*

Grande e tragico
capolavoro, opera
"scomoda" e intensa
del Seicento italiano,
la pala è una delle non
numerose opere certe su
cui basare la ricostruzione
della brevissima e
sfortunata carriera
del pittore ticinese. Per la
Parrocchiale del suo paese
Serodine imposta la scena
su due piani: in alto, come
in una visione offuscata
e sfaldata, la scena
dell'incoronazione della
Vergine; in basso, intorno
all'immoto volto di Cristo
sul velo, sei santi
straccioni, strapazzati,
mal rasati, su cui il pittore
rende ancor più brutale e
diretto il realismo appreso
da Caravaggio.

Evaristo Baschenis

Bergamo, 1617 - 1677

Ricordato talvolta anche come "prete
Evaristo" per la sua ordinazione
religiosa, il pittore bergamasco
è un perfetto esempio di pittore
"specialista": la sua produzione prevede
infatti quasi esclusivamente
composizioni con strumenti musicali,
talvolta completate da altri pittori con
l'inserimento di figure (come nel caso
dei due dipinti recentemente
recuperati nell'Accademia di Brera
a Milano). Sotto questo peculiare
aspetto, Baschenis è uno dei più
affascinanti e concentrati pittori
di tutto il Seicento. Il realismo
luministico, certamente memore
di Caravaggio, rende particolarmente
intense le sue tele, governate da
una eccezionale maestria tecnica
(memorabile è la riproduzione della
polvere sui dorsi degli strumenti
a pizzico) che non si risolve però in
mera esibizione virtuosistica ma viene
messa al servizio di una severa
intonazione morale. Il successo delle
nature morte del Baschenis si traduce,
specialmente a Bergamo, in una vera
e propria moda, con imitatori
e seguaci della sua maniera.

Evaristo Baschenis
Natura morta
con strumenti musicali
e statuetta classica

1645 c.
tela
Bergamo, Accademia Carrara.

Evaristo Baschenis
Natura morta
con strumenti a corda

1650 c.
tela
Bergamo, Accademia Carrara.

Verione più sobria
del tema prediletto
degli strumenti musicali,
interpretati in una
silenziosa solitudine, carica
di lirismo e di poesia.
Rispetto alla tela
precedente, si osserva qui
una semplificazione della
scena, con l'eliminazione
del drappeggio a broccato
e della statuetta
classicheggiante, per
pervenire a un'immagine
di asciutta, quasi metafisica
evidenza.

Palma il Giovane

Jacopo Negretti, Venezia, 1544 - 1628

Rimasto unico erede del grande Rinascimento veneto, Palma il Giovane ne mantiene a lungo i caratteri, diventando l'artista di riferimento per la pittura in laguna. Il complesso periodo di formazione prevede un prolungato soggiorno a Roma (1567-

1574) e la frequentazione della bottega di Tiziano, di cui porta a termine l'incompiuta *Pietà*. Coinvolto nella decorazione di palazzo Ducale accanto a Veronese e a Tintoretto, Palma s'immerge nella tradizione veneziana dipingendo tra il 1580 e il 1590 cicli di teleri per Scuole o ambienti sacri (sagrestie di San Giacomo in Orio e dei Gesuiti, Scuola di San Giovanni

Evangelista, Ospedaletto dei Crociferi). Sono le sue opere migliori, per l'intelligente comprensione di Tintoretto e per la vena narrativa. Ritornato agli incarichi ufficiali in palazzo Ducale, Palma organizza intorno a sé una vasta bottega, grazie alla quale produce una vasta serie di dipinti sacri e allegorici, distribuiti in tutto il territorio della Serenissima.

Palma il Giovane
La piscina probatica

1592
tela
Marano di Castenaso
(Reggio Emilia),
Collezione Molinari Pradelli.

Evidentemente ispirata ai grandi esempi dell'arte veneta cinquecentesca e in particolare a Tintoretto, è una composizione tipica dello stile maturo di Palma il Giovane. Lo slancio della composizione, con prospettive diagonali, la ricchezza dei colori come offuscata da ombre pesanti, l'eloquenza teatrale dei gesti e degli scorci sono i caratteri più tipici della maniera del pittore: quando sono ben controllati, come in questo splendido caso, la pittura veneta dopo il Rinascimento riesce a mantenere una certa efficacia espressiva; quando invece questi effetti diventano semplicemente delle formule ripetitive, l'arte del Seicento in laguna risulta ben presto monotona. Il dipinto appartiene alla Collezione Molinari Pradelli, la più organica raccolta privata di pittura del XVII-XVIII secolo in Italia.

Domenico Fetti

Roma, 1589 - Venezia, 1623

Pittore di grande interesse e per certi versi ancora enigmatico, svolge la parte principale della non lunga carriera a Mantova, dove agisce come pittore di corte dei Gonzaga: questa collocazione appartata gli consente di sviluppare una pittura di grande originalità, in cui confluiscono suggestioni diverse. Formatosi nella cultura del tardo Manierismo, riceve un impulso determinante dall'arrivo di Rubens in Italia. Il dialogo con il grande anversese e più in generale l'attenzione verso la pittura fiamminga e olandese gli suggeriscono una pennellata ricca e luminosa, applicata per lo più a quadri di non grandi dimensioni, forse più interessanti rispetto alle composizioni di maggior respiro come gli affreschi nel Duomo di Mantova o il lunettone con la *Moltiplicazione dei pani e dei pesci* in palazzo Ducale. Splendido è il ciclo delle parabole evangeliche, realizzato per il palazzo Ducale di Mantova e purtroppo disperso in vari musei (Dresda, Vienna, Praga, Firenze): il successo è tale che il pittore esegue diverse redazioni dei suoi dipinti, come la celebre *Malinconia*.

Domenico Fetti
La Malinconia

1622 c.
tela
Venezia, Gallerie
dell'Accademia.

La complessa allegoria, imperniata sulla figura della ragazza che medita su un teschio, prende spunto da una stampa di Dürer, completamente rivisitata però in chiave barocca. Gli oggetti, il cane, il fogliame sembrano come gonfiarsi in una pittura di corposa pienezza, certamente ben memore dell'esempio dell'arte veneta del Cinquecento.

Bernardo Strozzi

Genova, 1581 - Venezia, 1644

Prete cappuccino dalla tormentata
biografia, lo Strozzi è il più importante
rappresentante della ricca stagione
seicentesca genovese. La scuola ligure
è caratterizzata dal contatto con i
grandi maestri fiamminghi (Rubens,
Van Dyck), che suggeriscono l'uso di
colori ricchi e pastosi, stesi con larghe

pennellate. Lo Strozzi interpreta
con notevole originalità questi spunti,
combinandoli con la approfondita
conoscenza di altri sviluppi dell'arte,
come la scuola lombarda
o il diffondersi del caravaggismo.
Dopo una splendida serie di affreschi,
pale d'altare e dipinti da collezione
realizzati a Genova, nel 1630 il pittore
si trasferisce a Venezia in seguito
a gravi contrasti con l'ordine

dei Cappuccini. Il successo della sua
pittura è immediato anche nella nuova
città, vista anche la recente scomparsa
di Palma il Giovane, e lo Strozzi
può essere considerato uno dei più
importanti pittori del Seicento
a Venezia: di grande successo, oltre
ai dipinti religiosi, sono anche i suoi
corposi e vivi ritratti.

Bernardo Strozzi
La cuoca

*1620 c., tela
Genova, Galleria di Palazzo
Rosso.*

Uno dei capolavori della
pittura "di genere" in Italia,
senza dimenticare la
presenza viva e arguta
della persona.

Bernardo Strozzi
L'elemosina
di san Lorenzo

1639-1640
tela
Venezia, San Nicolò
dei Tolentini.

Nella fase matura della sua
carriera, dopo il
trasferimento a Venezia,
lo Strozzi viene impegnato
con successo anche
nell'esecuzione di dipinti
di grandi dimensioni e pale
d'altare, colmando così
il vuoto che si era creato
nella scuola locale.
Nelle tele veneziane
lo stile corposo e denso
di Strozzi, evidentemente
ancora memore di Rubens,
viene reso ancor più
spettacolare dall'esempio
di Tiziano e dei grandi
veneti cinquecenteschi.

Battistello Caracciolo

Giovanni Battista Caracciolo,
Napoli, 1578 - 1635

Il più diretto seguace di Caravaggio
a Napoli entra sulla scena dell'arte
già intorno ai quarant'anni, durante
il primo decennio del secolo,

in coincidenza con la presenza
di Caravaggio in città. Un gruppo
di dipinti destinati a varie chiese
napoletane testimonia la sua precoce
e intelligente interpretazione del
realismo caravaggesco, visto attraverso
un intenso chiaroscuro da cui
emergono figure plasticamente
definite. Un viaggio a Roma, nel 1614,
rende ancor più raffinata la sua pittura.

Battistello, ormai riconosciuto
caposcuola della pittura partenopea,
divide la propria attività fra opere
di soggetto sacro (pale d'altare
e affreschi) e dipinti per committenti
e collezionisti privati, che gli
procurano una fama sempre più
diffusa. Nel 1618 parte in direzione
di Genova, con lunghe soste a Roma
e a Firenze: tappe contrassegnate

da opere importanti e da contatti con
altri pittori nel comune intento di una
"riforma" del caravaggismo. Tornato
a Napoli, traduce gli stimoli ricevuti
durante i viaggi in scene grandiose,
di vasta impaginazione, più luminose
rispetto alle tele precedenti: un
capolavoro eloquente è la *Lavanda
dei piedi* (1622) per la certosa
di San Martino a Napoli.

Battistello Caracciolo
Liberazione di san Pietro
dal carcere

1615
tela
Napoli, chiesa del Pio Monte
della Misericordia
(in deposito presso le Gallerie
di Capodimonte).

Dipinto subito dopo
il ritorno da Roma,
è il capolavoro assoluto
del pittore e una della
più affascinanti e originali
interpretazioni
dei suggerimenti
di Caravaggio. Splendida,
in particolare, è la
"classica" figura del candido
angelo che prende
per mano l'impaurito
san Pietro.

Bernardo Cavallino

Napoli, 1616 - 1656

Elegante maestro della "seconda
generazione" del Seicento napoletano,
il Cavallino rivolge quasi
esclusivamente la propria produzione
al collezionismo privato, dipingendo
salvo pochissime eccezioni tele
di formato medio o piccolo.
Allievo di Massimo Stanzione
e intelligente interprete degli sviluppi
post-caravaggeschi tra Napoli e Roma,
Bernardo Cavallino propone una
pennellata mossa e nervosa, percorsa
da luci filanti. Il naturalismo
caravaggesco viene mediato
da un'attenzione quasi accademica
per le pose e le strutture compositive:
la gestualità un po' teatrale,
le espressioni ispirate e un certo
dinamismo drammatico conferiscono
ai dipinti un'inconfondibile
intonazione patetica.

Bernardo Cavallino
Estasi di santa Cecilia

1645
tela
Napoli, Museo
di Capodimonte.

Si tratta del bellissimo
bozzetto preparatorio
per la composizione più
importante di tutta
la carriera del Cavallino,
la *Pala di santa Cecilia*,
conservata nel palazzo
Vecchio di Firenze: nella
redazione finale, però,
il dipinto perde parte
della freschezza e
dell'immediatezza presenti
nel bozzetto. Essendo una
delle pochissime opere
datate con precisione,
segna uno spartiacque
preciso nella produzione
dell'artista, interrotta
bruscamente a soli
quarant'anni dalla morte,
accaduta durante una
tragica epidemia di peste.

287

Mattia Preti
San Sebastiano

1660 c.
tela
Napoli, Museo
di Capodimonte.

Espressiva testimonianza
degli anni napoletani
del maestro calabrese,
il dipinto prende
evidentemente spunto
dalla matrice luministica
caravaggesca, ma la
raffinatezza esecutiva,
il gusto per i dettagli
eleganti, lo slancio
classicheggiante del fisico
statuario fasciato dalla luce
rammentano i lunghi
e importanti viaggi
del pittore, capace
di combinare con molta
originalità gli stimoli
più disparati.

Mattia Preti

Taverna (Catanzaro), 1613 -
La Valletta, 1699

Partito dalla Calabria per raggiungere
a Roma il fratello Gregorio, a sua volta
pittore, Mattia Preti attraversa un
folgorante successo che ne fa in breve
tempo uno dei più autorevoli pittori
meridionali della seconda metà

del Seicento: basti pensare che nel
1642, a soli 29 anni, viene nominato
Cavaliere di Malta. Il Preti viene di
solito inserito nella scuola napoletana,
ma la prima fase della carriera si
svolge a Roma, dove affresca tra l'altro
le magniloquenti *Storie di sant'Andrea*
in Sant'Andrea della Valle. Vastissimo
è il raggio dei suoi interessi, dal
naturalismo di Caravaggio al colore

dei grandi maestri veneziani. Nel 1653
si trasferisce a Modena, dove affresca
l'abside e la cupola di San Biagio.
Il soggiorno al nord allarga
ulteriormente la sua cultura artistica,
che si dispiega con piena maturità
e originalità nel non lungo ma decisivo
periodo napoletano (1656-1660),
durante il quale Mattia Preti dipinge
a ritmo intensissimo molti dei suoi

principali capolavori, in parte rimasti
a Napoli (Capodimonte, palazzo
Reale), in parte emigrati all'estero
e segnatamente nei musei statunitensi.
Dal 1661 alla morte si trasferisce
a Malta, alternando pale d'altare
e affreschi nelle chiese dell'isola
con periodici soggiorni nella cittadina
natale, che diventa a poco a poco
una sorta di galleria di suoi dipinti.

Pietro Novelli
Madonna del Carmelo

1641
tela
Palermo, Museo Diocesano.

Per l'esemplare chiarezza
compositiva e la fine
identificazione ritrattistica
delle figure questa nobile
pala d'altare, in origine
nella chiesa palermitana
di Santa Maria Valverde,
è diventata un modello
fondamentale per la pittura
sacra barocca in Sicilia.

Pietro Novelli
Monreale (Palermo), 1603 - Palermo, 1647

Avviato alla pittura piuttosto tardi,
il più grande pittore siciliano del XVII
secolo riceve un impulso fondamentale
dallo studio delle opere lasciate
sull'isola da Caravaggio e, soprattutto,
dall'arrivo a Palermo di Anton Van
Dyck, nel 1624. Dopo le prime prove
palermitane, Pietro Novelli compie
poco dopo il 1630 un viaggio a Napoli
e a Roma: il suo stile, corroborato
dall'esempio del robusto chiaroscuro
di Ribera, si fa sicuro e personale,
come si può apprezzare nelle due tele
di soggetto benedettino nell'abbazia
monregalese di San Martino alle Scale.
Divenuto l'artista più noto e richiesto,
viaggia incessantemente da un capo
all'altro della Sicilia, alternando opere
di pittura con disegni per architetture,
fortificazioni, oreficerie, apparati
effimeri. Tra i dipinti più significativi
va ricordata la decorazione
del presbiterio e dell'abside
della cattedrale di Piana degli Albanesi,
commissionata dalla comunità greca.

Pietro Novelli
Sposalizio della Vergine

1647
tela
Palermo, San Matteo.

È l'ultima opera nota
del pittore, tutta intrisa
da una sottile ma
invincibile malinconia,
un senso di presagio
che spinge alla solitudine
e all'incomunicabilità
i personaggi. In tal senso,
Pietro Novelli sa cogliere
e far propria la più lirica
intuizione delle opere
siciliane di Caravaggio.

Luca Giordano

Napoli, 1634 - 1705

Pittore di fenomenali qualità, autentico camaleonte dell'arte, Luca Giordano domina la scena della scuola della seconda metà del Seicento. Allievo del Ribera e inizialmente influenzato dalla sua maniera quasi brutale, Luca parte nel 1652 per un viaggio che lo porta a Roma, Firenze e Venezia. Aperto agli stimoli più diversi, ascolta l'eco della tradizione veneta e si confronta con la teatralità barocca di Pietro da Cortona, abbandonando così il chiaroscuro caravaggesco. Nell'abbondantissima produzione per le chiese di Napoli (molte tele sono rimaste *in situ*) scintilla una felicità esecutiva di prodigiosa rapidità e sicurezza. Un secondo viaggio a Firenze e a Venezia (1665-1667) consacra lo stile di Luca Giordano a punto di riferimento per la pittura tardobarocca in Italia. Dopo un quindicennio trascorso a Napoli, il pittore lascia a Firenze un'opera fondamentale, l'affresco nella galleria di palazzo Medici Riccardi (1682), vero preannuncio delle freschezze settecentesche. Conteso fra i più grandi collezionisti, nel 1692 si trasferisce per dieci anni in Spagna, dove dipinge affreschi e tele con la consueta velocità, diventata ormai proverbiale in Europa. Tornato a Napoli ormai anziano, lascia nel 1704 l'ultimo capolavoro, l'affresco della sacrestia del Tesoro nella certosa di San Martino.

Luca Giordano
Perseo combatte contro
Fineo e i suoi compagni

1670 c.
tela
Londra, National Gallery.

Gian Lorenzo Bernini

Napoli, 1598 - Roma, 1680

Di gran lunga il maggior scultore
e architetto del Seicento in Europa,
il Bernini si è talvolta cimentato con
la pittura: attività per lui certamente
"minore", affrontata soprattutto in anni
giovanili con spirito quasi
dilettantesco, e tuttavia – anzi, forse
proprio per questo – rivelatrice
di una mano sicura e brillante, lontana
da qualunque pedanteria. Allievo a
Roma del padre Pietro, Gian Lorenzo
è uno dei più precoci *enfants prodige*
della storia dell'arte: subito conteso
fra i grandi collezionisti, poco più che
adolescente affronta per il cardinale
Scipione Borghese il monumentale
ciclo di quattro grandi gruppi
marmorei (fra cui il capolavoro
assoluto dell'*Apollo e Dafne*) tuttora
conservato nella Galleria Borghese di
Roma. L'elezione di papa Urbano VIII
(1623) pone il Bernini al centro del
colossale programma di rinnovamento
in chiave barocca della sede papale.
Con i suoi lavori di scultore, architetto
e urbanista il Bernini rimodella
San Pietro e la grande piazza
antistante, a cominciare dalla
realizzazione del baldacchino bronzeo
sull'altar maggiore. Intanto, prende
avvio con foga straordinaria la serie
di sculture e di edifici che cambiano
letteralmente il volto di Roma: basti
ricordare le stupende fontane (come
quella dei Fiumi in piazza Navona),
i grandi gruppi marmorei (*Estasi
di santa Teresa*, organizzata come
un palcoscenico teatrale nel transetto
di Santa Maria della Vittoria)
e i vivacissimi busti-ritratto. In
quest'ultimo aspetto della produzione
berniniana si possono rintracciare punti
di confronto con le rare e preziose
opere di pittura, tuttora in fase
di studio e di valorizzazione.

Gian Lorenzo Bernini
Autoritratto giovanile

1620 c.
tela
Roma, Galleria Borghese.

Fondamentale
per ricostruire l'attività
pittorica del giovane
Bernini, questo dipinto
esprime nella velocità
nervosa della pennellata
e nello scatto rapido
dell'occhiata la volontà
di cogliere al volo
l'espressione di un attimo,
così come il Bernini
fa sistematicamente
nei ritratti scolpiti.

Pietro da Cortona
Ratto delle Sabine

1627-1629
tela
Roma, Pinacoteca Capitolina.

Questo dipinto, eseguito
per la famiglia Sacchetti,
segna la prima fase
dell'affermazione di Pietro

da Cortona nell'ambiente
pittorico romano durante
gli anni venti del Seicento:
proprio i Sacchetti furono i
suoi primi mecenati nel
vivo delle committenze
aristocratiche. I primi due
decenni del secolo avevano
visto avvicendarsi in rapida
successione il naturalismo

di Caravaggio
e l'accademismo dei
Carracci, con i rispettivi
seguaci e i tentativi
di accordo tra le due
tendenze. L'avvento
di Pietro da Cortona, in
simultanea con il successo
travolgente di Bernini
come scultore e architetto

sotto l'egida di Urbano VIII
Barberini, produce di fatto
una svolta decisa verso
il Barocco. La teatralità
esibita, la gestualità vivace,
la ricchezza turgida del
colore e della pennellata,
la luce diffusa sono
i caratteri della pittura
del cortonese: le Sabine

sollevate sono consapevoli
citazioni di opere
berniniane (come il *Ratto
di Proserpina* e l'*Apollo
e Dafne*), quasi a voler
sottolineare la comune
matrice dei due artisti.

Pietro da Cortona

Pietro Berrettini,
Cortona (Arezzo), 1596 - Roma, 1669

Figura decisiva nello sviluppo dell'arte
europea del pieno Seicento, Pietro
da Cortona è il più grande pittore
toscano del secolo, maestro
riconosciuto del più fantasioso e ricco
Barocco. Gran parte della sua attività
di architetto e di pittore si svolge a
Roma, dove si reca appena sedicenne
ed entra ben presto in dialogo con

il quasi coetaneo Bernini. Subito
nel vivo del dibattito artistico più
avanzato, Pietro da Cortona ottiene
il primo successo con gli affreschi
di palazzo Mattei (1624): parte da qui
un crescendo di fama e di commissioni
ufficali, sostenute in particolare
da Urbano VIII Barberini. Pietro
da Cortona si dimostra distante sia
dal naturalismo caravaggesco che
dal classicismo degli emiliani: la sua
pittura ricca, spumeggiante, altamente
decorativa traduce soggetti aulici

in composizioni di traboccante
esuberanza. Dopo gli affreschi in Santa
Bibiana e i dipinti per la famiglia
Sacchetti, Pietro realizza il capolavoro
esemplare del soffitto del salone di
palazzo Barberini (1633-1639), opera
che gli vale il titolo di "principe"
dell'Accademia di San Luca, ossia
di più influente artista a Roma.
Il successivo soggiorno fiorentino
culmina con la spettacolare sequenza
delle sale affrescate in palazzo Pitti,
testo su cui si esercitano generazioni

di artisti. Tornato a Roma, ormai
circondato da una larghissima fama
e da uno stuolo di allievi, affresca in
palazzo Pamphili e nella chiesa Nuova,
alternando l'attività di pittore
con quella sempre più frequente
di architetto. Fra gli edifici principali
va ricordata quanto meno la
sistemazione di Santa Maria della Pace,
in cui Pietro non si limita a progettare
l'architettura della chiesa ma giunge
a rimodellare l'intero contesto urbano
in cui è inserita.

Pietro da Cortona
Pietà

1620-1625
tela
Cortona (Arezzo), Santa
Chiara.

Ritrovata quasi
casualmente nel 1983
e rimasta quindi
inspiegabilmente ignota
per più di tre secoli e
mezzo nella città stessa
del pittore, l'opera è
una notevolissima prova
giovanile di Pietro da
Cortona, che manifesta
qui il retaggio toscano
della sua formazione e la
tendenza ad arricchire i
dipinti con larghi panneggi
e squarci paesaggistici.

293

Pietro da Cortona
Madonna e santi

1626-1628
tela
*Cortona (Arezzo), Museo
dell'Accademia Etrusca.*

Nella produzione di Pietro
da Cortona non mancano
splendidi esempi di
ricchissime pale d'altare,
trionfo di una pittura
orgogliosa e tripudiante.
Alcune di esse sono esempi
memorabili di "agudeza"
barocca. Questo dipinto,
eseguito per la chiesa di
Sant'Agostino nella città
natale del pittore, esalta
in modo raffinato
l'appartenenza a nobili
ordini cavallereschi di
alcuni membri della
famiglia dei committenti,
i Passerini: i Cavalieri
di Santo Stefano (si veda
la croce sul piviale di santo
Stefano papa), i Cavalieri
di Malta (figura di san
Giovanni Battista e
mantello al centro),
Ordine di Calatrava (san
Giacomo Maggiore, alle
spalle del Battista).

Pietro da Cortona
Trionfo della Divina
Provvidenza

1633-1639
affresco
Roma, palazzo Barberini.

Soffitto del salone
di palazzo Barberini (oggi
sede della Galleria
Nazionale d'Arte Antica)
è il più importante
documento
dell'affermazione dello
stile barocco nella Roma
seicentesca. L'ordinata
chiarezza degli affreschi
di Annibale Carracci
a palazzo Farnese si
trasforma in una lievitante,
dinamica composizione,
in cui tutto concorre
ad accentuare i caratteri
di vibrante dinamismo.
I grossi fiocchi di nuvole
e la disinvolta prospettiva
dal sotto in su ricordano
il precedente di Correggio,
ma del tutto nuova è
la volontà di trasformare
l'affresco in un'opera
d'arte "totale", davanti
alla quale lo spettatore
perde la percezione precisa
dello spazio e viene
coinvolto in un'avventura
fantasiosa. Altra
caratteristica del Barocco
è il sincretismo spensierato
tra diversi soggetti: nella
scena, di dichiarato tema
sacro, si inserisce con pari
evidenza il trionfo
della casata dei Barberini
attraverso il simbolo
araldico delle api in volo.

Carlo Maratta

Camerano (Ancona), 1625 - Roma, 1713

Esponente di spicco della cultura romana del secondo Seicento, Carlo Maratta rappresenta con efficacia i pregi e i limiti dell'ultimo Barocco: una perfetta maestria tecnica, una completa consapevolezza dei modelli formali, la capacità di recepire e far propri stimoli eclettici ma anche la difficoltà di produrre espressioni realmente innovative. Formatosi nell'ambiente classicista raccolto intorno a Nicolas Poussin e al letterato Bellori, Maratta studia la pittura cinquecentesca (soprattutto Raffaello e Correggio) per poi legarsi al gruppo degli artisti emiliani di matrice carraccesca, tanto da diventare a sua volta esponente di spicco dell'Accademia di San Luca. La sua attività si concentra soprattutto a Roma, dove realizza numerose grandi pale d'altare, eccellenti ritratti e cicli di affreschi come quelli della villa Falconieri a Frascati. Esaltato come un "Raffaello redivivo", Maratta diventa il capofila dell'arte romana dopo la morte di Pietro da Cortona e di Bernini.

Il suo esempio di una pittura levigata, stilisticamente ineccepibile trova imitatori ed estimatori in tutta Italia: con il Maratta l'accademia cessa di avere il ruolo propositivo e perfino provocatorio con cui era stata intesa dai Carracci e si trasforma nel luogo di raccolta e di studio della tradizione.

Carlo Maratta
Ritratto di papa
Clemente IX

1669
tela
Roma, Pinacoteca Vaticana.

Oltre a testimoniare il favore incontrato presso importanti committenti romani, i ritratti costituiscono l'aspetto forse più vivo e penetrante della pittura del Maratta. Soffermandosi con calma nella precisa investigazione dei lineamenti dei personaggi il pittore sembra scoprire una soffusa ma invincibile malinconia sottocutanea, quasi il sentimento della crisi ormai sempre più avvertibile della cultura italiana; forse persino il presagio dell'imminente uscita dell'Italia dal centro della storia e della vita artistica europea.

Carlo Maratta
Assunzione e Dottori
della Chiesa

1689
tela
Roma, Santa Maria
del Popolo.

La tranquilla pacatezza
della scena,
magistralmente condotta
sulla scorta di esempi
raffaelleschi, esprime
il sereno dominio

dell'immagine da parte
del Maratta, mentre la foga
di Pietro da Cortona
appare ormai sedata.
Si può intendere così
il progressivo "ritorno
all'ordine" nell'arte
romana dopo la morte
del Bernini (1680)
e l'aprirsi di una fase
di fin troppo tranquillo
accademismo.

Carlo Maratta
Madonna in trono
col Bambino, angeli
e sànti

1680/1690
tela
Roma, Santa Maria
in Vallicella.

Ancor più convincente
della precedente, questa
pala ha una ricchezza
di colore insolita per
il Maratta, qui influenzato

dalla memoria della pittura
veneta, cui rimanda anche
il gioco compositivo
degli sguardi e dei gesti.
Nell'eclettismo dei
rimandi, sempre mediati
in maniera sobria e
controllata, va riconosciuto
il merito principale
del Maratta, rimasto solo
a gestire un non facile
passaggio stilistico
e generazionale.

Andrea Pozzo

Trento, 1642 - Vienna, 1709

Dopo una prima formazione come pittore nella città natale, Andrea Pozzo prende i voti ecclesiastici entrando nella Compagnia di Gesù.
La sua attività di pittore, architetto e scenografo segue costantemente le tracce delle presenze gesuitiche in varie città: padre Pozzo diventa in breve l'interprete dell'estetica dei Gesuiti, basata sul coinvolgimento corale dell'assemblea dei fedeli nella gloria divina e nell'imitazione dell'esempio dei santi. Dopo Milano, Genova e Venezia, padre Pozzo si stabilisce a lungo a Torino. Nel corso del periodo piemontese dipinge affreschi e pale d'altare nel capoluogo sabaudo e in diverse sedi provinciali, fra cui il ciclo prospettico in San Francesco Saverio a Mondovì (1679): il legame con le sedi gesuitiche del Piemonte continuerà anche dopo il trasferimento a Roma. L'abilità nel creare effetti di illusionismo architettonico trova la massima espressione nell'affresco della volta di Sant'Ignazio (1691-1694), accompagnato dalla stesura di un importante e documentato trattato scientifico sulla prospettiva in pittura e in architettura. Sempre a Roma Andrea Pozzo progetta lo spettacolare altare di Sant'Ignazio nella chiesa del Gesù e realizza affreschi nel refettorio del convento di Trinità dei Monti. L'ultimo snodo della sua carriera di artista è il passaggio a Vienna a partire dal 1703: gli affreschi nel collegio dei Gesuiti, nel palazzo dei conti Liechtenstein e nell'antica università lasciano un'impronta profonda nel gusto artistico settecentesco dei paesi tedeschi.

Andrea Pozzo
Gloria di sant'Ignazio di Loyola

1691-1694
affresco
Roma, Sant'Ignazio.

La spettacolare composizione è il compendio e il trionfo finale dei grandi soffitti architettonici barocchi. Secondo la concezione gesuita, il vano della chiesa è concepito come un'unica aula per l'assemblea dei fedeli: lo spazio si dilata (e padre Pozzo rende in modo efficacissimo il "raddoppio" illusorio della prospettiva a colonne dell'architettura reale) per esplodere in un tripudio di luce e di gloria. Gruppi di santi, angeli, allegorie, nuvole fluttuanti accentuano l'effetto virtuosistico dell'insieme, che appare esuberante e libero mentre è studiato con criteri di rigore scientifico.

Il Settecento

Canaletto
*Il Bucintoro di ritorno al molo
il giorno dell'Ascensione*

1730-1735
Windsor Castle, Royal Collections.

Il Settecento è per il mondo un periodo di grandi rivoluzioni: culturali, economiche, geografiche, sociali, politiche e, in ultima analisi, anche artistiche. Soprattutto durante la seconda metà, il secolo conosce una sorta di accelerazione verso un rinnovamento profondo delle forme del pensiero e degli assetti socioeconomici: un rapidissimo riepilogo dei fatti non deve suonare come una mera elencazione di dati ma come l'impressionante evolversi della situazione internazionale su uno scenario mondiale, in cui l'Italia risulta chiaramente ai margini, con zone che appaiono arretrate fin quasi all'estraneità.

Nei primi decenni, il Settecento europeo vive la stagione meravigliosa e felice del Rococò, compiacendosi di un benessere presunto che si manifesta in un'allegria dolcemente festosa, diffondendosi nelle corti europee con caratteri stilistici sostanzialmente affini. Appena dopo il 1750, però, questa fuga nella fantasia, l'imbarco per un'isola felice e spensierata, una Citera del sogno, subi-

Sebastiano Ricci
Susanna e i vecchioni
1713
tela
Chatsworth (Devonshire),
collezioni del duca
di Chatsworth.

sce un brusco colpo d'arresto: l'*Encyclopédie* di Diderot e D'Alembert si propone come monumento dell'Illuminismo: con la limpida e serena chiarezza della ragione, tutto il sapere viene organizzato e reso disponibile, senza fronzoli o inutili orpelli. In breve tempo (meno di una ventina d'anni), la logica degli illuministi diventa la nuova base culturale comune: i concetti di libertà e di giustizia proposti da Rousseau e da Voltaire vengono recepiti nelle grandi corti d'Austria, Inghilterra, Russia e delle signorie italiane di Torino, Firenze e Napoli (quindi con la quasi paradossale eccezione della Francia, dove pure l'Illuminismo aveva preso origine), dando così vita alla fase storica del cosiddetto "despotismo illuminato". Le arti figurative, almeno parzialmente, si adeguano: bando alle frivolezze del Rococò, avvio di una fase di rigoroso studio delle norme e delle regole, con il rilancio dei modelli antichi. L'Italia, che aveva offerto all'Europa i suoi pittori migliori per la grande decorazione del Rococò e per le vedute urbane (si pensi ai viaggi di Tiepolo, Sebastiano Ricci, Canaletto e Bellotto, seguiti da una ricca schiera di altri maestri) è sempre la meta privilegiata degli artisti e dei viaggiatori di cultura di tutta Europa. Ma, a differenza dei secoli precedenti, i gentiluomini impegnati nel "Grand Tour", i collezionisti e gli intellettuali non sono attirati dagli sviluppi dell'arte "contemporanea" in Italia: scendono verso Roma, Napoli e Firenze (non a caso abbiamo scelto le tre città che compaiono nel titolo del celebre libro di viaggi di Stendhal) attirati dall'eco del Rinascimento, dalle luci affascinanti della campagna, dalla dolcezza del clima, dalla presenza di ruderi e resti archeologici. Il ritrovamento e lo scavo delle città romane sepolte dal Vesuvio, a partire dal 1770, è uno dei grandi fatti della cultura di fine secolo. Si assiste, insomma, alla progressiva emarginazione dell'Italia dal vivo del dibattito culturale, in parte risarcita dalla immutata importanza della Penisola per quanto riguarda la storia dell'arte antica. L'immagine tipica dell'Italia diventa la veduta della campagna romana o dei Campi Flegrei, un paesaggio costellato di reperti antichi, con una natura di commovente bellezza, in cui contadini in costume intrecciano danze popolari.

Un quadro più folcloristico che reale, che denuncia anche l'arretratezza economica e politica della nazione, resa ancor più evidente e grave dalle grandiose novità produttive inaugurate in Inghilterra con l'avvio della Rivolu-

Canaletto
Campo San Giacometto
1729-1730
tela
Dresda, Gemäldegalerie.
Canaletto
*Processione dei cavalieri
dell'Ordine del Bagno
davanti a Westminster*
1747-1755
tela
Londra, National Gallery.

zione industriale. Solo in qualche città italiana (soprattutto nella Milano passata dalla dominazione spagnola
all'"illuminato" governo austriaco di Maria Teresa, e nella splendida Venezia negli ultimi tempi della sua millenaria indipendenza) si assiste a uno sviluppo intellettuale di
notevole respiro illuminista, con figure di giuristi (Bec-
caria), di letterati (Gozzi, Verri) e di commediografi
(Goldoni) di livello europeo. L'Italia può vantare un in-
discutibile primato musicale, ma, senza dubbio, il panorama socioeconomico risulta depresso, inesorabilmente
provinciale. In questa luce, si comprende il fenomeno
della diaspora di capolavori di archeologia e del Rinascimento che durante il Settecento escono dall'Italia per
dar vita alle grandi raccolte principesche, per diventare
la spina dorsale dei più grandi musei d'Europa.
Il mondo bussa alle porte, i confini si allargano: viene
scoperto un "nuovissimo" continente, l'Oceania, e le co-
lonie inglesi del Nordamerica si ribellano e proclamano
nel 1776 l'Indipendenza, definendosi Stati Uniti d'America: a questa nuova potenza d'oltremare fa da contraltare il risveglio e la spinta verso Occidente del gigante russo, con la nuova e "moderna" capitale fondata sul Baltico
dallo zar Pietro il Grande. Infine, nel 1789, la Rivoluzione francese scardina in maniera sostanziale gli assetti politici e sociali, proponendo alla ribalta il ceto emergente
della borghesia. Sotto la ghigliottina cadono le teste co-
ronate, ma cade soprattutto un'epoca. Dalla Bastiglia in
poi, la storia cambia.
Un'evoluzione rapidissima investe la cultura, che si muove in modo repentino (e non senza sovrapposizioni) dal
Neoclassicismo al Romanticismo, attraverso una gamma
quasi infinita di sfumature e di situazioni particolari. Alla
fine del XVIII secolo l'Europa vede emergere alcune figure straordinarie di filosofi, scrittori, musicisti e artisti,
interpreti sofferti di una fase di trapasso. Goethe e Kant,
Beethoven e Foscolo, Canova e David, Friedrich e Goya
segnano i momenti umani e appassionati di un periodo
storico che coinvolge tutta l'Europa, su cui sta sorgendo
l'astro abbagliante di Napoleone. Ed è appunto Napoleone a infliggere gli ultimi colpi agli storici assetti politico-
culturali della "vecchia" Italia: con il trattato di Cam-
poformio (1789) cede Venezia all'Austria, ponendo fine
alla più che millenaria epopea della Serenissima; con
l'entrata a Roma umilia la Sede papale, avviando una colossale spoliazione di capolavori d'arte e di archeologia,

Giambattista Tiepolo
Sacrificio di Ifigenia
1757
affresco
Vicenza, villa Valmarana,
palazzina.

Giambattista Tiepolo
Marte e Venere
1757
affresco
Vicenza, villa Valmarana,
foresteria.

Giandomenico Tiepolo
Il riposo dei contadini
1757
affresco
Vicenza, villa Valmarana,
foresteria.

solo parzialmente risarcita con il Congresso di Vienna e la Restaurazione (1815).

Nello scenario del Settecento, come si è detto, la pittura italiana segue un percorso "provinciale" ma interessante. Lo stile prevalente della prima metà del secolo è dettato dall'enorme successo della rigogliosa pittura veneziana, capace di imporre la propria immagine artistica all'Europa intera, soprattutto nel campo della grande decorazione. Sebastiano Ricci, Piazzetta e Giambattista Tiepolo diventano i campioni di una pittura che non conosce limiti né di soggetto, con favolose invenzioni compositive e allegorie mirabolanti, né di dimensione. Non mancano tuttavia suggerimenti diversi: i lombardi Ceruti e fra Galgario, il genovese Magnasco, il bolognese Crespi e il napoletano Traversi (oltre allo stesso Giandomenico Tiepolo) mostrano con angolature differenti e sempre vivaci un'attenzione insolita verso i temi e i personaggi della quotidianità, inaugurando quel filone di pittura "sociale" che tornerà a manifestarsi nella seconda metà dell'Ottocento. Se il "vedutismo" di Canaletto, Bellotto e Guardi può essere interpretato come il riflesso di un atteggiamento illuminista davanti alla realtà, più difficile risulta, verso la fine del secolo, l'adesione al Neoclassicismo, lo stile che pur basandosi sull'archeologia romana viene teorizzato e sviluppato soprattutto nei paesi di lingua tedesca. Il contrasto tra l'esplosiva fantasia del Rococò e l'esigenza di un "ritorno all'ordine", molto ben risolto nelle architetture di Filippo Juvarra e Luigi Vanvitelli, viene affrontato in pittura con lo spirito di un nuovo rilancio delle Accademie. È una fase storica molto interessante, poiché pur non avendo riscontri diretti particolarmente rilevanti (il personaggio più interessante è, in questa fase, Pompeo Batoni), crea il presupposto per la formazione di grandi musei a Milano, a Bologna e a Venezia, impostati didatticamente come raccolte di esempi per gli studenti delle classi di pittura.

Dal panorama forse deprimente della fine del secolo, sulle rovine "foscoliane" di un'Italia travolta e depressa emerge l'ideale eterno della Bellezza, più forte di qualsiasi influsso o tendenza o scuola o accademia: un ideale che viene raccolto ed esaltato dal grandissimo Canova, anello di congiunzione tra "antico" e "moderno", interprete struggente e altissimo di un mondo nuovo che riconosce il proprio fondamento nelle passioni segrete e nelle emozioni profonde dell'animo umano.

Alessandro Magnasco

Genova, 1667 - 1749

Figlio di un modesto pittore genovese, dopo una prima formazione nella città natale Alessandro Magnasco si trasferisce ancora giovane a Milano, dove lavora a lungo nella bottega di Filippo Abbiati. Decisivo è l'incontro con Sebastiano Ricci, ribadito anche nel corso di un soggiorno a Firenze (1703-1709), alla corte di Ferdinando di Toscana. Magnasco abbandona presto la pittura a grandi figure (solo saltuariamente praticata in seguito) per dedicarsi a un'inconfondibile produzione di scene di paesaggio o di interno con guizzanti personaggi. Questo gusto, inizialmente limitato a ventosi paesaggi di campagna e rovine con mendicanti, si sviluppa in modo imprevedibile durante il lungo secondo soggiorno milanese (1709-1735), durante il quale Magnasco dipinge nel consueto, vibrante stile anche scene di convento, episodi di tortura, marine, maschere, baccanali e così via, ottenendo un notevole successo negli ambienti intellettuali milanesi. Resta sospeso il dubbio critico sul significato profondo di queste tele, a volte macabre, a volte burlesche, a volte semplicemente descrittive, a volte drammatiche. Tornato a Genova in tarda età, Magnasco lascia nella città natale le ultime opere, visionarie e trasfigurate.

Alessandro Magnasco
Furto sacrilego

1731
tela
Milano, Quadreria arcivescovile.

Il dipinto illustra un episodio di cronaca nera avvenuto il 6 gennaio 1731. I ladri che tentavano di entrare nella chiesa di Santa Maria in Campomorto a Siziano (Pavia) per rubare gli arredi sacri sarebbero stati messi in fuga dagli scheletri usciti dalle tombe del circostante cimitero.

La macabra scena è un grandioso *ex voto* e si svolge sotto gli occhi della Vergine che appare nell'angolo in alto a destra per organizzare la sarabanda degli scheletri e indicare, sul fondo, la punizione dei ladri, che vengono impiccati.

La tela appartiene alla chiesa in cui avvenne il tentato furto sacrilego, ma è conservata nel Museo Diocesano di Milano per ragioni di sicurezza.

Alla pagina accanto
Alessandro Magnasco
Refettorio dei frati osservanti

1736-1737
tela
Bassano del Grappa, Museo Civico.

Il numero dei personaggi e la ricchezza delle decorazioni fanno pensare che sia qui rappresentato un Capitolo Generale dell'ordine Francescano.

Giuseppe Maria Crespi

Bologna, 1665 - 1747

Una corretta formazione a Bologna
presso artisti accademici e controllati,
una prima attività di tipo tradizionale
(ma non convenzionale), la produzione
di affreschi, scene mitologiche e pale
d'altare non piega lo spirito irrequieto
e curioso di Giuseppe Maria Crespi,
uno dei più grandi pittori "di genere"
dell'arte italiana. Dopo i primi
affreschi bolognesi, il Crespi trascorre

nei primi anni del XVIII secolo
un interessante periodo a Firenze,
durante il quale si confronta con
Magnasco e con i pittori fiamminghi:
nascono così le scene di mercato,
di cucina, di casolare, di interni
domestici. Lo stile pittorico
del Crespi rimane fedele a se stesso,
indipendentemente dal soggetto:
il capolavoro del pittore sono le tele
del ciclo dei *Sette Sacramenti*
(conservato a Dresda), in cui
le diverse scene sono interpretate
con uno spirito dimesso, popolare
e al tempo stesso intimamente mistico.

Importante è anche l'attività
di Giuseppe Maria Crespi come
ritrattista, ben testimoniata dal
divertente bozzetto per il ritratto
del cardinale Lambertini (Bologna,
Pinacoteca Nazionale), modificato
velocemente nella stesura definitiva
(Roma, Pinacoteca Vaticana) per
l'elezione del cardinale bolognese
a papa, con il nome di Benedetto XIV.

Alla pagina accanto, in alto
**Alessandro
Magnasco**

Tre monaci camaldolesi
in preghiera

Tre frati cappuccini
in meditazione nell'eremo

1713-1714 c.
tele
Amsterdam, Rijksmuseum.

In basso
**Alessandro
Magnasco**
Interrogatorio in carcere

1710 c.
tela
*Vienna, Kunsthistorisches
Museum.*

Fa parte di un gruppo
di tre dipinti ispirati
ai temi dei disastri
della guerra: saccheggi,
feriti e torture vengono
dipinti con lucido spirito
documentario, destinato
ad evolversi (nella pittura
di Magnasco come
negli ambienti intellettuali
milanesi) in aperta denuncia.

**Giuseppe Maria
Crespi**
La sguattera

1710-1715
tela
Firenze, Galleria degli Uffizi.

La pittura "di genere"
di Giuseppe Maria Crespi
tocca spesso momenti
di intima e casalinga
poesia. Questo dipinto
risale al periodo fiorentino
del pittore, che grazie
al mecenatismo di
Ferdinando de' Medici
ha l'occasione di entrare
in diretto contatto con
Magnasco e di conoscere
la pittura fiamminga:
questi riferimenti sono
però superati dalla delicata
definizione della luce
che lascia scoprire, uno
dopo l'altro, gli oggetti
della cucina.

Alla pagina accanto
**Giuseppe Maria
Crespi**
Librerie

1725 c.
tela
*Bologna, Conservatorio
Martini, Civico Museo
Bibliografico Musicale.*

Superbo capolavoro
della natura morta italiana
del Settecento, queste
due finte librerie piene
di polverosi libri musicali
e di spartiti velocemente
consultati e riposti
sono probabilmente state
commissionate da padre
Giovan Battista Martini,
grande musicologo
bolognese, rispettato
e temuto critico
di rilevanza europea.

**Giuseppe Maria
Crespi**
Donna che si spulcia

1730 c.
tela
*Pisa, Museo Nazionale
e Civico di San Matteo.*

È possibile che la tela
(replicata dal Crespi
in varie versioni) sia stata
commissionata dall'inglese
Owen Mc Swiney,
direttore del teatro
dell'Opera di Londra
e agente artistico
di Canaletto: la dimessa
e diretta resa della realtà,
investigata attraverso
i piccoli dettagli
del quotidiano, può essere
in effetti paragonata
ai dipinti di Hogarth, ma
senza quella caustica vena
dissacrante e caricaturale
che rende inconfondibile
il pittore inglese.

Pietro Longhi

Venezia, 1701 - 1785

Figlio di un orafo (il vero cognome
è Falca), Pietro Longhi tenta senza
troppo succeso di inserirsi fra i pittori
della "grande decorazione" veneziana
del Settecento. Le sue opere giovanili,
come gli affreschi in palazzo Sagredo,
mostrano in effetti qualche impaccio.
Intorno ai quarant'anni, però, il
pittore trova una particolarissima vena
espressiva che lo porta ben presto a
diventare uno specialista in un genere
di successo. Recuperando il ricordo
del giovanile contatto con Giuseppe
Maria Crespi (che della pittura
di Longhi costituisce in effetti
un importantissimo precedente),
il veneziano inizia a dipingere piccole
tele di soggetto quotidiano,
con ambienti e personaggi tratti
dalla realtà di tutti i giorni.
A differenza di quanto accadeva negli
stessi anni per i vedutisti, Longhi
lavora soprattutto per committenti
e collezionisti locali, fra cui le famiglie
dogali dei Grimani, dei Barbarigo
e dei Manin. La produzione di Longhi
(che prende spunto da raffinati schizzi
grafici preparatori) si concentra quasi
esclusivamente su tele di piccole
dimensioni con le modeste attività
giornaliere delle famiglie aristocratiche
veneziane. La grande amabilità di
questi episodi di cronaca spicciola
fa dimenticare l'intrinseca malinconia
di una città e di una società
che cercavano di scordare il proprio
declino. In anni avanzati Longhi
realizza anche due interessanti
sequenze organiche di dipinti: la serie
dei *Sette Sacramenti* e gli episodi
della *Caccia in valle*, entrambe
conservate nella Pinacoteca Querini
Stampalia di Venezia.

Alla pagina accanto
Pietro Longhi
Il rinoceronte

1751 c.
tela
*Venezia, Ca' Rezzonico, Museo
del Settecento Veneziano.*

Accompagnato da
una precisa scritta che
commemora l'episodio,
il dipinto rappresenta
la clamorosa esposizione
dell'esotico animale,
diventato un'attrazione di
fama europea. L'immagine
di Longhi, oltre alla massa
bruta del rinoceronte,
ci restituisce l'atmosfera
del pubblico che animava
incuriosito questi fenomeni
da baraccone.

Pietro Longhi
Il pittore nello studio

1740-1745
tela
*Venezia, Ca' Rezzonico, Museo
del Settecento Veneziano.*

Il profilo in controluce
del pittore adombra
un autoritratto, mentre
nel dialogo muto
fra l'artista e la dama
da ritrarre si inserisce
con una certa insistenza
la figura dell'uomo
che sembra seguire con
preoccupazione il lavoro
del pittore.

Pietro Longhi
Il sarto

1741
tela
*Venezia, Gallerie
dell'Accademia.*

Proviene dalla Collezione
Contarini. Ancora una
prova di gusto squisito
negli accordi cromatici,
vissuta sul contrasto
fra il gesto naturale
ed esperto del sarto
che mostra la preziosa
stoffa e la dama quasi
perplessa. Ricompare
la presenza di un
personaggio "in più", il
magistrato che occhieggia
dal ritratto appeso
alla parete.

Pietro Longhi
Caccia dell'anitra
in laguna

1760 c.
tela
Venezia, Pinacoteca
Querini Stampalia.

Tela di grande
concentrazione e intensità,
presenta lo svago
di un nobile. Sulla prua
di una barca spinta da
quattro ruvidi vogatori,
il gentiluomo incipriato
tende l'arco per scagliare
le palle di terracotta
che sono predisposte
nel canestro ai suoi piedi.
La luce diffusa
e l'orizzonte infinito
della laguna sono un
unicum nella produzione
di Longhi.

Pietro Longhi
Il cavadenti

1746 c.
tela
Milano, Pinacoteca di Brera.

Una delle più popolari
opere del pittore,
è ambientata davanti al
portico di palazzo Ducale.
Intorno al palco
del cavadenti (che mostra
soddisfatto il dente appena
estratto al ragazzo che
si tampona la bocca
col fazzoletto) si anima una
piccola scena, tra passanti
in bautta e maschera,
ragazze partecipi, bambini
che danno pezzi di pane
alla scimmietta e perfino
una nana che reagisce
facendo le corna
agli scongiuri della figura
sulla sinistra.

Giacomo Ceruti

(il Pitocchetto) Milano, 1698 - 1767

Milanese di nascita e bresciano d'adozione, il Ceruti è uno dei più interessanti pittori lombardi del XVIII secolo. È multiforme e diseguale: nelle pale d'altare e nei dipinti sacri appare spesso impacciato, nei ritratti trova talvolta accenti di penetrante intensità, nei dipinti di soggetto pauperistico è addirittura l'inventore geniale di un nuovo genere pittorico. Nessuno, nemmeno Caravaggio, aveva prima di lui rappresentato con tanta commossa grandezza i reietti, gli ultimi, i vagabondi, i "pitocchi" (da qui il soprannome di Pitocchetto con il quale il pittore è anche conosciuto). Nella plurisecolare "pittura della realtà", il filone più autentico e profondo dell'arte in Lombardia, Ceruti occupa un ruolo di grande rilevanza stilistica e morale. Nel cuore di un secolo troppo spesso considerato frivolo e superficiale, le sartine, le lavandaie, i garzoni e, più giù, i balordi, gli sbandati, gli straccioni di Ceruti sono una nota di umanità che stringe il cuore. I personaggi di questa storia di strada sono raffigurati in modo monumentale, con una pennellata che investiga l'anima e si adegua ai colori smorti e bruni dei panni. Grazie al Ceruti, insomma, possediamo un'immagine diversa, disincantata e toccante, del Settecento.

Giacomo Ceruti
Lavandaia

1736 c.
tela
Brescia, Pinacoteca
Tosio-Martinengo.

Indimenticabile, toccante capolavoro di verità umana e sociale, questo dipinto è carico di un'accorata partecipazione in bilico tra rassegnazione, dignità e denuncia.

Giacomo Ceruti
Natura morta con
gallina, cipolla e
recipiente di terracotta

1750-1760
tela
collezione privata.

Giacomo Ceruti
Natura morta con piatto
di peltro, coltello, forma
di pane, salame, noci,
bicchiere e brocca
con vino rosso

1750-1760
tela
collezione privata.

Un aspetto poco noto
della produzione del
Ceruti è la sua eccellente
vena di pittore di nature
morte. In questi dipinti
ritroviamo quello stesso
mondo fatto di povere
cose, di quotidianità,
di verità austera e insieme
poetica che caratterizza
i più celebri "pitocchi".

Fra Galgario

Vittore Ghislandi, Bergamo, 1655 - 1743

Figlio di un pittore quadraturista
e in gioventù talvolta impegnato
in decorazioni prospettiche, Vittore
Ghislandi prende i voti di converso
(e poi di frate) nell'ordine di San
Francesco da Paola. Dopo un periodo
trascorso nel convento dei Paolotti
a Venezia, si trasferisce nella città
natale, nel convento di Galgario da
cui assume il soprannome. Non si sa
molto della sua attività di pittore fino
alle soglie del Settecento, quando,
superati i quarant'anni, forse dietro
suggerimento di Salomon Adler,
fra Galgario comincia a dedicarsi
al genere del ritratto, di cui diventa
un esclusivo specialista. Benché
aggiornato sulle recenti espressioni
milanesi, bolognesi e veneziane, il
bergamasco preferisce riagganciarsi
alla tradizione locale, specie all'eredità
di Giovan Battista Moroni. Nasce così
una ricchissima stagione di ritratti
di gentiluomini e gentildonne
della piccola aristocrazia bergamasca,
dipinti senza indulgenze nella
loro schietta verità fisica e morale.
La galleria dei personaggi di fra
Galgario (conservata in buona parte
nei musei di Bergamo e di Milano,
ma anche tuttora in collezioni private)
è di grande varietà, anche per
la ricchezza del colore e degli impasti
del pittore: proprio questa vivacità,
oltre alla grande sicurezza della
composizione e alla perentorietà
del dato psicologico, fanno dei ritratti
del maestro bergamasco uno specchio
fedele di un Settecento di provincia,
vissuto tra l'albagia di una classe
privilegiata e la consapevolezza
concreta delle necessità
e dei cambiamenti del mondo.

Fra Galgario
Ritratto di Giovanni Secco
Suardo col servitore

1720-1730
tela
Bergamo, Accademia Carrara.

La ricchezza sonora
del colore, la pennellata
sempre sicura e l'intensità
psicologica sono caratteri
costanti nei ritratti di fra
Galgario. In questo caso,
il dipinto si carica di
contenuti "morali" molto
forti: il gentiluomo
mantiene la sua sicurezza
anche in un momento di
relax, con gli abiti slacciati
e senza parrucca. L'arguto
servitore, in secondo
piano, pur in una posizione
defilata, è una "presenza"
vivace, una sorta di *alter
ego* del conte,
contrapponendo al tono
sociale e intellettuale del
gentiluomo una coscienza
popolaresca ricca di
esperienza e di umanità.

Sebastiano Ricci
Punizione di Amore

1706-1707
tela
Firenze, palazzo
Marucelli-Fenzi.

Splendido lavoro
del periodo fiorentino
del pittore, riprende
i suggerimenti di Luca
Giordano con una
ricchezza e una felicità
inventiva nuove.

Sebastiano Ricci

Belluno, 1659 - Venezia, 1734

Esuberante personaggio
internazionale, costituisce il prototipo
del pittore "viaggiatore". Dopo una
prima formazione in Veneto,
Sebastiano Ricci compie un
importante soggiorno in Emilia
(Bologna, Parma e Piacenza), durante
il quale il suo stile si affina
sull'esempio dei classicisti locali,
dai quali riceve lo stimolo di un
viaggio a Roma. La luminosità degli
affreschi di Annibale Carracci in
palazzo Farnese diventa un punto di
riferimento importante, confermato
nelle opere lasciate a Milano e
soprattutto a Firenze. Dopo un veloce
viaggio a Vienna ritorna a Venezia nel
1708: la *Pala di San Giorgio Maggiore*,
esplicito omaggio a Paolo Veronese,
inaugura la stagione settecentesca
della pittura veneziana, nella chiave
di uno sviluppo fluente e mosso
delle composizioni e delle pennellate.
Il successo della nuova pittura
settecentesca è immediato: già nel
1711 Sebastiano raggiunge il nipote
Marco Ricci a Londra, dove si ferma
cinque anni lavorando in modo
particolare per lord Burlington.
Dopo una breve tappa a Parigi (che
gli frutta l'ammissione all'Académie
Royale), riprende l'attività veneziana,
con tele da collezione e pale d'altare.
Al termine della carriera dipinge
per l'imperatore Carlo VI l'*Assunzione
della Vergine* nella Karlskirche
di Vienna.

Sebastiano Ricci
Caduta di Fetonte

1703-1704
tela
Belluno, Museo Civico.

Lo spregiudicato
virtuosismo di Sebastiano
Ricci parte certamente
dall'enfasi barocca,
tradotta però in
un'esplosiva energia.

Sebastiano Ricci
San Pietro liberato
dal carcere

1722
tela
Venezia, San Stae.

La balzante, dinamica
composizione fa parte
del più importante ciclo
di tele commissionato a
Venezia nei primi decenni
del Settecento: i dodici
riquadri del presbiterio
della chiesa di San Stae
(Sant'Eustachio, affacciata
sul primo tratto del Canal
Grande) sono stati affidati
ad altrettanti pittori
diversi, stimolando un
incontro e un confronto
tra varie tendenze.
Del gruppo fanno parte,
oltre a Sebastiano Ricci,
altri grandi talenti
della pittura veneta
del XVIII secolo, come
Piazzetta, Pittoni
e l'esordiente Giovan
Battista Tiepolo, tanto
che il ciclo di San Stae
può essere considerato
il più significativo
laboratorio della pittura
veneziana del primo
Settecento.

Sebastiano Ricci
Madonna col Bambino
in trono e santi

1708
tela
Venezia, San Giorgio
Maggiore.

È una delle più festose
pale d'altare del Settecento
veneziano, direttamente
ispirata alle Sacre
Conversazioni di Paolo
Veronese, reinventate
con una freschezza
e una felicità cromatica
di spettacolare efficacia.
Destinata a un altare
laterale della chiesa
palladiana, è impostata
su una accurata regia
di linee diagonali salienti
che spostano il centro
dell'attenzione del
riguardante verso sinistra,
ossia verso la Madonna
col Bambino. Questa
impostazione geometrica
(dissimulata sotto
l'apparente immediatezza
di una scena piena
di azione) risolve anche
il non facile problema
della presenza di numerose
figure entro uno spazio
relativamente esiguo.

Giambattista Piazzetta

Venezia, 1683 - 1754

Figlio di un intagliatore del legno, da cui trae il gusto per figure plasticamente ben definite e un'eccellente predisposizione per l'incisione, Giambattista Piazzetta compie una tappa abbastanza insolita per i pittori veneziani. Tra il 1703 e il 1705 svolge infatti un soggiorno di studio a Bologna, dove conosce la pittura chiaroscurale e suggestiva di Giuseppe Maria Crespi e si appassiona per la "gran macchia" delle pale d'altare di Guercino. Queste esperienze si traducono inizialmente in una pittura drammatica, di forte impatto emozionale e di robusto contrasto tra zone vivacemente illuminate e altre affondate nell'ombra, su prevalenti tonalità cromatiche brune e con un intenso patetismo religioso. Progressivamente, grazie al contatto con Tiepolo (con il quale lavora nella chiesa dei Gesuati), anche Piazzetta rende più chiara e luminosa la sua pittura. Non esegue mai affreschi, e anche per la decorazione della volta di una cappella (nella basilica di San Zanipolo) ricorre alla pittura su tela. Nella fase centrale della sua carriera Piazzetta partecipa pienamente al "grand goût" settecentesco, con composizioni profane destinate al collezionismo, come la famosa *Indovina* delle Gallerie dell'Accademia di Venezia o la *Rebecca al pozzo* della Pinacoteca di Brera a Milano; ottimo illustratore e incisore, Piazzetta ha svolto un ruolo didattico di prima importanza, impegnandosi nella fondazione dell'Accademia di Belle Arti a Venezia.

Giambattista Piazzetta
Estasi di san Francesco

1729
tela
Vicenza, palazzo Chiericati, Pinacoteca Civica.

È uno dei massimi capolavori del Piazzetta e, più in generale, della pittura sacra del Settecento. Il pittore imposta la grande pala (proveniente dalla chiesa vicentina di Santa Maria d'Aracoeli) lungo tre diagonali parallele che tagliano il quadro da sinistra a destra. La più importante è quella centrale, con il contrasto tra la luminosa e robusta figura dello stupendo angelo e il corpo esanime, scuro, pesante, del santo svenuto. I dettagli descrittivi (come la modestissima carpenteria o la figura di schiena di frate Leone) accentuano il sentimento di solitudine e di intenso misticismo.

**Giambattista
Piazzetta**
Tre santi domenicani:
Lodovico, Bertrando,
Vincenzo Ferreri
e Giacinto

*1738, tela
Venezia, Santa Maria
dei Gesuati.*

La bella chiesa dei Gesuati,
affacciata sulla riva delle
Zattere, è uno dei sacrari
della pittura veneziana del
Settecento, per la presenza
di tre stupende pale
d'altare di Sebastiano
Ricci, di Giovan Battista
Tiepolo (autore anche
degli affreschi sulla volta)

e, appunto, di Piazzetta,
che trova accenti di grande
energia nell'invenzione
dell'angelo in volo
rovesciato, nel gioco
dei tre colori dei sai
(bianco, nero e bruno),
nelle espressioni
appassionate dei tre santi.

**Giambattista
Piazzetta**
Apparizione della Vergine
a san Filippo Neri

*1725, tela
Venezia, Santa Maria
della Fava.*

Partendo da una struttura
compositiva a triangolo

che risale a Tiziano,
Piazzetta anima questo
dipinto di una vibrante
emozione, grazie alla
tensione espressiva dei
personaggi e agli inserti
di natura morta.

Alla pagina accanto
**Giambattista
Piazzetta**
Sant'Jacopo condotto
al martirio

*1722
tela
Venezia, San Stae.*

Giambattista Tiepolo

Venezia, 1696 - Madrid, 1770

Il più potente, rigoglioso e influente pittore europeo del XVIII secolo, almeno prima della diffusione del gusto illuminista e neoclassico, ha dettato il gusto per la grande decorazione signorile nelle corti. Ai vastissimi affreschi è soprattutto legata la fama dell'artista: ma Tiepolo deve essere considerato prima di tutto un pittore estremamente versatile, capace di svariare in numerosi campi dell'arte e di adattarsi ai soggetti, alle tecniche e alle dimensioni più diverse. Allievo di Gregorio Lazzarini, il giovane Tiepolo si iscrive ventunenne alla corporazione dei pittori di Venezia. Nel 1719 sposa Cecilia Guardi, sorella dei pittori Francesco e Giannantonio. Attratto dagli esperimenti di Piazzetta e di Sebastiano Ricci (a fianco dei quali viene coinvolto nell'esecuzione dei dipinti per San Stae, 1722), indirizza la propria attività all'abbandono delle "tenebre" barocche per aprirsi a scene sempre più solari e vivacemente colorate, chiaramente ispirate al recupero della grande tradizione veneta rinascimentale. Dopo i primi cicli di affreschi a Venezia, Giambattista Tiepolo ottiene il primo grande successo con la stupenda decorazione della galleria del palazzo Vescovile di Udine (1726), autentica esplosione di festosa luminosità. Da questo momento è un crescendo di incarichi, alternativamente rivolti a committenti privati e religiosi. Per tutti Tiepolo realizza tele e affreschi pieni di fantasia e di gioia, in cui il riferimento stilistico a Paolo Veronese si sovrappone a una consapevole ripresa di trucchi e suggestioni teatrali. Per questo scopo, Tiepolo lavora quasi sempre con la collaborazione di un "quadraturista" che prepare le finte architetture in cui sono inserite le scene narrative, il fidatissimo Girolamo Mengozzi Colonna. Nel corso degli anni trenta del Settecento Giambattista Tiepolo è vorticosamente attivo in Veneto e in Lombardia. Fra le opere principali si segnalano gli affreschi nella cappella Colleoni di Bergamo, la volta dei Gesuati e varie pale d'altare a Venezia, la decorazione dei prestigiosi palazzi milanesi (Archinto, Dugnani, Clerici). Raggiunto l'apice della fama, Tiepolo rende ancor più fantasiosi e sorprendenti i suoi lavori, lasciando correre una fantasia sbrigliata e un gusto per l'allegoria nei grandi lavori veneziani della Scuola del Carmine e di palazzo Labia. Numerosi dipinti sono destinati all'esportazione, ma a differenza di molti suoi concittadini (come Sebastiano Ricci, Canaletto e Bellotto), Tiepolo è riluttante all'idea di andare a lavorare all'estero. Finalmente convinto dal vescovo-conte Karl Philipp von Greiffenklau, nel 1750 si trasferisce con numerosi collaboratori a Würzburg: gli affreschi nella Residenza della cittadina francone sono i più sfolgoranti capolavori della pittura rococò europea, di cui costituiscono il vertice insuperabile e, come tale, l'inizio della crisi. Di nuovo nel Veneto, Tiepolo dipinge ripetutamente per le ville signorili (Valmarana a Vicenza, Pisani a Stra), senza trascurare le pale d'altare, come quella del Duomo di Este. Nel 1762, sempre con il supporto di vari collaboratori di bottega fra cui il figlio Giandomenico, parte per la Spagna. A Madrid affresca vari ambienti nel palazzo Reale, fra cui la prestigiosa sala del Trono. Tuttavia, proprio nella corte madrilena, l'incipiente gusto neoclassico rende rapidamente "fuori moda" la fantasia decorativa e trasfigurante di Tiepolo. Il grande pittore muore a Madrid, quasi dimenticato.

Giambattista Tiepolo
Rachele nasconde gli idoli

1726 c.
affresco
Udine, galleria del palazzo dell'Arcivescovado.

Lo scalone e soprattutto la stupenda galleria del palazzo udinese del patriarca Dionisio Dolfin, poi diventato Arcivescovado, ospitano il primo importante ciclo di affreschi di Giambattista Tiepolo, riportato a piena godibilità da un recente e ben riuscito intervento di pulitura. Le scene bibliche, inquadrate entro capricciose cornici rococò, assumono un ritmo narrativo di grande fantasia, arricchito da numerosi dettagli realistici anche di carattere popolaresco. Fra i personaggi si suppone di ravvisare il ritratto del pittore trentenne e quello della moglie, Cecilia Guardi.

Giambattista Tiepolo
Educazione della Vergine

1732
tela
Venezia, Santa Maria
della Fava.

Giambattista Tiepolo
Apparizione della Vergine
alle sante domenicane
Rosa da Lima, Caterina
da Siena e Agnese
da Montepulciano

1740, tela
Venezia, Santa Maria
dei Gesuati.

Le figure delle due pale
d'altare mariane diventano
eroi di una vicenda
nobilmente condotta,
carica di *pathos* epico e,
insieme, di una penetrante
sensualità. Sembrano
campioni di un'umanità
superiore, eppure la
loro immagine rimane

legata al nostro senso
quotidiano grazie alla resa
dei dettagli descrittivi,
naturalistica fino ai limiti
del *trompe-l'œil*.

Giambattista Tiepolo
Giove appare a Danae

1733
tela
Stoccolma, collezioni
dell'Università.

Acquistato nel 1736
dal conte Carl Gustaf
Tessin, il dipinto ricorda
il primo sviluppo
internazionale della fama
di Tiepolo, insistentemente
segnalato alla regina
di Svezia. La scena,
di sontuoso gusto della
seduzione, vive soprattutto
sul contrasto tra le
classiche, grandiose figure
dei protagonisti e la
vivacità distratta degli
episodi e dei personaggi
minori, in cui ancora
una volta Tiepolo sbriglia
il proprio irriverente
umorismo (si noti,
ad esempio, la scenetta
in basso con il cagnolino
che abbaia all'aquila
divina).

Giambattista Tiepolo
Trionfo di Flora

1743-1744
tela
San Francisco, M.H. de Young
Memorial Museum.

Il dipinto fu
commissionato
dall'autorevole conoscitore
Francesco Algarotti per
il conte Brühl, personaggio
di spicco nella corte
di Sassonia. Per rendere
ancor più luminoso
l'effetto d'insieme delle
tinte Tiepolo ha utilizzato
con grande evidenza i
tre colori primari (giallo,
rosso, blu), alternando
mantelli svolazzanti,
raffinati elementi
architettonici, silenziose
sagome di alberi.
Tutto, poi, è cosparso
di incantevoli serti floreali,
dipinti con finezza e
deliziosa galanteria.

Giambattista Tiepolo
Volo della Santa Casa
verso Loreto

1743
tela
Venezia, Gallerie
dell'Accademia.

Il bozzetto ovale ricorda
la coraggiosa invenzione
di Tiepolo per il soffitto
della chiesa degli Scalzi
a Venezia: purtroppo,
l'affresco è stato distrutto
durante la prima guerra
mondiale. La tela riesce
così solo in parte a
suggerire l'impressionante
effetto della Santa Casa
che, sorretta dagli angeli,
si slanciava attraverso
il soffitto della chiesa,
sfondando la cornice
architettonica.

Giambattista Tiepolo
Investitura del vescovo
Aroldo

Le nozze del Barbarossa

1751-1753
affreschi
Würzburg, Residenz, Kaisersaal.

La lunga e fecondissima
permanenza di Tiepolo
alla corte del principe-
vescovo di Würzburg
si apre con l'esplosione

di gioia e di luce
negli affreschi della sala
Imperiale. L'astruso
programma iconografico
(in cui si mescolano
la mitologia greca,
il Medioevo tedesco
e la tradizione di potere
del vescovo locale) si
trasforma in smagliante
apparato decorativo grazie
agli stucchi bianco-oro
del ticinese Solari,
che simulano sipari alzati.

Tiepolo, ottimamente
coadiuvato dai figli
Giandomenico e Lorenzo,
crea rigorosi fondali
architettonici sui quali
si presentano folle
di personaggi in costumi
stravaganti, seguendo
schemi compositivi
apparentemente "naturali"
ma in realtà accuratamente
studiati.

Giambattista Tiepolo
Adorazione dei Magi

1753
tela
Monaco, Alte Pinakothek.

Pala d'altare eseguita
durante il soggiorno
tedesco di Tiepolo: per
le condizioni del clima,
il pittore poteva lavorare
solo durante i mesi
primaverili ed estivi agli
affreschi della Residenza

di Würzburg, mentre
in autunno e in inverno
si doveva limitare
a dipingere su tela,
realizzando dipinti di
fantasiosa, esotica bellezza
in cui il soggetto sacro
è solo il pretesto
per clamorose immagini
di fastosa ricchezza.

Giambattista Tiepolo
Allegoria dell'Africa

1753
affresco
Würzburg, Residenz, Kaisersaal.

Lo scalone della Residenza, capolavoro assoluto dell'architettura rococò europea, è l'opera più coraggiosa di Balthasar Neumann. Lungo la cornice e sulla sterminata volta dell'immenso ambiente Tiepolo ha steso un impressionante omaggio al suo committente e, proprio negli anni delle prime uscite della rigorosa *Encyclopédie* di Diderot, una vertiginosa, allegramente confusa *summa* del sapere geografico e naturalistico del suo tempo. Sui bordi, infatti, in un'incalcolabile varietà di personaggi, di animali, di piante d'ogni genere, sono raffigurate quattro splendide donne, allegorie dell'Europa, dell'Africa, dell'Asia e dell'America. Ciascuna di queste bellezze (che nell'aspetto e negli abiti rispecchia le caratteristiche somatiche e il costume delle diverse zone del mondo) è circondata dai "prodotti" tipici del continente: l'Africa nera cavalca un cammello.

Giambattista Tiepolo
Donna con
un pappagallo

1760-1761
tela
Oxford, Ashmolean Museum.

Il luminoso dipinto, quasi un simbolo della grazia settecentesca, non è un ritratto, anche se Tiepolo si è talvolta cimentato con questo genere artistico. Il busto rosato della graziosissima ragazza può semmai essere confrontato con le sensuali "mezze figure" femminili dipinte più di due secoli prima da Tiziano.

329

Giambattista Tiepolo
Ultima comunione
di santa Lucia

1748-1750
tela
Venezia, Santi Apostoli.

Come ennesima conferma
delle straordinarie doti
di eclettismo, nello stesso
periodo in cui allestisce
il clamoroso spettacolo
profano degli affreschi
di palazzo Labia Tiepolo
dipinge la sua più
concentrata e intensa pala
d'altare veneziana, in cui
il nitore delle architetture
e lo sfolgorio dei colori
non attenua, ma anzi forse
accentua il senso di
malinconia del momento.

Giambattista Tiepolo
Allegoria con Venere
e il Tempo

1754-1757
tela
Londra, National Gallery.

Tipico "sfondato"
da soffitto, la tela era
destinata ad essere
applicata sulla volta di una
sala, e pertanto dovrebbe
essere vista dal basso verso
l'alto. Ancora una volta, il
pittore veneziano dimostra
la propria suprema abilità
di creatore di spazi illusori,
alternando zone
luminosissime a parti
in ombra: la fantasia
creatrice, al di là delle
lambiccate allusioni
allegoriche, si sostanzia
in immagini di grande
concretezza, con dettagli
di amabile raffinatezza
come i due colombi
in volo. La modella che
raffigura Venere è molto
probabilmente la stessa
della *Donna con un
pappagallo* (vedi p. 329).

Giandomenico Tiepolo

Venezia, 1727 - 1804

Dotato e arguto figlio d'arte, Giandomenico si esercita a lungo sulle opere del padre Giambattista, che anzi impone al figlio una formazione paziente, con insistite repliche per impadronirsi completamente dello "stile di famiglia", ben manifestato dallo splendido ciclo delle stazioni della

Via Crucis per la chiesa veneziana di San Polo. Convinto delle qualità di Giandomenico, Giambattista coinvolge il figlio nelle grandi imprese della sua maturità, portandolo con sé a Würzburg, a Vicenza, a Stra e a Madrid. In queste opere la mano di Giandomenico si fa via via sempre meglio riconoscibile, di pari passo con l'acquisizione di uno stile personale, sostanzialmente diverso (almeno per quanto riguarda la scelta dei soggetti) da quello del padre. Il temperamento di Giandomenico

si manifesta con grande efficacia negli affreschi della foresteria di villa Valmarana presso Vicenza (1757), intonati a un gustoso e divertito realismo. L'adesione alla realtà contemporanea, vista sempre con uno sguardo di ironia (prevalentemente sorridente, qualche volta invece amara) diventa la caratteristica saliente dell'attività di Giandomenico Tiepolo come pittore e incisore, pur senza mai abbandonare i cantieri paterni. In particolare, Giandomenico collabora strettamente con l'ormai

invecchiato genitore durante il soggiorno spagnolo (1762-1770): la sua attività a Madrid diventerà importante punto di riferimento per gli esordi di Goya. Rientrato in Italia, Giandomenico dipinge importanti cicli decorativi a Venezia, Brescia e Genova. Nella sua pittura s'insinua sempre più il senso della fine di un'epoca, espresso con leggerezza e fine disincanto negli affreschi per la villa di famiglia, realizzati durante l'ultimo decennio del Settecento e conservati a Ca' Rezzonico.

Giandomenico Tiepolo
Il minuetto

1756, tela
Barcellona, Museo de Arte de Catalunja.

Interessantissima opera giovanile, parte

da un'impostazione compositiva paragonabile alle scene paterne (si veda per esempio il *Trionfo di Flora*, p. 327), ma non rappresenta scene mitologiche o allegoriche. Il minuetto interpretato da festosi personaggi

in maschera va al contrario inserito nella tradizione della "scena di genere": opere come queste lasceranno una profonda impressione nel giovane Goya.

Alla pagina accanto
Giandomenico Tiepolo
Passeggiata estiva

1757
affresco
Vicenza, villa Valmarana ai Nani, foresteria.

Mentre Giambattista Tiepolo dipingeva nella palazzina gli episodi più celebri dei poemi eroici, suo figlio Giandomenico decorava le sale della foresteria con scene disincantate e godibili. Le stagioni, che

Giambattista avrebbe probabilmente effigiato attraverso meravigliose allegorie, sono per Giandomenico l'occasione per cogliere scene di vita di campagna, paesaggi lontani, personaggi concreti.

Gaspare Traversi
Lezione di disegno

1750 c.
tela
Kansas City, Nelson-Atkins
Museum.

Ottimo esempio di scena
domestica (o, per utilizzare
il termine inglese coniato

nel Settecento,
"conversation piece"),
presenta il repertorio di
tipi, personaggi, sentimenti
tipici di Gaspare Traversi
e, attraverso la sua pittura,
espressione inconfondibile
della Napoli borbonica
e popolare, aristocratica
e umana, pronta a ridere

di se stessa con irresistibile
sense of humour, venato
da sarcastica amarezza.
L'immediata, balzante
vivacità dei soggetti non
deve tuttavia far
dimenticare l'aspetto
stilistico della pittura
del maestro napoletano,
che trasferisce la "scena

di genere" su un formato
monumentale, in parallelo
con quanto faceva
Giacomo Ceruti in
Lombardia. La datazione
di questi "ritratti di
gruppo" risulta alquanto
complessa, ma comunque
è collocabile intorno
alla metà del secolo.

Gaspare Traversi

Napoli, 1722 c. - Roma, 1770

Dopo la splendida, ricchissima
stagione del Barocco l'arte napoletana
produce nel Settecento numerose
tendenze interessanti. Alcuni artisti
si staccano dalla media, e fra questi
Gaspare Traversi. A lungo quasi
sconosciuto, o quanto meno noto
soprattutto per la sua attività di pittore

sacro (certo più che discreta, specie
per le pale d'altare lasciate a Parma
nell'ambito delle committenze
borboniche, ma non particolarmente
originale), il maestro napoletano
è stato riscoperto nel nostro secolo
come una delle voci più libere
e dissacranti dell'arte settecentesca.
Nella sua produzione, ben ricostruita
dagli studi recenti, spicca infatti
un numero cospicuo di grandi scene

"di genere", con personaggi, ambienti,
situazioni presi dalla vita reale.
Signorotti e popolani, scugnizzi
e sciantose, presunti intenditori
e perdigiorno compongono, sotto
il pennello del Traversi, una versione
pittorica delle commedie napoletane.
Va peraltro ribadito che lo stile
del pittore è tutt'altro che trasandato
o popolaresco: si tratta al contrario
di un'arte molto raffinata, di ampio

respiro, in cui gli aspetti caricaturali
non trascendono mai al volgare
o allo sguaiato.
Nel suo complesso, la pittura
del Traversi può essere considerata
un interessantissimo e autonomo
contributo alla cultura artistica
europea nel periodo illuminista,
considerando lo spirito voltairiano,
divertito, scettico e ironico, con cui
il pittore osserva la realtà quotidiana.

Pompeo Gerolamo Batoni

Lucca, 1708 - Roma, 1787

Pittore di grande cultura, precocemente salutato da una fama internazionale, Pompeo Batoni è il primo artista italiano a proporre una consapevole alternativa formale al Rococò e alla pittura veneziana. Nato in Toscana e formatosi a Roma, studia in modo intelligente e appassionato Raffaello e l'arte classica, elaborando presto un programma di "riforma", in chiave accademica e controllata, della pittura che si richiama all'analoga operazione compiuta, un secolo e mezzo prima, da Annibale Carracci. A partire dalla *Sacra Conversazione* della chiesa di San Gregorio al Celio a Roma (1732) fino alla grande *Sacra Famiglia* della Pinacoteca di Brera a Milano, Batoni ha proposto una serie esemplare di modelli di dipinti sacri, in cui ogni figura si atteggia in modo composto e ben delimitato dal disegno entro un progetto compositivo di grande chiarezza e semplicità. Con l'appoggio del pittore e trattatista Anton Raphael Mengs, la proposta di Batoni si trasforma in una forma iniziale e importante di neoclassicismo, inteso non come mera e passiva imitazione dell'antico ma come stimolante ricerca di un ideale di bellezza.
La mano nitida e ferma del pittore toscano è ben applicata anche in eccellenti ritratti.

Pompeo Batoni
Estasi di santa Caterina da Siena

1743
tela
Lucca, Museo di Villa Guinigi.

Il confronto con opere di simile soggetto (per esempio l'*Estasi di san Francesco* di Piazzetta, p. 321) fa comprendere il tono della proposta culturale di Batoni: l'acceso dinamismo compositivo degli artisti della prima metà del secolo, espresso anche in una accelerata foga esecutiva, viene sottoposto a una rigorosa verifica formale, a un'operazione di controllo che si esprime attraverso una forma impeccabile ma forse un po' svuotata di intensità sentimentale. Dopo la metà del secolo, questa impostazione accademica diventerà un punto di riferimento irrinunciabile per gli sviluppi della pittura in Italia centrale.

Giovan Paolo Panini

Piacenza, 1691 - Roma, 1765

Uno dei più raffinati interpreti del vedutismo settecentesco, si forma nell'ambito della cultura prospettica e scenografica emiliana. Trasferitosi a Roma nel 1715, si dedica dapprima alla decorazione di palazzi con finte architetture, poi trova la migliore vena espressiva nella rappresentazione di feste e di episodi particolari (arrivo di personalità, cortei, ricevimenti papali e così via) ambientati nella spettacolare cornice delle piazze e degli edifici di Roma. La bellezza di questi sfondi monumentali, visti sotto una luce limpida che sembra esaltare l'idea stessa della Città Eterna, fa sì che non sempre ci sia bisogno di un pretesto narrativo: molti dipinti di Panini sono delle "semplici" vedute, animate da vivaci macchiette, in cui risalta efficacemente lo spirito razionale e scenografico del pittore. Notevole è l'influsso esercitato su Canaletto e i grandi vedutisti veneziani del Settecento.

Giovan Paolo Panini
La piazza e la basilica
di Santa Maria Maggiore

1744
tela
Roma, palazzo del Quirinale,
Coffehouse.

Canaletto

*Giovanni Antonio Canal,
Venezia, 1697 - 1768*

Insieme al coetaneo e concittadino
Giambattista Tiepolo, Canaletto
contribuisce in modo determinante
a illuminare la pittura europea
del Settecento con la luce sfolgorante
dell'arte veneziana. Le sue vedute
urbane, tutte destinate all'esportazione
(non a caso, a Venezia rimangono
pochissime opere di Canaletto)
diventano ben presto oggetto
contesissimo di un mercato artistico
che, a due secoli e mezzo di distanza,
non accenna minimamente a perdere
vigore. Figlio d'arte, esordisce come
collaboratore del padre scenografo
nell'allestimento di spettacoli teatrali
a Venezia e a Roma. Questa attività
giovanile, anche se presto
abbandonata, lascia una traccia
fondamentale sull'artista, sempre
attento a creare suggestive, profonde
prospettive scenografiche: inoltre,
lo mette in contatto con l'impresario
teatrale londinese Owen Mc Swiney,
che diventa il suo primo estimatore,
già nel corso degli anni venti del
Settecento. Per i viaggiatori inglesi
Canaletto comincia verso il 1728 a
dipingere vedute di Venezia, scegliendo
prevalentemente scorci monumentali
e giornate serene. Il successo
è travolgente: il console inglese
a Venezia Smith commissiona, nel
corso degli anni, decine di dipinti
(in seguito acquistati in blocco dal re
d'Inghilterra Giorgio III) e intere serie
di incisioni, propagandando la celebrità
del pittore presso i collezionisti
e i viaggiatori inglese. Le vedute
di Canaletto sono almeno in parte
realizzate con l'utilizzo della "camera
ottica", uno strumento di visione
del paesaggio che anticipa il concetto
della "camera oscura" fotografica.
Grazie a questo espediente ma
soprattutto in forza di una mano
di assoluta sicurezza e di stupenda
luminosità, Canaletto assume un
ruolo centrale nell'arte europea.
Nel 1746 si trasferisce a Londra,
dove rimane per lunghi anni
alternando vedute di Venezia
(realizzate utilizzando precisissimi
taccuini di disegni) con ampie
scenografie della capitale
e di residenze di campagna inglesi.

Canaletto
Il laboratorio dei marmi
a San Vidal

*1727 c.
tela
Londra, National Gallery.*

Questa veduta di Venezia
è molto precisa ma oggi
poco riconoscibile:
la chiesa sullo sfondo
è Santa Maria della Carità
(attualmente inglobata
nel percorso delle Gallerie
dell'Accademia), dominata
dal campanile crollato
nel 1741. Ulteriore
modifica, di fronte
sorge oggi il Ponte
dell'Accademia.

Canaletto
Corteo dogale alla chiesa
di San Rocco, particolare

1735
tela
Londra, National Gallery.

È qui rappresentata una
cerimonia che si svolgeva
ogni anno al'inizio

di agosto: la visita del doge
alla fiera estiva all'aperto
allestita dai pittori davanti
alla Scuola di San Rocco.
I quadri sono appesi
sulle facciate degli edifici
mentre un tendaggio
protegge i visitatori
dal sole.

Alla pagina accanto
Canaletto
Il Bucintoro di ritorno
al molo il giorno
dell'Ascensione
Regata sul Canal Grande

1730-1735 c., tele
Windsor Castle,
Royal Collections.

Queste due
rappresentazioni di
cerimonie tradizionali
veneziane fanno parte
di una serie di quattordici
vedute del Canal Grande
dipinte da Canaletto e
incise da Antonio Visentini
(*Prospectus Magni Canalis
Venetiarum*, pubblicato

nel 1735). Sono pervenuti
alle collezioni reali inglesi
attraverso la raccolta
del console Smith,
notissimo collezionista
di pittura veneziana
e appassionato sostenitore
dei vedutisti.

Canaletto
Il Tamigi verso la City

1746-1747
tela
Praga, Národní Galerie.

Canaletto
Bacino di San Marco

1738-1740
tela
Boston, Museum of Fine Arts.

È una delle opere
più famose del pittore,
un capolavoro per impegno
e dimensioni.
Qui Canaletto inizia a
"dilatare" lo spazio come
se lo vedesse attraverso
un grandangolo, a cercare
la veduta panoramica
abbassando la linea
dell'orizzonte, come farà
soprattutto durante il suo
periodo inglese. Più della
metà della tela è occupata
dal cielo, che contribuisce
ad accentuare il senso
di spettacolare solennità
del dipinto.

Canaletto
Le chiuse di Dolo
sul Brenta

1728-1729 c.
tela
Oxford, Ashmolean Museum.

Canaletto
Veduta di un fiume,
forse a Padova

1745 c.
tela
Stati Uniti, collezione privata.

Bernardo Bellotto
Venezia, 1721 - Varsavia, 1780

Animato da una irresistibile vocazione internazionale, Bernardo Bellotto ha lasciato Venezia e l'Italia a soli ventisei anni per avviarsi ad una splendida carriera nelle grandi corti della Mitteleuropa tra Rococò e Illuminismo. Nipote per parte di madre di Canaletto (di cui anzi riprenderà il soprannome, specie durante il soggiorno polacco), Bernardo Bellotto si forma presso lo zio, esercitandosi da subito nella pittura di veduta vivacizzata da deliziose figurette: già nel 1738 risulta iscritto alla corporazione dei pittori veneziani. Sempre sotto la guida di Canaletto il giovane Bellotto compie lunghi viaggi in Italia, dapprima nel Veneto e poi a Roma, Firenze, Torino, Milano e Verona. Di ciascuna di queste tappe ha lasciato immagini memorabili, dimostrando precocemente la sua capacità di cogliere non solo gli aspetti architettonici o naturali, ma anche la peculiare luminosità dei luoghi rappresentati. Rientrato a Venezia per breve tempo, accoglie nell'estate del 1747 l'invito dell'Elettore di Sassonia Augusto III e si trasferisce a Dresda. Ai dieci anni trascorsi nella "Firenze sull'Elba" risale una memorabile serie di stupende vedute della città e dei dintorni, replicate anche per il primo ministro, conte Brühl. Il successo è enorme: la fama del Bellotto si diffonde in tutta l'Europa centrale. Nel 1758, chiamato dall'imperatrice Maria Teresa, il pittore si trasferisce a Vienna, interpretando con nitore i monumenti gotici e barocchi della capitale. Tappa successiva è Monaco, presso l'Elettore di Baviera, a partire dal 1761. Dopo cinque anni a Monaco Bellotto ritorna a Dresda e da qui passa a Varsavia, per trascorrere gli ultimi anni di vita e di attività presso il re di Polonia Stanislao Poniatowski. Le vedute di Varsavia sono per lo più raccolte nel castello Reale della città: come è noto, per la loro indefettibile e insieme poetica precisione, le tele del Bellotto sono state utilizzate come modelli per la ricostruzione degli edifici di Varsavia dopo la seconda guerra mondiale.

Bernardo Bellotto
Rovine della Kreuzkirche a Dresda

1765
tela
Dresda, Gemäldegalerie.

Opera della maturità del pittore, compiuta nel secondo soggiorno in Sassonia, rappresenta con straordinaria, forse irripetibile capacità di lucida immedesimazione nell'evento, la demolizione della chiesa gotica di Santa Croce sulla piazza del Mercato Nuovo a Dresda. Lesionata nel corso di un conflitto, la chiesa verrà ricostruita pochi anni dopo in stile rococò. Questa immagine di rovina, quasi una dissezione anatomica della chiesa mortalmente ferita, è riapparsa due secoli dopo Bellotto con il devastante bombardamento di Dresda durante la seconda guerra mondiale.

Bernardo Bellotto
Veduta con la villa
Melzi d'Eril

1744
tela
Milano Pinacoteca di Brera.

Sullo sfondo si
riconoscono lo specchio
del lago Maggiore e il
massiccio del monte Rosa.

Bernardo Bellotto
Veduta della Gazzada

1744
tela
Milano Pinacoteca di Brera.

Le due vedute,
recentemente restaurate
e restituite a una cristallina
trasparenza delle luci,
sono splendidi capolavori
giovanili del pittore.
realizzate durante
un viaggio in Lombardia,
sanno cogliere con poetica
e fedele realtà il momento
del clima e della stagione.
Il soffio di vento di primo
autunno che muove
le nuvole e fa asciugare
i panni stesi, la paziente
e insieme commossa
riproduzione dei colori
dimessi delle pietre, delle
tegole, degli abiti, il primo
scolorire delle foglie fanno
di questi due dipinti forse
i più appassionati "ritratti"
che la regione abbia
ricevuto.

Bernardo Bellotto

Capriccio con il Colosseo

Capriccio con
il Campidoglio

1743-1744
tele
Parma, Galleria Nazionale.

Fanno parte di un
interessantissimo ciclo
di quattro tele di simile
formato e soggetto, dipinte
dal giovane Bellotto
durante il suo
fondamentale viaggio
a Roma. Progressivamente,
il pittore si sposta dalla
fedele "veduta" degli scorci
monumentali di Roma
al libero "capriccio", in
cui gli edifici (fedelmente
riprodotti) vengono
combinati in modo
eclettico con architetture
di fantasia in un suggestivo
ed evocativo montaggio.

Alla pagina accanto, in basso
Bernardo Bellotto
Veduta di Verona
col fiume Adige
dal ponte Nuovo

1747-1748
tela
Dresda, Gemäldegalerie.

Il campanile di
Sant'Anastasia e le antiche
fortificazioni scaligere
proteggono il tranquillo
scorrere del fiume:
per una volta, Bellotto
preferisce cogliere gli
aspetti popolari, dimessi
della città, dipingendo le
casette costruite sulle rive;
questi edifici verranno
demoliti alla fine
dell'Ottocento per
consentire la realizzazione
dei lungoadigi a protezione
delle inondazioni.

Bernardo Bellotto

Piazza del Mercato Nuovo
a Dresda

Il fossato dello Zwinger

1750
tele
Dresda, Gemäldegalerie.

Le due tele fanno parte
dell'eccezionale serie di
vedute di Dresda eseguite
per il Grande Elettore
di Sassonia: le notevoli
dimensioni, l'infallibile
splendore della luce,
il nitore della veduta,
la varietà delle angolature
urbane fanno di questo
ciclo uno dei più
affascinanti insiemi
della pittura europea
nel periodo illuminista.
Meravigliose sono anche
le figure, intente alle più
varie e pacifiche attività
(si noti per esempio
il soldato della guardia
d'onore che getta del
mangime ai cigni nel
fossato).

Francesco Guardi

Venezia, 1712 - 1793

Inserito nel cuore di una lunga
tradizione familiare di pittori
(si forma come pittore di figure presso
il fratello Giannantonio, con il quale
lavora a lungo; è cognato di
Giambattista Tiepolo; lascia l'eredità
della propria bottega al figlio
Giacomo) è per la sensibilità moderna
l'interprete più toccante della
decadenza di Venezia. Al contrario
degli altri vedutisti, Guardi non lascia
mai la città natale: la sua attività
è comunque rivolta ai viaggiatori
internazionali. Le vedute di Guardi,
spesso disadorne, sporche, sbiadite,
ci offrono della città un'immagine
a volte opposta rispetto a quella
luminosa e sicura di Canaletto.
La datazione delle opere di Guardi
è particolarmente complessa:
le vedute sono per la massima
parte eseguite nella tarda maturità
e nella vecchiaia del pittore.

Francesco Guardi
Gondola sulla laguna
(La laguna grigia)

1760-1770 c.
tela
Milano, Museo Poldi Pezzoli.

Francesco Guardi
Il ponte dei tre archi
a Cannaregio

1765-1770
tela
Washington, National Gallery.

Non sempre Guardi sceglie
gli angoli più famosi e
monumentali di Venezia:
anzi, spesso il pittore
sceglie per le sue vedute
angoli "minori", di edilizia
popolare. Questa tela
ha reso famoso un ponte
altrimenti anonimo, in
un quadro urbano privo
di edifici di prestigio.

Francesco Guardi
Il ridotto

1755
tela
Venezia, Ca' Rezzonico, Museo
del Settecento Veneziano.

Raffigura il *foyer* di uno
dei numerosi teatri
veneziani, luogo d'incontro
e di svaghi sostanzialmente
indifferenti rispetto
all'opera rappresentata
in scena.

Francesco Guardi
La festa della Sensa

1775 c.
tela
Lisbona, Fondazione
Gulbenkian.

Con geniale intuizione
Francesco Guardi coglie
momenti particolari della
vita veneziana: in questa
curiosa veduta è
rappresentata la struttura
a padiglioni allestita in
occasione della celebrazione
dell'Ascensione (in dialetto
veneziano "Sensa"), uno
degli episodi popolari
più importanti dell'anno.
Splendida è la resa
cromatica, tutta giocata
su toni chiari.

Francesco Guardi
La chiesa e il campo
dei Santi Giovanni
e Paolo

1760-1765
tela
Parigi, Musée du Louvre.

La grande basilica gotica
incombe sulla scena
con volumi che sembrano
dilatarsi nel contesto
urbanistico. I famosi
monumenti sono trattati
senza l'orgoglioso nitore
di Canaletto: al contrario,
una vibrazione continua
attraversa l'atmosfera e
rende malcerti i contorni.

Francesco Guardi
Concerto di dame
al casino dei Filarmonici

1782
tela
Monaco, Alte Pinakothek.

È uno dei capolavori
di Guardi: legato
a un episodio storico,
è precisamente databile,
tanto da costruire
un punto di riferimento
essenziale per tutta la
cronologia delle opere
del pittore.
La scena rientrava infatti
nel disperso ciclo
di dipinti dedicati ai
festeggiamenti organizzati
in onore dei Conti del
Nord, in visita a Venezia

nel 1782. In questo caso
è rappresentato il concerto
tenuto dal celebre
coro delle orfane
del Conservatorio della
Pietà, uno dei più famosi
complessi vocali
e strumentali di tutta
Europa.
Durante la prima metà
del secolo, sotto la
direzione di Antonio
Vivaldi, l'orchestra
femminile della Pietà
aveva raggiunto vertici
di assoluta eccellenza e
varietà timbrica.

Francesco Guardi
Incendio del deposito
degli oli a San Marcuola

1789
tela
Venezia, Gallerie
dell'Accademia.

È uno degli ultimi
capolavori del pittore,
ispirato a un fatto
realmente avvenuto la sera
del 28 dicembre 1789.
Il bagliore delle fiamme
ispira una suggestiva
veduta notturna, in cui
i personaggi e le case sono
separati da una barriera
di fuoco.

Giannantonio Guardi

Vienna, 1699 - Venezia, 1761

Fratello maggiore e maestro del più
noto Francesco, Giannantonio Guardi
è uno dei più interessanti pittori del
Settecento veneto. Per quasi un secolo
e mezzo, però, il suo nome è stato
praticamente dimenticato:
la sua riscoperta è merito specifico
della critica d'arte del nostro secolo.
Formatosi probabilmente a Vienna
(la famiglia Guardi, originaria
del Trentino, aveva molti rapporti
con gli ambienti artistici austriaci),
Giannantonio avvia la propria attività
a Venezia come copista di celebri
dipinti rinascimentali. Produzione
fortunata, destinata per lo più ai
collezionisti stranieri, fra cui il
maresciallo Schulemburg. Grazie a
questa peculiare attività, Giannantonio
si impadronisce della "maniera"
dei grandi maestri, traducendola
in un suo proprio, prezioso, stile:
dalla bottega dei Guardi escono quadri
di soggetto mitologico o letterario,
composizioni fleoreali, curiose
scenette di "turcherie". Nel 1738
Giannantonio invia dipinti alla chiesa
di Vigo d'Anaunia, in Trentino,
interessanti esempi della sua pittura
saettante, rapida, corsiva.
Nella fiorente bottega di Giannantonio
emerge a poco a poco Francesco,
ma la mano dei due fratelli non è
facilmente distinguibile, e continua
anzi a proporre interrogativi critici.
Intorno al 1750 si colloca il più tipico
frutto della collaborazione tra
Giannatonio e Francesco, le *Storie di
Tobiolo* sul parapetto dell'organo della
chiesa veneziana dell'Angelo Raffaele.

Giannantonio Guardi
Madonna e santi

1746-1748
tela
Belvedere di Aquileia (Udine),
Parrocchiale (in deposito
presso il Patriarcato
di Gorizia).

La più importante
composizione sacra
di Giannantonio Guardi
è un'opera di travolgente
novità. La scena subisce
una sorta di vertiginosa
accelerazione, espressa
soprattutto attraverso
una pennellata nervosa,
continuamente abbreviata
e interrotta, di
fiammeggiante efficacia.

L'Ottocento

Telemaco Signorini
Ponte Vecchio a Firenze, particolare

1879
Milano, collezione privata.

Il processo avviato dalla Rivoluzione francese caratterizza i primi anni dell'Europa ottocentesca. Intorno alle imprese di Napoleone ruota la cultura, l'economia, la politica degli Stati del continente. L'Italia assiste quasi passivamente alla travolgente avanzata del Bonaparte e poi al suo tracollo, tanto che al Congresso di Vienna, indetto per ridefinire gli equilibri europei dopo la disfatta napoleonica di Waterloo (1815), l'ambasciatore austriaco Metternich pronuncia una celebre frase: "L'Italia non è che un'espressione geografica". Schiacciata tra le grandi potenze, l'Italia viene spartita in zone d'influenza: non mancano figure di grande nobiltà, come Leopardi, Foscolo o Canova; ma si tratta di personalità isolate che non creano "scuole" o movimenti.

I primi decenni del XIX secolo vedono il diffondersi del Neoclassicismo e del cosiddetto stile Impero: gli artisti italiani sono favoriti dalla possibilità di avere costantemente a disposizione i grandi esempi del passato, dall'archeologia alle riletture quattro-cinquecentesche. La consapevolezza dell'immenso patrimonio culturale, minacciato e in parte disperso con le campagne napoleoniche, è forse l'elemento più interessante dell'arte italiana del primo Ottocento. Nel 1795 viene pubblicata la *Storia pittorica dell'Italia*, opera dell'abate Luigi Lanzi, il primo ragguaglio sistematico sulla pittura italiana: organizzato per scuole regionali, lo studio del Lanzi è un contributo fondamentale alla nascita di alcuni grandi musei "nazio-

nali" o la riorganizzazione di imponenti raccolte principesche. L'emanazione di decreti per la tutela del patrimonio artistico e il recupero dei capolavori asportati in Francia effettuato da Canova sono i sintomi dell'attenzione nei confronti dell'arte del passato, accuratamente studiata nelle accademie.

L'evoluzione di Francesco Hayez, il più rappresentativo e longevo interprete della prima fase del Romanticismo, parte appunto dalla riscoperta e dallo studio dell'arte dei secoli precedenti: ma mentre si riduce drasticamente la richiesta di dipinti di soggetto sacro, cresce rapidamente la produzione di tele che raffigurano scene e personaggi del Medioevo e del Rinascimento. Questo atteggiamento di recupero della storia non si limita alle arti figurative: il teatro, il romanzo e l'opera lirica (come i celeberrimi capolavori di Manzoni e di Verdi) si ispirano alle figure, agli scenari, agli episodi del passato. È un modo per evitare almeno in parte i rigori della censura, rigidissima soprattutto nelle regioni dominate dagli austriaci, ma rivela l'esigenza di recuperare motivi e stimoli di identità e di orgoglio nazionale, specie in un periodo di mortificazione. Anche la pittura di soggetto storico gioca dunque un ruolo nella lunga fase del Risorgimento, il processo politico e sociale che attraverso una travagliata serie di rivolte e di conflitti porta alla indipendenza dell'Italia dagli stranieri e alla riunificazione della nazione sotto il regno dei piemontesi Savoia. Solo verso la metà del secolo entra in scena l'attualità: alcuni artisti, soprattutto lombardi e toscani, partecipano direttamente alle guerre o addirittura all'impresa dei Mille di Garibaldi: l'illustrazione dei fatti contemporanei sostituisce la rievocazione di episodi remoti. Al "recupero della realtà" si può far risalire la nascita e l'evoluzione del più importante gruppo di pittori italiani dell'Ottocento, i "macchiaioli". Attivi tra Firenze e le coste della Maremma, artisti come Lega, Fattori e Signorini dipingono situazioni e paesaggi tratti dal vero, con una tecnica di grande ricchezza cromatica, paragonabile a quanto stavano facendo, a Parigi, negli stessi anni gli "impressionisti". La sensibilità e la poetica dei vari rappresentanti del gruppo conduce a esiti diversi: Lega cerca la poesia dei momenti di intimità, Signorini (anche con la precoce attenzione verso la fotografia) coglie al volo movimenti di folla e scenari urbani, Fattori interpreta la solitudine e la fatica di soldati di ronda nella campagna assolata o di contadini

Giovanni Segantini
Pascoli di primavera
1896
tela
Milano, Pinacoteca
di Brera.

stravolti dal lavoro. Quest'ultimo aspetto, l'attenzione verso i nuovi temi sociali, è il filone prevalente negli ultimi anni del secolo. Dopo l'unità (1870) e la definitiva scelta di Roma come capitale del Regno d'Italia, infatti, si spengono gli ardori risorgimentali e si scopre lo stato di arretratezza in cui si trova gran parte di una nazione che aspira a trovare un ruolo fra le grandi potenze: rapidamente, di fronte alla situazione concreta, si parla di "delusione postunitaria". Il disagio dei poveri, la necessità di una rapida riconversione dell'economia verso l'industria, il formarsi di un nuovo ceto operaio offrono agli artisti più sensibili l'occasione per una pittura nuova, non priva di un senso di denuncia: il *Quarto Stato* di Pellizza da Volpedo ne è l'esempio più celebre. Dal punto di vista stilistico, alla fine del secolo si diffonde l'antiaccademica tecnica del "divisionismo", che prevede una stesura minuziosa a singole pennellate di colore, staccate una dall'altra. Pur se collegabile con il "pointillisme" francese, il Divisionismo è un'espressione pittorica tipicamente italiana, applicata per le situazioni più diverse, dal paesaggio (come in Segantini) alle fantasie del Simbolismo, precocemente venato di suggestioni dannunziane.

Giovanni Fattori
La rotonda dei Bagni Palmieri
1866
tavola
Firenze, palazzo Pitti,
Galleria d'Arte Moderna.

Giuseppe Pellizza
da Volpedo
Il Quarto Stato
1898-1901
tela
Milano, villa Reale,
Galleria d'Arte Moderna.

Felice Giani

San Sebastiano Curone (Alessandria), 1758 - Roma, 1823

Figura di grande interesse nello sviluppo dello stile neoclassico, in dialogo con molti protagonisti della cultura internazionale, Giani si trasferisce a Roma a vent'anni e subito viene coinvolto negli ultimi lavori di decorazione di palazzo Doria (1780). Pur se già interessato al repertorio ornamentale classico, il giovane Giani sembra accostarsi al romanticismo visionario. Nei successivi lavori, a Roma e a Faenza (palazzo Zarchia Laderchi e palazzo Milzetti, il suo capolavoro), la foga dinamica caratteristica delle opere di Giani prima del 1800 non si spegne, ma sembra indirizzarsi verso una rilettura in chiave eclettica della classicità. Un viaggio a Parigi e l'epopea napoleonica danno uno slancio ulteriore al suo stile, caricandolo di un'espressiva energia. Nel corso di un secondo viaggio a Parigi affresca la villa del segretario di Stato del Regno Italico, un lavoro che dà all'artista un rilievo internazionale, ponendolo in rapporto con i movimenti pittorici francesi del primo Ottocento. Nel suo complesso l'opera di Felice Giani si colloca nella fase storica tra Sette e Ottocento, superando con la fantasia e il gusto ornamentale le definizioni solo in apparenza antitetiche di "neoclassico" e di "romantico".

Felice Giani
Nozze di Poseidone e Anfitrite

1802-1805
tempera su muro
Faenza (Ravenna), palazzo Milzetti, sala dell'antibagno "all'uso delle terme di Tito".

Da Raffaello ad Albani, passando per la riscoperta degli affreschi pompeiani, Felice Giani esprime il volto più fresco e sorridente del Neoclassicismo, uno stile spesso considerato freddo o monotono. Nonostante la collocazione in una città di provincia, gli affreschi di palazzo Milzetti sono una continua sopresa, resa allegra dalle raffinate e sempre felici scelte dei colori, mentre i temi mitologici classici non sono affrontati con pedantesca erudizione ma con una fantasiosa libertà narrativa. Recuperata dalla critica solo in tempi recenti, la figura di Felice Giani appare oggi come una delle più interessanti di tutto il panorama dell'arte "ufficiale" dell'età napoleonica. Grazie all'inesauribile fantasia, al costante buon gusto, alla grazia esecutiva, il pittore si libera da ogni impaccio, non prova soggezione nei confronti dell'antico e non si limita all'imitazione dell'arte classica, ma anzi propone soluzioni nuove, talvolta decisamente spregiudicate.

Antonio Canova

Possagno (Treviso), 1757 - Venezia, 1822

Scultore di eccezionali qualità
e intellettuale di altissimo livello
e influenza sul panorama europeo
nei decenni a cavallo tra il XVIII
e il XIX secolo, Canova si dedica solo
saltuariamente e quasi per diletto alla
pittura, con risultati comunque molto
interessanti. La sua carriera inizia a
Venezia, ancora nel vivo della grande
tradizione settecentesca. Trasferitosi
a Roma nel 1779, affronta subito
lavori grandiosi (come le tombe papali
nelle basiliche dei Santi Apostoli
e in San Pietro) che lo pongono come
ideale continuatore della tradizione
di Michelangelo e di Bernini. Mosso
dall'amore senza riserve per l'arte
antica, ne fa rivivere l'intima idea
di bellezza, senza mai ricorrere
all'imitazione o alla banalizzazione.
Con suprema sensibilità, rende
malleabile perfino il marmo, lasciando
scorrere sulla superficie delle sue
sculture e in particolare delle figure
femminili una delicata, epidermica
grazia. Canova utilizza il disegno e,
almeno parzialmente, la pittura come
banco di prova e di elaborazione delle
composizioni da realizzare in scultura.
Nei dipinti più autonomi (*Ercole che
saetta i figli*, Bassano, Museo Civico;
Deposizione di Cristo, Possagno, Tempio
Canoviano) si avverte un visionario
senso preromantico.

Antonio Canova
Le tre Grazie danzanti

1799 c.
particolare del fregio
a tempera su carta
Possagno, casa di Canova.

Canova accenna a "vari
pensieri di danze, a scherzi
di Ninfe con amori,
a Muse, a Filosofi ecc.,
disegnati per solo studio
e diletto dell'artista".
Si tratta certamente
del ciclo di tempere di
Possagno e degli analoghi
disegni conservati a
Bassano. Riprendendo
temi e tecniche della
pittura ercolanense,
Canova ha realizzato
le figure mitologiche
con colori brillanti che
spiccano sul fondo nero,
anticipando temi e
personaggi delle sue
sculture.

Alla pagina accanto
Francesco Hayez
Rinaldo e Armida

1812-1813
tela
Venezia, Gallerie
dell'Accademia.

Opera giovanile, ancora in
parte in dialogo con l'arte
del tardo Settecento
veneto e con Canova.
Splendidi sono gli effetti
di luce filtrata dal verde
del giardino della
seducente maga e riflessa
virtuosisticamente sullo
scudo circolare che
scintilla in primo piano.

Francesco Hayez
La sete dei crociati sotto
Gerusalemme

1836-1850
tela
Torino, palazzo Reale.

Esempio eloquente della
"grande pittura" storica
e letteraria, spesso ispirata
a temi corali del Medioevo
e, insieme, riferibile in
maniera simbolica e velata,
ai Risorgimento italiano.
I soggetti antichi venivano
scelti accuratamente
con l'intento di evitare
la censura.

Francesco Hayez
Venezia, 1791 - Milano, 1882

Formatosi a Venezia nel ricordo della
grazia settecentesca, dopo un
soggiorno giovanile a Roma Hayez
svolge gran parte della sua lunga vita
artistica a Milano, dove si trasferisce
nel 1820 e in seguito diventa direttore
dell'Accademia di Brera. Lungo
le tappe della sua pittura, distribuita
in un arco di sette decenni, si possono
via via riconoscere molti momenti
dell'evoluzione dell'arte ottocentesca
italiana. Dotato di una perfetta tecnica
(ben ravvisabile anche nei penetranti
ritratti, paragonabili a Ingres), Hayez
si dedica in modo particolare alla
realizzazione di grandi scene storiche,
in cui vibra un dichiarato sentimento
romantico: gradito alla corte viennese,
ritrae l'imperatore e affresca la volta
della sala delle Cariatidi nel palazzo
Reale di Milano (distrutta dai
bombardamenti nel 1943). Inserito
negli ambienti intellettuali milanesi,
in dialogo con Rosmini, Manzoni
e Rossini, Hayez riesce a trasfondere
nelle sue opere un sentimento di
pathos morale e civile che può essere
interpretato alla luce del
Risorgimento. Alla sua scuola
si formano generazioni di pittori
lombardi, dal tardo Neoclassicismo
fino al Verismo del tardo Ottocento.

Francesco Hayez
Il bacio

1859
tela
Milano, Pinacoteca di Brera.

Divenuta a giusto titolo
uno dei simboli del
Romanticismo italiano,
questa tela si inserisce nel
filone del sentimentalismo
melodrammatico
in costumi medievali
meravigliosamente
espresso dalle opere liriche
di Giuseppe Verdi.

Silvestro Lega

Modigliana (Forlì), 1826 - Firenze, 1895

La giovinezza trascorsa a Firenze lascia un'impronta decisiva sul pittore di origine emiliana, e non solo dal punto di vista artistico: infatti, mentre si formava presso l'Accademia di Belle Arti, apprendendo i rigorosi canoni formali della pittura romantica e purista, Lega si accosta agli ambienti politici repubblicani e risorgimentali. Nel 1848, a ventidue anni, partecipa alla sfortunata impresa degli studenti toscani a Curtatone; tornato a Firenze, traduce la propria formazione di pittore tradizionale su temi di storia contemporanea. Pur partecipando alle riunioni del Caffè Michelangelo, luogo fondamentale per la nascita del movimento dei macchiaioli, Lega rimane a lungo legato a una pittura di tipo romantico, scegliendo però soggetti nuovi, come gli episodi minori, quasi popolareschi, delle guerre d'Indipendenza. Nel 1861 apre uno studio in collina, a Pergentina. Questa località dei dintorni di Firenze diventa il laboratorio della fase centrale e più importante dei macchiaioli, al cui gruppo Lega aderisce ora senza riserve. Il paesaggio *en plein air* e la poetica immagine di scene di vita quotidiana sono i soggetti prediletti del pittore, nel cui stile rimane sempre l'eco della grande pittura classica, con una tavolozza chiara, un disegno nitido, figure monumentali e gesti pacati che possono ricordare la pittura quattrocentesca. Agli anni sessanta dell'Ottocento risalgono le opere più fresche e amabili del pittore, intonate alla ricerca di sentimenti intimi, di ambienti di campagna o di interni sempre molto semplici e sereni. In seguito, anche per il progressivo sfaldarsi del gruppo dei macchiaioli, prevalgono colori più vivi e una ricerca di effetti marcati.

Silvestro Lega
Canto dello stornello

1867
tela
Firenze, palazzo Pitti,
Galleria d'Arte Moderna.

Raffinata prova dell'intimismo lirico e amabile di Silvestro Lega, sempre attento a cogliere nel quotidiano, pacato svolgersi della vita, piccoli momenti di emozione.

Silvestro Lega
I promessi sposi

1869
tela
Milano, Museo della Scienza
e della Tecnica.

Il titolo di questo dipinto
riprende consapevolmente
e con una punta **di bo**naria

polemica quello del più
importante romanzo
dell'Ottocento italiano.
A differenza del Manzoni
(che ambienta le vicende
di Renzo e Lucia nel XVII
secolo), Lega ci mostra la
passeggiata serale di due
fidanzati del suo tempo.

Silvestro Lega
Il pergolato

1868
tela
Milano, Pinacoteca di Brera.

Il concetto di "macchia"
di luce e di colore
su cui si fonda la pittura
dei "macchiaioli" trova
un'ottima dimostrazione
in questa incantevole tela.
Un fitto pergolato
protegge un gruppo
di donne dalla calura,
nell'atmosfera lievemente
appannata dall'afa di un
pomeriggio estivo.
Capolavoro di accordi
cromatici, questo dipinto
può essere messo in diretto
rapporto con quanto
avveniva, negli stessi anni,
in riva alla Senna.

Giovanni Fattori
In vedetta

1872
tavola
Roma, collezione privata.

Fattori è stato un ottimo pittore di scene di battaglia e di soldati. Ma il suo tema preferito, oltre ai momenti dell'epopea risorgimentale, sono i soldati di ronda o di vedetta nella solitudine abbagliata di campagne estive; cavalleggeri che sembrano dispersi o abbandonati, impegnati in compiti palesemente inutili.

Giovanni Fattori

Livorno, 1825 - Firenze, 1908

Pittore di grande energia e sentimento, eccellente grafico e incisore, Fattori è uno dei massimi artisti italiani dell'Ottocento: pur essendo rimasto per quasi tutta la vita in Toscana, grazie alla mediazione di Diego Martelli appare ben aggiornato sui movimenti internazionali, tanto da porre consapevolmente in parallelo le ricerche dei macchiaioli (del cui gruppo fu il più fervido e longevo animatore) e quelle degli impressionisti. Dopo una prima formazione a Livorno, si trasferisce nel 1846 presso l'Accademia di Firenze, dove acquisisce lo stile della pittura monumentale di soggetti storici. Fra i suoi dipinti giovanili compaiono alcune vaste tele di temi medievali e i primi ritratti, un genere sviluppato lungo tutta la vita con costante efficacia. Le riunioni al Caffè Michelangelo con Signorini, Lega e numerosi altri artisti lo portano a elaborare il superamento del chiaroscuro romantico per una pittura più immediata, impostata su un nuovo rapporto di luce e colore direttamente ripreso dalla realtà: la "macchia".

Intorno al 1860 Fattori applica questa nuova tecnica a dipinti di battaglie contemporanee, rappresentate con un senso di partecipazione antiretorico e commosso. Seguono le numerose scene dedicate al tema del lavoro nei campi, in cui l'amore per la natura della Maremma (e della costa livornese) si coniuga con la partecipazione umana e sociale alla fatica dei contadini. Il realismo di Fattori si esprime anche attraverso la scelta di colori intrisi di luce e di un disegno che non dimentica la storica lezione dell'arte toscana. Se la tecnica della pittura *en plein air* e la grande luminosità possono in parte ricordare i coevi risultati degli impressionisti parigini, la stesura robusta delle pennellate con sintetiche "macchie" di colore risulta del tutto originale. Dopo gli anni settanta, mentre viene meno la compattezza del gruppo dei macchiaioli, Fattori si dedica con crescente attenzione al ritratto e all'incisione.

Giovanni Fattori
Le macchiaiole

1865
tela
Milano, collezione privata.

Durante tutto il corso della sua attività, Fattori si è spesso ispirato al lavoro nei campi, manifestando un sentimento di sincera partecipazione alle attività e agli affanni dei contadini della Maremma e delle non floride zone agricole della fascia tirrenica toscana. Nelle opere della prima maturità, come questa, prevale una forma di descrizione precisa, forse da porre in rapporto con i primi esperimenti fotografici; più avanti, il segno del pittore si farà più sintetico ed evocativo, anche se spesso legato a simili temi d'impegno sociale.

Giovanni Fattori
Carro rosso (Il riposo)

1887
tela
Milano, Pinacoteca di Brera.

Il dipinto, momento molto significativo della maturità del pittore, descrive un momento di pausa nella fatica del lavoro.
Le sagome monumentali dei buoi staccati dalla stanga e la pesante massa del contadino si profilano nette sullo sfondo di un litorale strapazzato dal sole, al limitare di un mare che sembra di piombo.

Telemaco Signorini

Firenze, 1835 - 1901

Personalità di spicco del movimento
dei macchiaioli, fra i pittori del gruppo
toscano è quello più decisamente
interessato a proiettare la propria
attività su un piano internazionale.
Ricevuta una formazione accademica

a Firenze, a partire dal 1855 è uno
dei principali animatori delle riunioni
del Caffè Michelangelo: con le opere
e con gli scritti, Signorini si fa
promotore di un rinnovamento
profondo della pittura. Animato
da uno spirito vivace, partecipa
alle guerre d'Indipendenza del 1859,
traendone spunto per realistiche

immagini di campi di battaglia.
Intorno al 1860, prolungati soggiorni
sulla riviera spezzina e alle Cinque
Terre lo convertono alla "macchia",
con forti contrasti di luci e ombre.
Nel 1861 cade il primo viaggio
a Parigi, con la fondamentale
conoscenza di Courbet; al ritorno,
nella villa di Lega a Pergentina dà vita

all'avanguardia del movimento
macchiaiolo, affrontando oltre ai
paesaggi e alle scene di vita quotidiana
anche temi di forte impegno sociale.
Tra gli anni settanta e gli anni ottanta
Signorini compie vari viaggi a Londra
e a Parigi, mettendo costantemente
alla prova la sua splendente tavolozza
con luci più smorzate.

Giuseppe De Nittis

Barletta (Bari), 1846 - Saint Germain-en-Laye (Parigi), 1884

Dopo la formazione nell'Accademia di Napoli, nel corso degli anni sessanta De Nittis si trasferisce a Firenze e aderisce con convinzione al gruppo dei macchiaioli. Le "pittoresche" scene rurali si trasformano in vivaci paesaggi, che danno a De Nittis una rapida notorietà. Nel 1867 l'ancora giovanissimo pugliese, che manifesta un segno grafico di eccezionale rapidità evocativa, si reca per la prima volta a Parigi: è una folgorazione. Inizia per De Nittis la vera carriera, in cui la luminosità mediterranea e l'estro di una pennellata sempre felicemente guizzante si confrontano con i soggetti, le luci e le suggestioni dell'impressionismo. Parigi diventa la residenza principale del pittore, che compie tuttavia alcuni viaggi a Londra e ritorna per vari periodi in Italia. La produzione francese di De Nittis si può dividere in due principali filoni: da un lato, una fortunata produzione "commerciale" di melodrammatiche scene in costume, distribuite sul mercato artistico dal grande gallerista Goupil; d'altro canto, una serie di paesaggi parigini e di scene borghesi interpretate con un taglio "fotografico". La partecipazione di De Nittis agli ideali dell'Impressionismo è confermata dalla presenza di sue opere a vari "Salons" e soprattutto alla storica mostra del 1874 nello studio del fotografo Nadar. La carriera del pittore procede per decenni lungo i binari paralleli dei quadri "di successo" sul genere *feuilleton,* di stile tardo-ottocentesco, e della libera interpretazione delle più avanzate ricerche della pittura *en plein air,* compresi anche alcuni ritratti. Specie durante i vari ritorni in Italia, riferendosi a un pubblico meno aggiornato rispetto a quello parigino, De Nittis ha cercato con successo una mediazione fra i due generi.

Alla pagina accanto
Telemaco Signorini
Sala delle agitate al manicomio

1865
tela
Venezia, Ca' Pesaro, Galleria d'Arte Moderna.

Il pungente segno grafico, in un dipinto quasi monocromo, può suggerire un rapporto con le incisioni di Daumier.

Giuseppe De Nittis
Alle corse al Bois de Boulogne, particolare

1881
pastello
Roma, Galleria Nazionale d'Arte Moderna.

Ottima opera del periodo francese, certamente accostabile per tecnica e per soggetto alla pittura degli impressionisti, è un'eccellente dimostrazione del perfetto aggiornamento del pittore pugliese, inserito da protagonista nel vivo delle avanguardie. Il rapporto con la fotografia, confermato dal confronto con un *cliché* posseduto da De Nittis stesso, conferisce al dipinto un senso di fremente realtà. La *verve* ritrattistica è una gradevolissima costante dell'attività del pittore.

Angelo Morbelli

Alessandria, 1853 - Milano, 1919

La recente rivalutazione critica
e di mercato rende giustizia a uno
dei più importanti e forti artisti italiani
tra Otto e Novecento. Senza ricorrere
a simbolismi o a pietismi, Morbelli
si fa interprete della crescente
attenzione verso i temi sociali e umani
dell'Italia postunitaria. Dopo una
formazione intonata al realismo
tardoromantico presso l'Accademia
di Brera (con dipinti legati all'attualità,
come la *Stazione di Milano*, conservata
nella Galleria d'Arte Moderna
di Milano), Morbelli aderisce intorno
al 1890 al gruppo dei divisionisti,
adattando la tecnica ai soggetti di
denuncia sociale, soprattutto legati
al lavoro nei campi e al disagio degli
anziani. Impressionanti sono i dipinti
che raffigurano la solitudine e lo
squallore del Pio Albergo dei vecchi
a Milano (la popolare Baggina). In anni
più avanzati, quando già si stava
diffondendo la nuova pittura
dei futuristi, Morbelli si dedica
prevalentemente alla pittura
di paesaggio.

Angelo Morbelli
Per 80 centesimi?

1893-1895
tela
Vercelli, Civico Museo Borgogna.

Il titolo ricorda, con un
evidente accento di accusa,
il misero salario
giornaliero delle mondine,
impegnate per ore e ore
nella raccolta del riso

con i piedi a mollo negli
acquitrini piemontesi e
lombardi. Morbelli è tra i
primi ad applicare il
divisionismo a temi
d'impegno sociale.

Angelo Morbelli
Alba domenicale

1890
tela
collezione privata.

Il realismo sociale
di Morbelli si esprime
in modo diretto nelle
scene che trattano i temi
del lavoro e dello
sfruttamento, ma compare
anche nei dipinti che hanno
come soggetto gli anziani.
Qui alcune persone
di campagna, già in età
avanzata, cercano di
affrettare il passo per
andare a Messa, mentre la
luce del mattino si dispiega
in tutto il suo chiarore.

Giovanni Segantini

*Arco (Trento), 1858 - Schafberg sul Maloja
(Grigioni, Svizzera), 1899*

La parabola umana e artistica
di Segantini è una delle pagine
più intense dell'Ottocento italiano.
Il carattere inquieto dell'artista
(da giovane rinchiuso nel
riformatorio) trova una prima

realizzazione negli anni trascorsi
nell'Accademia di Brera, dove
acquisisce lo stile del Naturalismo
lombardo del secondo Ottocento.
Insofferente alla vita in città, grazie
al mecenatismo di Vittore Grubicy
nel 1881 si ritira in Brianza, dove
dipinge scene di vita dei campi
e paesaggi. Le prime escursioni sui
monti dei Grigioni gli suggeriscono

di adottare la tecnica del divisionismo,
grazie alla quale accende i suoi quadri
di una luminosità insolita. Intorno
al 1890 i soggetti alpini o contadini
diventano pretesti per allegorie di
carattere morale o simbolico, via
via sempre più caricate di misticismo
religioso. Mentre lo stile di Segantini,
con figure flessuose e linee eleganti,
anticipa i caratteri del Liberty,

il pittore si rinchiude sempre più
in una meditazione su temi mistici che
lo spinge a cercare purezza e orizzonti
limpidi in alta montagna. Questa
ricerca culmina con l'incompiuto
*Trittico delle Alpi: la natura, la vita,
la morte*, eseguito da Segantini
nell'anno della morte a Saint-Moritz
e conservato nel locale museo
a lui dedicato.

Giovanni Segantini
L'ora mesta

*1892
tela
collezione privata.*

Scende la sera sui campi:
la pennellata di Segantini
segue quasi le ultime
scaglie di luce, rese
con l'inconfondibile,
vibrante intensità.

Giovanni Segantini
Le due madri

*1889
tela
Milano, Civica Galleria
d'Arte Moderna.*

L'affettuosa e diretta
adesione al mondo
agricolo spinge il pittore
ad accomunare in un unico
sentimento materno
la giovane contadina che
allatta il suo bimbo e
la mucca con il vitellino.

365

Giuseppe Pellizza da Volpedo

Volpedo (Alessandria), 1868 - 1907

Dopo un lungo itinerario nelle accademie di tutta Italia (Milano, Firenze, Roma, Bergamo) e un viaggio a Parigi nel 1889, il pittore piemontese aderisce a Milano al gruppo dei divisionisti con Segantini, Morbelli e Previati. Dotato di una tecnica molto esperta, capace di catturare le vibrazioni della luce, Pellizza affronta temi e formati molto diversi (fra cui anche nature morte e ritratti), lasciandosi talvolta sedurre dalle suggestive atmosfere simboliste, ma trova la più piena e personale espressione nel Realismo sociale. Sospinto dalla lettura di Marx e di Engels, Pellizza elabora in lunghi anni di studi e progressive versioni il suo capolavoro, *Il Quarto Stato*, portato a termine nel 1901. L'insuccesso riportato alla Biennale di Venezia dal dipinto rende amaro l'ultimo periodo di vita del pittore. Trasferitosi a Roma, nel primo decennio del Novecento Pellizza lascia un importante influsso su Giacomo Balla e più in generale sui giovani pittori che passeranno dalla tecnica divisionista al nascente Futurismo.

Giuseppe Pellizza da Volpedo
Statua a villa Borghese

1906
tela
Venezia, Ca' Pesaro,
Galleria d'Arte Moderna.

Opera estrema del pittore, segna il punto d'arrivo del divisionismo, la tecnica con la quale si stanno ormai cimentando i maestri che nel giro di pochi anni daranno vita al Futurismo.

Questo delizioso girotondo di bambini e di alberi in fiore, mostra uno straordinario controllo stilistico del formato circolare e degli effetti morbidi e sorridenti della luce.

Il Novecento

Amedeo Modigliani
Grande nudo

1913-1914
New York, Museum of Modern Art.

Giorgio de Chirico
L'après-midi d'Ariane
(Il risveglio di Arianna)
1913
tela
collezione privata.

Parlare di arte, e ancor più precisamente di pittura nel nostro secolo breve vuol dire in parte prescindere dalle rigorose distinzioni nazionali applicabili nei periodi precedenti: la presenza di "capitali mondiali dell'arte" come Parigi e, in tempi più vicini, New York, proietta le principali espressioni culturali su uno scenario molto più vasto.

Soprattutto dopo la seconda guerra mondiale, le frontiere della cultura sono in larga parte cadute, anche per la formazioni di gruppi di artisti transnazionali. Ma anche nella prima metà del Novecento non mancano situazioni significative: per esempio, fino a che punto è giusto distinguere l'identità di origine per lo spagnolo Picasso, il russo Chagall e l'italiano Modigliani, tutti e tre contemporaneamente a Parigi?

Superata questa premessa, si può comunque distinguere un percorso artistico "italiano" ben caratterizzato. Il secolo si apre con la sostanziale continuità con lo stile del tardo Ottocento: la stesura pittorica del Divisionismo, i temi simbolisti, l'apertura verso la decorazione del Liberty, l'eclettismo dei rimandi culturali, l'estetica tardoromantica della borghesia; si pensi all'emozione suscitata dalla morte di Giuseppe Verdi, ritenuto pur sempre il musicista di riferimento. Alla fine del primo decennio del Novecento, però, questa continuità si spezza. La corrosiva libertà del letterato Filippo Tommaso Marinetti getta a Milano le basi per un movimento rivoluzionario, il Futurismo. Annoiato dalla tradizione, affascinato dal progresso tecnologico e dai nuovi scenari urbani, Marinetti è l'animatore di una stagione straordinariamente vivace, aperta a molti campi espressivi. Grazie a un artista di grandissime doti come Boccioni, la pittura accoglie i suggerimenti del Futurismo, traducendoli in immagini di dirompente novità.

La pittura futurista si basa su alcuni concetti fondamentali: la ricerca di un'espressione dinamica e non statica, la moltiplicazione simultanea dei punti di vista, la celebrazione della "città che sale", l'uso spregiudicato di materiali imprevedibili, l'accostamento di stati d'animo, oggetti e figure. Pur consapevole di un dialogo a distanza con il Cubismo parigino e con alcune tendenze dell'Astrattismo internazionale, il Futurismo rimane un movimento spiccatamente italiano e figurativo: per periodi più o meno lunghi vi aderiscono molti dei principali pittori del nostro secolo, fra cui anche Carrà, Sironi e Mo-

randi. Lo scoppio della prima guerra mondiale, autentica tragedia collettiva dell'Europa, segna la fine del Futurismo, e non solo per la sorte di alcuni dei protagonisti (Boccioni, partito volontario, muore nel 1916; l'architetto Sant'Elia cade in trincea). Già nel 1917 prende corpo un movimento artistico del tutto nuovo, la Metafisica. Se ne può indicare un luogo di nascita preciso, l'ospedale militare di Ferrara: qui si incontrano de Chirico, suo fratello Savinio, Carrà e De Pisis.

Agli slanci generosi e talvolta scomposti del Futurismo la Metafisica contrappone immagini ferme, silenziose, sottilmente inquietanti, caricate come sono di riferimenti al sogno, all'immaginario, alla visione classicheggiante. Personaggio simbolico della pittura metafisica è il manichino, sagoma umana senza volto, bloccato in pose im-

mobili sul limitare di piazze deserte o all'interno di stanze dalla prospettiva capovolta. La nascita in Grecia suggerisce a de Chirico il frequente ricorso alla suggestione dei miti antichi, evocati con grande passione e partecipazione. Come il Futurismo, la Metafisica trova un successo immediato sul panorama artistico, sia nei gusti del pubblico che nell'adesione degli intellettuali e dei pittori. Nel breve volgere di un decennio l'arte italiana ha prodotto due movimenti di assoluto valore internazionale, capaci di riportare dopo circa un secolo e mezzo l'attenzione del mondo sull'attualità delle proposte artistiche nazionali. Anche nelle maggiori collezioni museali si riflette l'importanza del Futurismo e della Metafisica, affiancati dall'arte di due grandissimi maestri, per versi opposti "isolati", come Modigliani e Morandi.

La conclusione della Grande Guerra, ancorché vittoriosa, lascia l'Italia in una situazione di grave difficoltà sociale, economica e politica. I tetri *Paesaggi urbani* di Sironi forniscono un'immagine amara e quasi disumana delle periferie industriali. Per l'ennesima volta, l'arte italiana riscopre nella propria storia le energie e gli stimoli per il nuovo. Carlo Carrà, recuperando i "valori plastici" della pittura di Giotto, di Masaccio, di Piero della Francesca, propone il ritorno a una pittura decisamente figurativa e concreta, con figure e oggetti definiti nei volumi e nella consistenza dalle ombre e dalla prospettiva. Nel corso degli anni venti Carrà dà vita al movimento artistico chiamato "Novecento", che si impone come il filone ufficiale dell'arte italiana e presenta in termini rinnovati alcuni generi classici della pittura, come la natura morta, il ritratto, la scena di interni, il paesaggio. Tra gli esponenti del gruppo (reso compatto dalla partecipazione a mostre collettive) emerge decisamente Sironi, che cerca anzi di dare sostanza concreta al "costruttivismo" dell'arte partecipando alla progettazione e alla decorazione di grandiosi complessi edilizi. La pittura di "Novecento" risponde efficacemente all'estetica del regime fascista, che sostiene il movimento anche con la committenza di imponenti opere pubbliche: lo sviluppo della pittura italiana trova però un limite nell'autarchia e nella sostanziale indifferenza al confronto internazionale. Così, mentre de Chirico si trasferisce a Parigi per non perdere i contatti con le avanguardie internazionali e Morandi prosegue nella sua paziente ricerca chiuso nello studio di Bologna, l'arte italiana rischia di chiudersi su se stessa.

Mario Sironi
Il camion
1920
tela
Milano, Pinacoteca di Brera.

Alla fine degli anni trenta, spinto anche da moventi politici di opposizione, prende corpo il gruppo "Corrente", legato all'Espressionismo internazionale e caratterizzato da un uso libero e forte del colore. Fra i giovani artisti antifascisti si mette in luce il siciliano Guttuso: partendo da una vasta cultura storico-artistica, Guttuso sceglie come riferimento principale Picasso e il Cubismo, proponendone una lettura di forte impegno sociale. Alla fine della seconda guerra mondiale, sulle macerie fisiche e morali di un'Italia disgregata dalla sconfitta e dai bombardamenti, Guttuso dà vita al "Fronte Nuovo delle Arti", riuscendo a superare, grazie alla superiore energia creativa del disegno e del colore, gli impacci di un'arte talvolta troppo declamatoria e proponendo con forza la necessità di un dialogo internazionale.

Con Guttuso si entra nell'attualità, all'avvio dei movimenti artistici della seconda metà del secolo: una dinamica di fatti e di personaggi che, per la complessità delle proposte, il coinvolgimento del mercato, del pubblico e delle istituzioni e la varietà dei temi, dei materiali, delle soluzioni e delle interazioni con altre forme espressive e artistiche, merita una trattazione a parte, uscendo dai limiti di questa pubblicazione.

Amedeo Modigliani
Nudo rosso

1917
tela
collezione privata.

Per lungo tempo i grandi nudi femminili di Modigliani sono stati considerati semplicisticamente (e in modo volgarmente riduttivo) come "pornografici". Si tratta invece delle poche immagini dell'arte occidentale che possano essere definite senza equivoci "erotiche", alla stregua di alcuni dei massimi capolavori dell'arte orientale. Modigliani segue i contorni dei corpi femminili con l'ineguagliabile finezza del disegno di storica matrice toscana, lasciando emergere una sensualità vera e palpitante, lontanissima tanto dalla morbosa malattia di Schiele (il notissimo pittore viennese spesso autore di "scandalosi" nudi femminili) quanto dalle grevi allegorie "borghesi" del decadentismo.

Amedeo Modigliani

Livorno, 1884 - Parigi, 1920

Figlio di un toscano e di una francese, Modigliani si è formato nelle accademie italiane (Firenze e poi Venezia), ma tutta la sua breve carriera di pittore si svolge a Parigi, la città che comincia a frequentare nel 1905 e nella quale si stabilisce definitivamente nel 1909. Persino nell'assonanza fonetica con il soprannome francese di "Modì" Modigliani incarna la figura dell'artista "maudit", maledetto, costantemente alla ricerca di una irraggiungibile forma espressiva soddisfacente. Sullo scenario di una Parigi minore, negli edifici fatiscenti di Montparnasse, avvolto dai fumi della droga e dell'alcol, Modigliani è invece uno dei più grandi e poetici maestri del primo Novecento in Europa: la sua consapevole appartenenza alla plurisecolare tradizione artistica che traduce sentimenti ed emozioni in linee e volumi giustifica comunque l'inserimento di Modigliani nell'anima e nel cuore della storia della pittura italiana. La sua formazione italiana, anzi toscana, si manifesta nel rigore assoluto e purissimo del disegno e nell'esaltazione della figura umana. Pur conoscendo perfettamente i cubisti, il livornese non fu mai particolarmente attratto dalla razionalità della loro visione: affascinato, semmai, dalla semplicità sintetica della scultura negra, dal tocco nervoso di Toulouse-Lautrec e dalle opere di Brancusi, Modigliani limita per alcuni anni la sua produzione pittorica per dedicarsi alla scultura. Come hanno sottolineato noti fatti di cronaca, Modigliani ha avuto con la scultura un rapporto conflittuale. Sollecitato dal mercante Zborowski, dal 1915 al 1920 (quando muore a soli trentasei anni, seguito pochi giorni dopo dalla moglie, disperata suicida) Modigliani torna alla pittura e produce circa trecento oli, quasi tutti ritratti.

L'inconfondibile allungamento delle figure (i colli di Modigliani sono diventati proverbiali) esalta l'eleganza solitaria e leggera dei personaggi, mentre le espressioni sono rese con una penetrante semplicità. Portato per natura a non legarsi a correnti o avanguardie, Modigliani resta un grande isolato: la sua pittura non "fa scuola", pur se paragonabile a quanto stavano realizzando negli stessi anni altri artisti di varie nazioni che avevano deciso di convergere su Parigi.

Amedeo Modigliani
Autoritratto

1919
tela
San Paolo del Brasile,
Museu de Arte Contemporanea
de Universidade.

È una delle ultime
immagini dell'artista,
precocemente corroso
dalla salute da sempre
malferma, dall'alcol,
dalla droga. Il lirico
abbandono poetico
che pervade tutta l'opera
di Modigliani sembra
raccogliersi nella triste
dolcezza del volto,
dell'atteggiamento, perfino
del modestissimo
arredamento e negli abiti,
segnali appena accennati
ma inequivocabili delle
difficoltà quotidiane
del pittore "maledetto".

Amedeo Modigliani
Ritratto di Soutine
seduto a tavola

1916
tela
Washington, National Gallery.

Il pittore ebreo lituano
Chaim Soutine è stato
uno dei pochi veri amici
di Modigliani a Parigi.
Durante il secondo
decennio del nostro
secolo, Modigliani, Soutine
e Chagall (che condivideva
con loro le origini ebraiche
e il non facile
ambientamento nella
nuova città) si trovavano
spesso insieme, lavorando
fianco a fianco nella
"ruche" (l'alveare)
di Montparnasse
per il mercante d'arte
Zborowski. Sulla base
delle rispettive esperienze
umane e culturali,
Modigliani e Soutine
si sostennero a vicenda,
trovando proprio nella
reciproca solidarietà
il modo di rimanere
al di fuori delle correnti,
degli influssi, delle mode.

Amedeo Modigliani
Ritratto di Paul Guillaume

1916
tela
Milano, Civico Museo
d'Arte Contemporanea.

Ispirato lavoro di un
periodo particolarmente
fecondo per l'arte di
Modigliani, è uno dei
quattro ritratti dedicati
dall'artista livornese
all'intellettuale e mercante
d'arte Paul Guillaume, suo
mecenate e sostenitore,
particolarmente vicino
al pittore negli anni
disordinati e creativi
dell'"alveare" di
Montparnasse. Guillaume
è ritratto in una posa
amichevole e rilassata,
con l'espressione assorta:
la raffinata tecnica di
Modigliani trova un sottile
equilibrio tra la purissima
linea, quasi astratta, e la
realtà fisica e psicologica
del personaggio. Il dipinto
diviene di conseguenza una
dimostrazione esemplare
dell'accordo tra l'esercizio
implacabile di un disegno
che discende dalla
tradizione toscana e il
dialogo con le più avanzate
esperienze internazionali.

Umberto Boccioni
La città che sale

1910-1911
tela
New York, Museum
of Modern Art.

Capolavoro esemplare
del Futurismo, ha la forza
travolgente di un vero

e proprio "manifesto"
di un'arte nuova.
Lungamente preparato
da studi e bozzetti (uno
di questi è conservato
nella Pinacoteca di Brera
a Milano), il grandioso
dipinto rappresenta in
modo insieme realistico
e simbolico la costruzione

di una periferia industriale.
Il primo piano è dominato
dalle gigantesche onde
colorate di due cavalli
imbizzarriti, vanamente
trattenuti da personaggi
che appaiono quasi travolti
da un'esplosione di
incontenibile energia.
I cavalli (figure ricorrenti,

quasi ossessive nell'arte
di Boccioni) sono
l'espressione dinamica
e positiva della crescita
dei sobborghi industriali
delle grandi città,
un processo urbanistico
ed economico che Boccioni
saluta con grande favore
e che invece, nel giro

di pochi anni, diventerà
il teatro delle cupe
evocazioni di solitudine
di Sironi. Sullo sfondo
del dipinto sono ben
riconoscibili le impalcature
che sostengono i cantieri
delle fabbriche in
costruzione, mentre più
lontano ancora si scorgono

ciminiere fumanti.
Partendo dal Divisionismo,
Boccioni sviluppa anche
una tecnica pittorica
nuova, con pennellate
"staccate", ora filanti ora
puntiformi, di grande
efficacia ritmica.

Umberto Boccioni

Reggio Calabria, 1882 - Verona, 1916

Il movimento del Futurismo può
essere considerato il più importante
contributo dato dall'Italia all'arte
del XX secolo: del Futurismo Boccioni
è stato il fondatore e l'esponente più
convinto e significativo. Per una breve
stagione (stroncata precocemente da
una caduta da cavallo durante la prima
guerra mondiale), il gruppo di pittori,
letterati, musicisti guidato da Boccioni
e da Marinetti è una delle avanguardie
più attive e interessanti d'Europa.
Il percorso formativo, durante il primo

decennio del secolo, vede Boccioni
passare dallo studio di Balla a Roma
e poi partire per lunghi viaggi
(a Venezia, in Russia, a Parigi), durante
i quali il pittore mette a confronto
la tecnica del divisionismo con altre
espressioni figurative contemporanee.
Stabilitosi a Milano nel 1907, viene
attratto dalle tematiche sociali
sviluppate dai pittori lombardi intorno
alla crescita dei nuovi quartieri operai
della città industriale. Il contatto con
il letterato Filippo Tommaso Marinetti
sollecita una svolta profonda nella
cultura italiana: l'avvio del Futurismo,
inteso come espressione viva

ed energica del mondo, rifiuto
del passato, amore per tutto ciò
che è movimento, azione, rumore,
dinamismo. Boccioni è autore delle
opere-base del movimento futurista,
ma anche degli scritti teorici
sui motivi e sulle aspirazioni
dell'avanguardia. Negli stessi anni del
Cubismo, Boccioni ricerca una visione
simultanea delle cose, tanto in pittura
quanto nelle rare ma interessantissime
sculture: i colori vivaci, le pennellate
frementi, i temi stessi scelti
con evidente intento simbolico
e dimostrativo esprimono un
atteggiamento di grande e positiva

creatività, liberamente aperta alle
suggestioni più nuove della tecnologia,
dello sport, del progresso.
Lo scoppio della prima guerra
mondiale (cui Boccioni partecipa
come volontario) segna una svolta
nella sua pittura, che si fa più
meditata, meno frenetica: ma la morte
in seguito a una caduta da cavallo,
nel 1916, interrompe troppo presto
questo possibile sviluppo.

Umberto Boccioni
Ritratto della sorella

1907
tela
Venezia, Ca' Pesaro, Galleria d'Arte Moderna.

Tutta l'attività di Boccioni è dominata da alcune presenze simboliche, come il cavallo, l'impalcatura degli edifici in costruzione, le figure femminili. Con particolare intensità, Boccioni osserva e ritrae ripetutamente le donne della sua famiglia, come la sorella e soprattutto la madre. Le progressiva deformazione dell'immagine della donna, dal Realismo tardo-ottocentesco al Futurismo "antigrazioso", segna le tappe dello stile del pittore.

Umberto Boccioni
Officine a Porta Romana

1908
tela
Milano, collezione della Banca Commerciale Italiana.

Una delle più importanti e decisive opere pre-futuriste, è realizzata con la tecnica del "colore diviso", ben sviluppata a Milano. Il paesaggio urbano, con la crescita dei nuovi quartieri operai, è osservato con un taglio prospettico inedito e, soprattutto, con occhi di grande partecipazione storica e sociale, con la consapevolezza emozionata dell'aprirsi di un'epoca nuova.

Umberto Boccioni
Tre donne

1910-1911
tela
Milano, collezione della Banca
Commerciale Italiana.

L'affascinante dipinto
si colloca nel momento
di svolta della pittura
di Boccioni; o, per meglio
dire, segna un'evoluzione
decisiva per la pittura
italiana del nostro secolo.
Dal punto di vista
strettamente tecnico,
la tela (di notevoli
dimensioni) è riferibile
alla pittura divisionista,
riprendendo l'eredità
di Pellizza da Volpedo.
Tuttavia, la frammentazione
del colore trasforma i tre
ritratti femminili in una
visione fortemente
dinamica, con un
pulviscolo mosso
e vibrante di scaglie
di luce. Anche il tema è
in qualche maniera tardo-
ottocentesco, riprendendo
il soggetto delle "tre età
della donna" caro
al Simbolismo e svolto
anche da Klimt: ma anche
in questo caso, l'adesione
alla tradizione si trasforma,
per Boccioni, in un
avvolgente e appassionato
campo di forze
psicologiche, espressive,
relazionali.

Umberto Boccioni
Rissa in galleria

1911
tela
Milano, Pinacoteca di Brera.

A pochi anni di distanza
dalle vedute urbane
"borghesi" del tardo
Ottocento italiano

e francese, Boccioni
oppone certo
polemicamente questo
caratteristico dipinto
futurista, sotto i globi
luminosi dell'elettricità.
All'uscita di un caffè due
donne si accapigliano,
creando intorno
a sé un turbine di curiosi.

Nel pulviscolo luminoso
la scena si frantuma
e si moltiplica, evocando
uno scatenato dinamismo.
Da parte di Boccioni
è anche l'occasione
per una divertita satira
dei costumi: la classe
sociale più "seduta", quella
che vedeva con irritata

riprovazione i fragorosi
spettacoli futuristi, diventa
improvvisamente
protagonista di
un siparietto, una specie
di balletto impazzito
a cui il pittore assiste
con compiaciuto distacco.

Carlo Carrà

*Quargnento (Alessandria), 1881 -
Milano, 1966*

L'itinerario artistico di Carrà
compendia e chiarisce molti degli
snodi principali dell'arte italiana
dei primi decenni del Novecento.
Trasferitosi quattordicenne a Milano,
affronta ancora adolescente lunghi
viaggi di studio a Parigi e a Londra,
aprendo molto precocemente
i suoi orizzonti artistici. Lo studio
all'Accademia di Brera gli conferisce
una perfetta conoscenza delle tecniche
pittoriche oltre a una panoramica
conoscenza dell'arte antica e
contemporanea, fino al paesaggio
tardoromantico e al divisionismo.
Nel 1910, sulla base di questa robusta
e articolata formazione, aderisce
al movimento futurista, diventandone
ben presto un protagonista assoluto.
Il perfetto bilanciamento tra senso
del volume e illusione di movimento,
la sempre adeguata scelta di colori,
l'impegno anche teorico con la
partecipazione alle principali riviste
d'arte dell'epoca, la sperimentale
adozione di tecniche innovative (come
i *collages*) segnalano Carrà come
un personaggio di spicco nel panorama
dell'arte italiana. Nel 1916, in seguito
a un memorabile incontro con
de Chirico e De Pisis presso l'ospedale
militare di Ferrara, Carrà
è tra i fondatori della Metafisica,
proponendo un ritorno a forme più
definite e a volumi semplificati.
Dopo la Grande Guerra, appassionandosi
al recupero della pittura primitiva
(da Giotto a Piero della Francesca),
Carrà sostiene la necessità di
riagganciarsi alla tradizione italiana
dei "Valori Plastici". Durante gli anni
venti il pittore dà vita al movimento
chiamato "Novecento", in cui
si riversano molte delle sue idee
teoriche e formali: la chiarezza della
composizione, la semplicità grandiosa
e insieme poetica dei gesti, l'omaggio
alla lezione della classica pittura
tre-quattrocentesca. Fanno
parzialmente eccezione i paesaggi,
specie quelli dedicati alle coste
tirreniche, in cui il lirismo della natura
e della luminosità si esprime in una
tavolozza più densa e ricca di sfumature.

Carlo Carrà
L'ovale delle apparizioni

*1918, tela
Roma, Galleria Nazionale
d'Arte Moderna.*

Sintesi efficace
dell'interpretazione
di Carrà della Metafisica,
il dipinto rappresenta
un incontro "impossibile"
tra personaggi, scenari,
cose e prospettive irreali.
Il manichino, figura-
simbolo di questa fase,
domina la scena.

Carlo Carrà
I funerali
dell'anarchico Galli

1910-1911
tela
New York, Museum
of Modern Art.

Il grande dipinto sembra
dare una posizione sociale
al Futurismo (che in realtà
non ebbe, almeno
inizialmente, una precisa
identità politica e che anzi
sarà inserito, negli anni
venti-trenta, nell'estetica
fascista): si tratta
comunque di
un'interessantissima prova
giovanile delle grandi
qualità di Carrà, che
dall'iniziale divisionismo
passa a una pittura
di masse in movimento.

Carlo Carrà
Il cavaliere rosso

1913
tempera e inchiostro
su carta intelata
Milano, Civico Museo
d'Arte Contemporanea.

Paradigmatico esempio del
periodo futurista: il cavallo
rosso lanciato al galoppo,
il fantino azzurro, i raggi
gialli di luce costruiscono
lo sfolgorante contesto
cromatico su cui si esercita
l'esplosivo dinamismo del
cavallo. La moltiplicazione
dei particolari (le zampe
del destriero, la schiena
del cavaliere) suggerisce
l'idea del movimento.

Carlo Carrà
L'amante dell'ingegnere

1921
tela
Milano, collezione privata.

Dopo la fragorosa stagione del Futurismo, la Metafisica appare come l'arte del silenzio, dell'inconscio, del misterioso. Questo dipinto si colloca a conclusione della fase storica degli anni metafisici di Carrà: i contorni sono meno netti, i colori meno smaltati, i contrasti più attenuati rispetto alle opere degli anni 1917-1920. Sotto l'influsso di Sironi, Carrà tende ora a smorzare la luminosità e a recuperare quei "Valori Plastici" su cui si basa il "ritorno all'ordine" della pitture (e della politica) italiana degli anni venti. Rispetto alla cupezza di Sironi, Carrà si mantiene sempre su un registro più lirico e sospeso, un'evocazione leggera e affascinante. Mentre nelle opere della Metafisica la prospettiva appare come ribaltata in avanti, adesso gli orizzonti si allontanano verso una linea lontana, una sottile striscia di luce come di tramonto che accentua il carattere sognante della scena.

Giorgio de Chirico
Volos (Grecia), 1888 - Roma, 1978

Figlio di un ingegnere ferroviario
impegnato nella costruzione
di ferrovie in Grecia, de Chirico
ha sempre considerato un segno del
destino essere nato nella terra dei miti
e degli dei. Per tutta la vita, come
il fratello Alberto Savinio, ha sentito
una profonda identità "classica",
confermata come essenza costante
della sua opera, pur nelle diverse
svolte stilistiche e nelle frequenti
aperture al confronto internazionale.
Decisamente al di fuori degli schemi
talvolta un po' provinciali dell'arte
italiana, de Chirico si rapporta infatti
con le tendenze della cultura europea.
Formatosi a Monaco di Baviera,
subisce il fascino della filosofia
di Nietsche e della pittura
tardoromantica di Böcklin, entrambe
fortemente intrise di nostalgia per il
mondo classico. Nel 1910 de Chirico
è a Parigi, dove stringe una forte
amicizia con Guillaume Apollinaire
e osserva con interesse gli sviluppi
del Cubismo. Prende forma in questi
anni la più caratteristica vena
dell'ispirazione di de Chirico, quella
legata a immagini di forte suggestione,
bloccate in contesti di prospettive
"inquietanti", allusive e oniriche.
Fondamentale fu in tal senso il celebre
episodio dell'incontro con Carrà
e De Pisis nel 1916 nell'ospedale
militare di Ferrara: qui nasce
"ufficialmente" il movimento della
Metafisica, una delle più importanti
e originali avanguardie italiane del XX
secolo, con i temi tipici di manichini,
statue, "piazze d'Italia" silenziose e
deserte, ombre taglienti, edifici come
fondali vuoti, oggetti di uso comune
presentati del tutto al di fuori del loro
abituale contesto. Nel 1918, insieme a
Carrà, de Chirico partecipa alla rivista
"Valori plastici", che dà alla Metafisica
una consistenza letteraria.
Insoddisfatto dell'evoluzione della
pittura italiana degli anni venti,
de Chirico ritorna a Parigi, dove
si accosta al movimento surrealista
e accentua la ricerca di temi e motivi
archeologici. Il recupero del passato
sfocia, negli anni trenta, in una pittura
"neobarocca", con cavalli, nature
morte, ritratti. Nella lunga attività
successiva de Chirico tornerà più volte
a rielaborare temi già sviluppati,
in particolare ripercorrendo gli anni
della Metafisica.

Giorgio de Chirico
Le muse inquietanti

1918
tela
Milano, collezione privata.

È una delle opere-simbolo
dell'arte italiana del XX
secolo e, in effetti, illustra
un contributo
assolutamente originale
sul panorama
internazionale. Autentico
manifesto della Metafisica,
il dipinto descrive con
nitida chiarezza un
paesaggio e una situazione
"impossibili", in cui
gli elementi della realtà
appaiono combinati
insieme in maniera
del tutto incongrua, su
prospettive ripide e con
colori smaltati che fanno
sembrare ogni cosa un
giocattolo verniciato. Sullo
sfondo appare il Castello
Estense di Ferrara, la città
in cui nel 1917 si
incontrano de Chirico,
Savinio, Carrà e De Pisis,
dando vita al movimento
della Metafisica. "Città del
silenzio" per antonomasia,
Ferrara, una antica capitale
svuotata della corte e
ridotta a involucro della
memoria, diventa
per de Chirico l'ambiente
ideale per accogliere
l'onirica e misteriosa
presenza delle "Muse
inquietanti".

Giorgio de Chirico
Le chant d'amour
(Canto d'amore)

1914, olio
New York, Museum
of Modern Art.

Ispirandosi al titolo di
una poesia di Guillaume
Apollinaire, de Chirico

compone un imprevedibile
incontro tra il calco della
testa dell'"Apollo del
Belvedere", un afflosciato
guanto di gomma e una
palla, mentre sullo sfondo
sbuffa una locomotiva
(omaggio alla professione
del padre, ingegnere
ferroviario).

Giorgio de Chirico
L'enigma dell'ora

1911
tela
Milano, collezione privata.

Mentre l'arte italiana
era caratterizzata dal
dinamismo dei futuristi, de
Chirico comincia
a produrre i suoi dipinti
immobili e misteriosi,
in cui la limpida chiarezza
del disegno e il rintocco
scandito delle ombre
rendono ancor più magica
la sopensione misteriosa
delle voci, del tempo,
della vita.

Giorgio de Chirico
La nostalgie de l'infini
(Nostalgia dell'infinito)

1913
tela
New York, Museum
of Modern Art.

Giorgio de Chirico
Il figliol prodigo

1922
tela
Milano, Civico Museo d'Arte
Contemporanea.

Ancora legato alla storica
stagione della Metafisica,
l'abbraccio immobile tra
un manichino e una statua
di gesso (ancora una volta
una sorta di "fantasma" del
padre, presenza frequente
nelle opere di de Chirico e
di Savinio) avviene in
un ambiente architettonico
definito con una chiarezza
prospettica paragonabile
ai grandi modelli
quattrocenteschi.
Nella nitida perentorietà
del disegno e nell'esatta
scansione delle luci
si possono riconoscere
i segnali dell'ormai
imminente fase di rilettura
dei momenti classici
della storia dell'arte che
influenzerà a lungo l'arte
di de Chirico.

Alla pagina seguente
Giorgio de Chirico
Ettore e Andromaca

1917
tela
Roma, Galleria Nazionale
d'Arte Moderna.

La presenza immota
e silente del manichino
è una caratteristica
inconfondibile della pittura
di de Chirico durante
gli anni dieci, e, più in
generale, quasi un simbolo
della Metafisica italiana.
Va ricordato che Alberto
Savinio, fratello di
de Chirico, aveva inserito
la strana e angosciante
figura di un manichino
nella sua prima opera
letteraria, *Les chants de
la mi-mort* (*I canti della
mezza morte*), un'opera
in parte in poesia e in
parte in prosa, composta
in francese e pubblicata
nel 1914. I riferimenti
al mondo della classicità
e degli eroi omerici sono
frequentissimi in
de Chirico e risalgono
alla sua nascita nella
"mitica" Grecia.

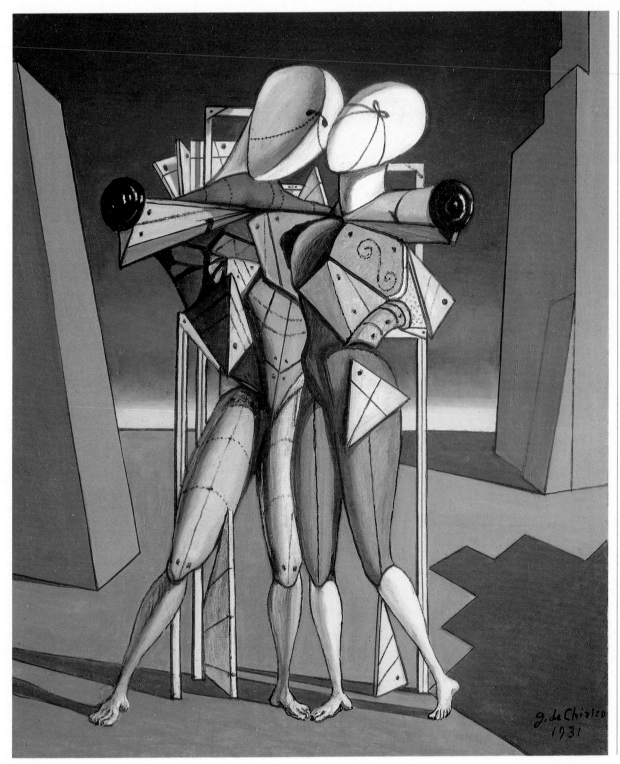

Giorgio Morandi

Bologna, 1890 - 1964

Figura grandissima della pittura italiana del XX secolo, Morandi è un caso veramente straordinario di pittore solitario, al di fuori dei movimenti, con scarsissimi contatti con altri maestri. Morandi non si è praticamente mai spostato da Bologna o da Grizzana, la cittadina sull'Appennino dove passava l'estate. Nelle opere giovanili di Morandi è tuttavia possibile riconoscere un tracciato che dalla conoscenza di riproduzioni di opere di Cézanne passa al contatto con i futuristi e all'adesione alla Metafisica. Poi, a partire dal 1920, la sua ricerca si concentra su pochissimi, modesti soggetti (preferibilmente nature morte di bottiglie e paesaggi di Grizzana), continuamente rielaborati e approfonditi. Il processo creativo di Morandi prescinde sostanzialmente dalla ricerca di temi nuovi: si tratta di una speculazione intellettuale tutta interiore, che analizza la consistenza, il ritmo, i contorni, i riflessi, i delicati toni cromatici degli oggetti in una pazientissima meditazione. Dal punto di vista stilistico si nota efficacemente il passaggio dai dipinti del periodo metafisico, caratterizzati da un disegno rigorosamente geometrico e da ombre scandite, a un progressivo sfaldarsi della forma, con pennellate sempre più larghe e pastose e contorni che si fanno pastosi ed evanescenti, fino a perdersi nei neutri fondali.

Alla pagina accanto
Giorgio Morandi
Natura morta
con la brioche

1920
tela
Düsseldorf, Kunstsammlung
Nordrhein-Westfalen.

Giorgio Morandi
Natura morta con la palla

1918
tela
Milano, Civico Museo
d'Arte Contemporanea.

Storico dipinto della prima
attività di Morandi,
esprime con abbagliante
chiarezza il concetto di
stasi, di vuoto, di silenzio
che regola (almeno per i
primi anni) tutto il gruppo
dei pittori metafisici. Il
lavorìo paziente e solitario
di Morandi comincia fin
d'ora a produrre risultati
di austero controllo e
insieme carichi di una nota
di toccante lirismo
e di malinconia.

Giorgio Morandi
Natura morta

1929
tela
Milano, Pinacoteca di Brera.

Giorgio Morandi
Natura morta
con manichino

1918
tela
San Pietroburgo, Ermitage.

Appartiene al gruppo
dei dipinti metafisici
dipinti durante la prima
guerra mondiale e negli
anni immediatamente
successivi. In molte di
queste opere gli oggetti
vengono isolati dallo
spazio circostante
per mezzo di scatole
entro le quali alcune
forme galleggiano
come se fosse stato
realizzato il vuoto
pneumatico.

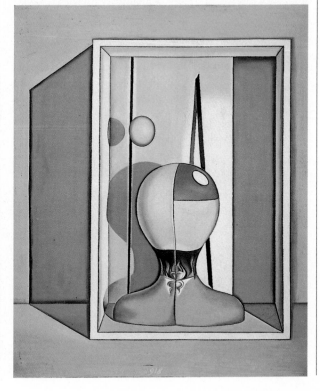

387

Mario Sironi

Sassari, 1885 - Milano, 1961

La lunga carriera di Sironi attraversa svariati decenni e molti momenti importanti dell'arte italiana del Novecento: l'adesione di Sironi ad alcuni aspetti dell'estetica del Fascismo ha provocato in passato la perplessità di una parte della critica d'arte, oggi tuttavia concordemente orientata a ritenere Sironi una delle figure più interessanti del nostro secolo. Gli esordi del pittore sono tormentati: dopo aver studiato alla facoltà di ingegneria a Roma, Sironi compie i primi non felicissimi esperimenti di pittura prima del 1910 presso lo studio di Giacomo Balla, di cui diventa allievo e amico. Insoddisfatto e precoccupato, lascia i pennelli e si trasferisce a Milano. Qui viene coinvolto dal gruppo dei futuristi e intorno al 1914 riprende a dipingere. Rispetto alla vena rigogliosa e vivace di Boccioni, Sironi mantiene un tono cromatico cupo, scuro, indirizzato a sottolineare i volumi pesanti degli oggetti. La sua adesione al Futurismo, dunque, è fortemente personale e lascia già presagire i successivi sviluppi. Negli anni della prima guerra mondiale, anche utilizzando il *collage*, Sironi blocca le forme in rigorosi blocchi sintetici, accostandosi alla Metafisica. Dal 1919 Sironi si concentra sul tema del paesaggio urbano, facendosi interprete del disagio umano e sociale dopo la fine della Grande Guerra. Le periferie industriali, forse il tema più noto e originale dell'arte di Sironi, sono dominate da edifici tetri e sproporzionati, tanto da esprimere un suggestivo senso di dramma incombente dove la figura umana appare soverchiata: angoscia esistenziale che si risolve, per Sironi, nel ricorso ai "Valori Plastici", in dialogo con Carrà. Sironi si indirizza verso un atteggiamento di ordine e di razionalità, trasmesso non solo nella pittura ma anche in progetti architettonici e nella collaborazione con architetti, scenografi, decoratori. Sironi si cimenta con generi "storici", come l'affresco, il mosaico o il bassorilievo monumentale: nei suoi dipinti prevalgono studi di nudo, paesaggi montuosi, vedute cittadine, sempre comunque con i tipici colori scuri e il senso di monumentalità che ispirano tutta la produzione dell'artista. Trovano sempre più spazio, inoltre, frammenti, ricordi, citazioni archeologiche, memorie dell'antico, a volte collocate in sequenze e repertori. Questo tipo di soggetti risulterà prevalente nell'attività tarda di Sironi.

Mario Sironi
La lampada

1919
olio
Milano, Pinacoteca di Brera.

Interessantissima opera del periodo metafisico del pittore, ripropone il tema caro a de Chirico del manichino: tuttavia, mentre i manichini di Carrà e di de Chirico appaiono come proiettati in un mondo immobile di fantasia, quello di Sironi rimane incatenato alle ombre della realtà, di cui diventa un protagonista inquietante.

Mario Sironi
Periferia

1920
olio
Venezia, collezione privata.

Le silenziose, spettrali periferie urbane dipinte da Sironi negli anni successivi alla prima guerra mondiale sono un'immagine tesa e ossessiva di una nazione vincitrice ma in grave difficoltà economica e sociale. I muraglioni cupi e senza aperture, i blocchi squadrati degli edifici industriali, l'assenza assoluta di vita creano un ambiente disumano.

Renato Guttuso

Bagheria (Palermo), 1912 - Roma, 1987

Grande e controverso maestro, tenace difensore dell'arte figurativa sia per motivi stilistici che per motivi storico-sociali, Guttuso segna il passaggio radicale dalla pittura italiana durante la seconda guerra mondiale. Animato da idee antifasciste, durante gli anni trenta Guttuso lavora prima a Roma e poi a Milano. Dotato di una vasta cultura e di una straordinaria abilità tecnica, rielabora gli stimoli dell'Espressionismo, dell'arte popolare siciliana e, soprattutto, di Picasso. Nel 1947 fonda il "Fronte Nuovo delle Arti", avanguardia artistica legata al partito comunista e dichiaratamente legata a temi d'impegno sociale. Guttuso, tuttavia, non cade mai nella facile demagogia o nell'illustrazione politico-ideologica. La sua arte, sempre di alta tensione morale e di pungente carica ritrattistica si mantiene costantemente su un registro di intensità espressiva in dialogo con le avanzate tendenze internazionali.

Renato Guttuso
Crocifissione

1940-1941 c., tela
Roma, Galleria Nazionale
d'Arte Moderna.

Manifesto del Realismo neo-cubista di cui Guttuso è stato il principale interprete.

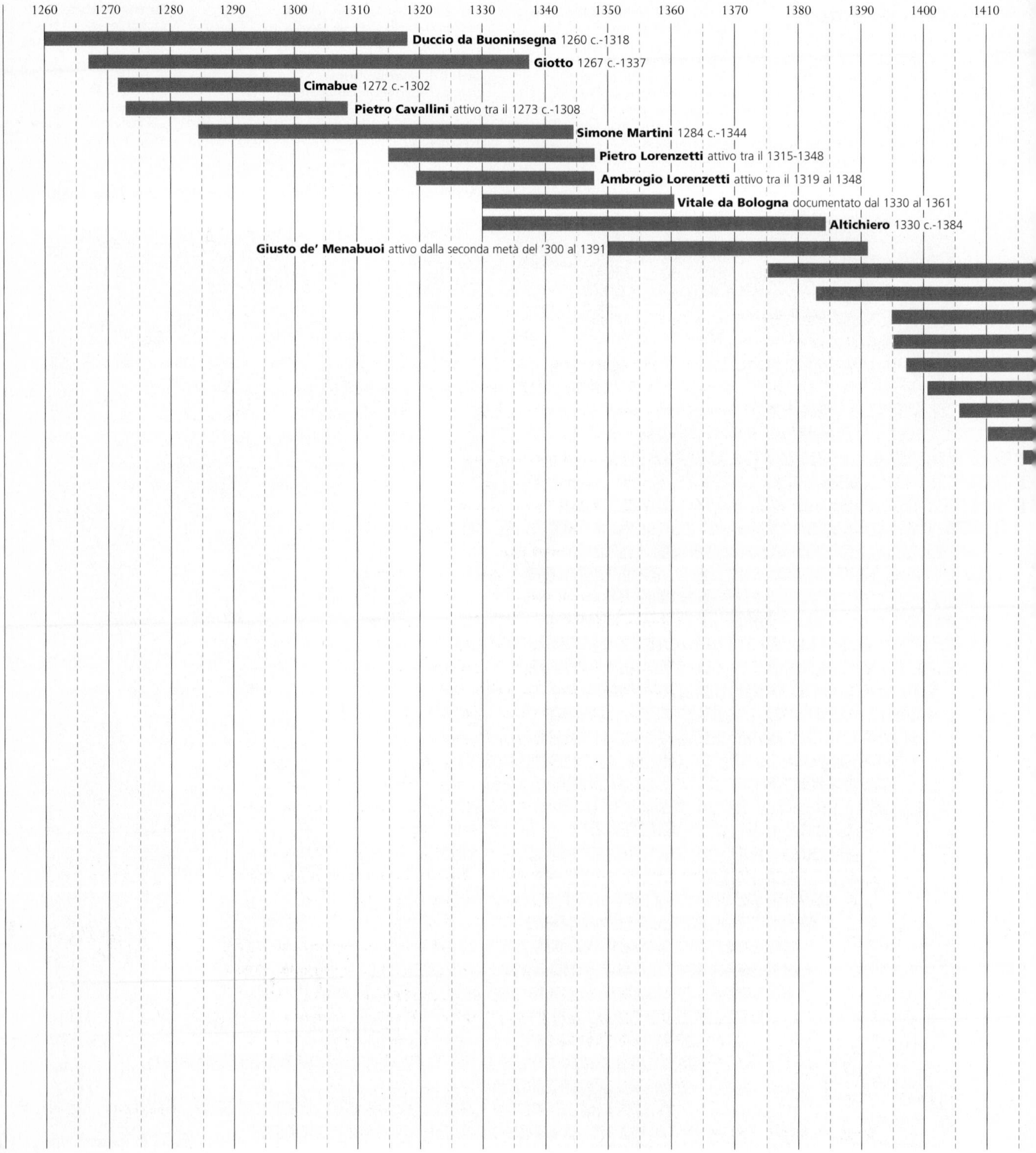

	1260	1270	1280	1290	1300	1310	1320	1330	1340	1350	1360	1370	1380	1390	1400	1410

Duccio da Buoninsegna 1260 c.-1318

Giotto 1267 c.-1337

Cimabue 1272 c.-1302

Pietro Cavallini attivo tra il 1273 c.-1308

Simone Martini 1284 c.-1344

Pietro Lorenzetti attivo tra il 1315-1348

Ambrogio Lorenzetti attivo tra il 1319 al 1348

Vitale da Bologna documentato dal 1330 al 1361

Altichiero 1330 c.-1384

Giusto de' Menabuoi attivo dalla seconda metà del '300 al 1391

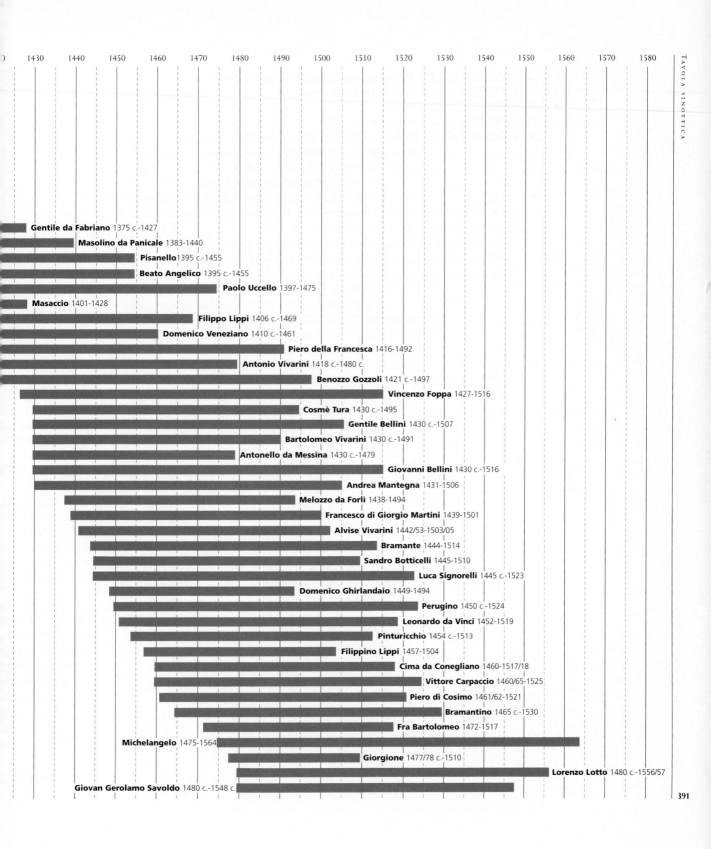

1430	1440	1450	1460	1470	1480	1490	1500	1510	1520	1530	1540	1550	1560	1570	1580	

Gentile da Fabriano 1375 c.-1427
Masolino da Panicale 1383-1440
Pisanello 1395 c.-1455
Beato Angelico 1395 c.-1455
Paolo Uccello 1397-1475
Masaccio 1401-1428
Filippo Lippi 1406 c.-1469
Domenico Veneziano 1410 c.-1461
Piero della Francesca 1416-1492
Antonio Vivarini 1418 c.-1480 c.
Benozzo Gozzoli 1421 c.-1497
Vincenzo Foppa 1427-1516
Cosmè Tura 1430 c.-1495
Gentile Bellini 1430 c.-1507
Bartolomeo Vivarini 1430 c.-1491
Antonello da Messina 1430 c.-1479
Giovanni Bellini 1430 c.-1516
Andrea Mantegna 1431-1506
Melozzo da Forlì 1438-1494
Francesco di Giorgio Martini 1439-1501
Alvise Vivarini 1442/53-1503/05
Bramante 1444-1514
Sandro Botticelli 1445-1510
Luca Signorelli 1445 c.-1523
Domenico Ghirlandaio 1449-1494
Perugino 1450 c.-1524
Leonardo da Vinci 1452-1519
Pinturicchio 1454 c.-1513
Filippino Lippi 1457-1504
Cima da Conegliano 1460-1517/18
Vittore Carpaccio 1460/65-1525
Piero di Cosimo 1461/62-1521
Bramantino 1465 c.-1530
Fra Bartolomeo 1472-1517
Michelangelo 1475-1564
Giorgione 1477/78 c.-1510
Lorenzo Lotto 1480 c.-1556/57
Giovan Gerolamo Savoldo 1480 c.-1548 c.

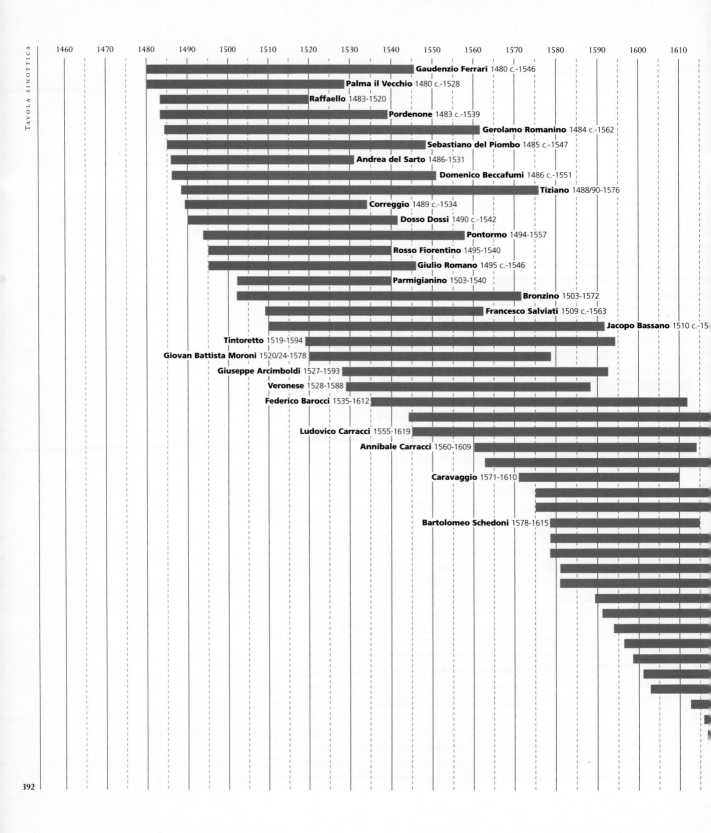

| 1460 | 1470 | 1480 | 1490 | 1500 | 1510 | 1520 | 1530 | 1540 | 1550 | 1560 | 1570 | 1580 | 1590 | 1600 | 1610 |

Gaudenzio Ferrari 1480 c.-1546

Palma il Vecchio 1480 c.-1528

Raffaello 1483-1520

Pordenone 1483 c.-1539

Gerolamo Romanino 1484 c.-1562

Sebastiano del Piombo 1485 c.-1547

Andrea del Sarto 1486-1531

Domenico Beccafumi 1486 c.-1551

Tiziano 1488/90-1576

Correggio 1489 c.-1534

Dosso Dossi 1490 c.-1542

Pontormo 1494-1557

Rosso Fiorentino 1495-1540

Giulio Romano 1495 c.-1546

Parmigianino 1503-1540

Bronzino 1503-1572

Francesco Salviati 1509 c.-1563

Jacopo Bassano 1510 c.-15

Tintoretto 1519-1594

Giovan Battista Moroni 1520/24-1578

Giuseppe Arcimboldi 1527-1593

Veronese 1528-1588

Federico Barocci 1535-1612

Ludovico Carracci 1555-1619

Annibale Carracci 1560-1609

Caravaggio 1571-1610

Bartolomeo Schedoni 1578-1615

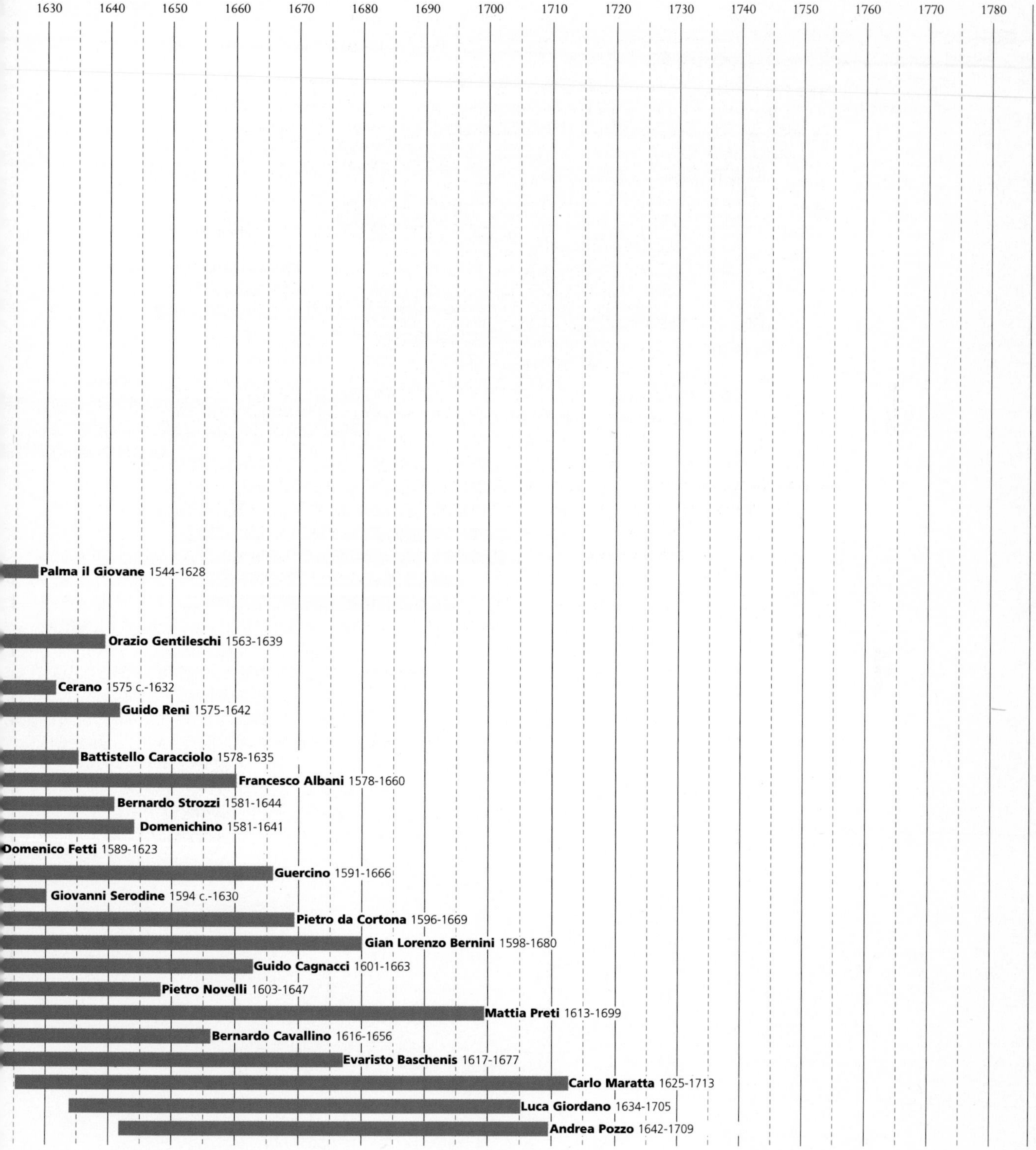

1630 1640 1650 1660 1670 1680 1690 1700 1710 1720 1730 1740 1750 1760 1770 1780

Palma il Giovane 1544-1628

Orazio Gentileschi 1563-1639

Cerano 1575 c.-1632

Guido Reni 1575-1642

Battistello Caracciolo 1578-1635

Francesco Albani 1578-1660

Bernardo Strozzi 1581-1644

Domenichino 1581-1641

Domenico Fetti 1589-1623

Guercino 1591-1666

Giovanni Serodine 1594 c.-1630

Pietro da Cortona 1596-1669

Gian Lorenzo Bernini 1598-1680

Guido Cagnacci 1601-1663

Pietro Novelli 1603-1647

Mattia Preti 1613-1699

Bernardo Cavallino 1616-1656

Evaristo Baschenis 1617-1677

Carlo Maratta 1625-1713

Luca Giordano 1634-1705

Andrea Pozzo 1642-1709

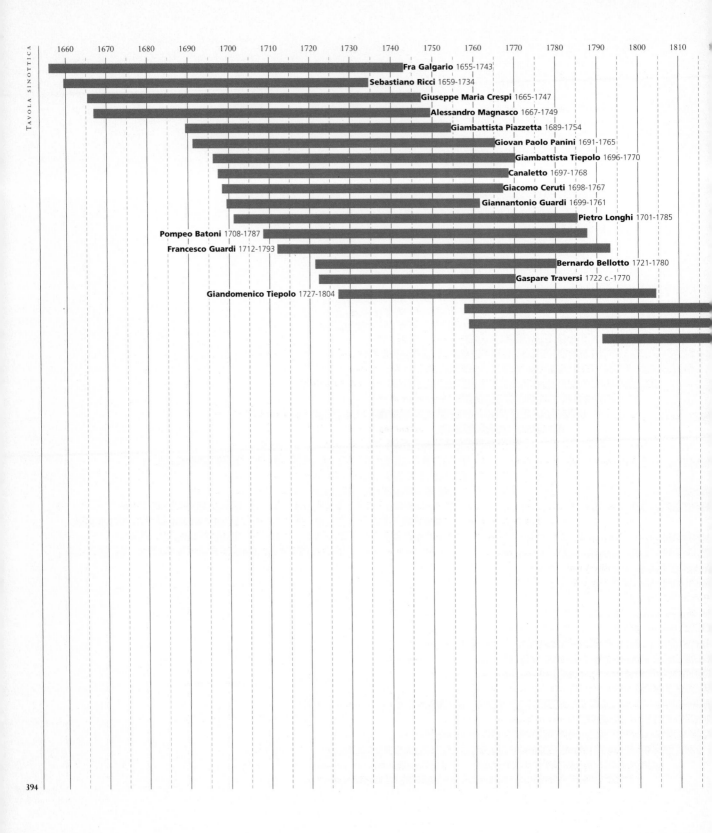

Fra Galgario 1655-1743

Sebastiano Ricci 1659-1734

Giuseppe Maria Crespi 1665-1747

Alessandro Magnasco 1667-1749

Giambattista Piazzetta 1689-1754

Giovan Paolo Panini 1691-1765

Giambattista Tiepolo 1696-1770

Canaletto 1697-1768

Giacomo Ceruti 1698-1767

Giannantonio Guardi 1699-1761

Pietro Longhi 1701-1785

Pompeo Batoni 1708-1787

Francesco Guardi 1712-1793

Bernardo Bellotto 1721-1780

Gaspare Traversi 1722 c.-1770

Giandomenico Tiepolo 1727-1804

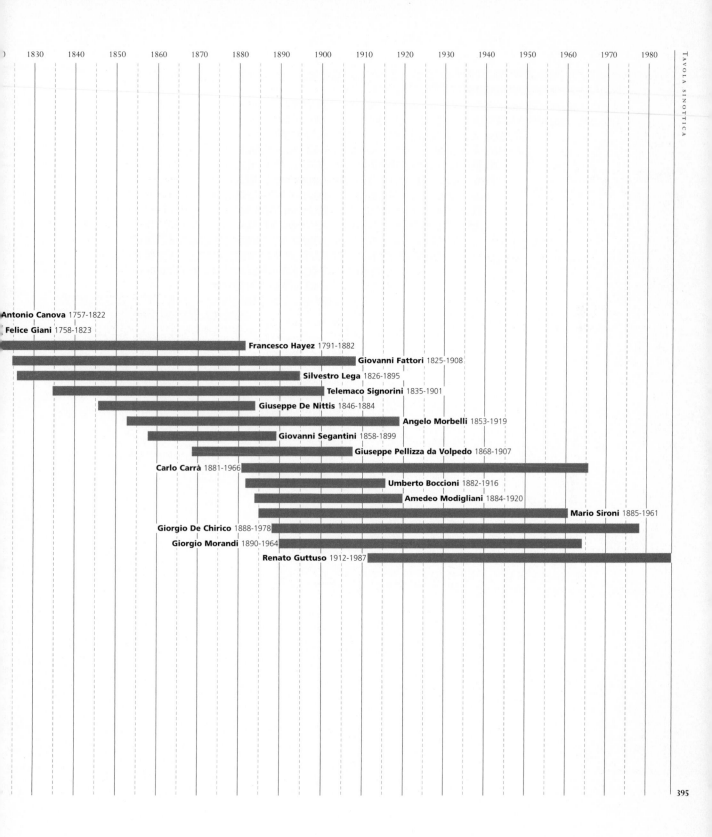

| | 1830 | 1840 | 1850 | 1860 | 1870 | 1880 | 1890 | 1900 | 1910 | 1920 | 1930 | 1940 | 1950 | 1960 | 1970 | 1980 |

Antonio Canova 1757-1822

Felice Giani 1758-1823

Francesco Hayez 1791-1882

Giovanni Fattori 1825-1908

Silvestro Lega 1826-1895

Telemaco Signorini 1835-1901

Giuseppe De Nittis 1846-1884

Angelo Morbelli 1853-1919

Giovanni Segantini 1858-1899

Giuseppe Pellizza da Volpedo 1868-1907

Carlo Carrà 1881-1966

Umberto Boccioni 1882-1916

Amedeo Modigliani 1884-1920

Mario Sironi 1885-1961

Giorgio De Chirico 1888-1978

Giorgio Morandi 1890-1964

Renato Guttuso 1912-1987

Indice degli artisti